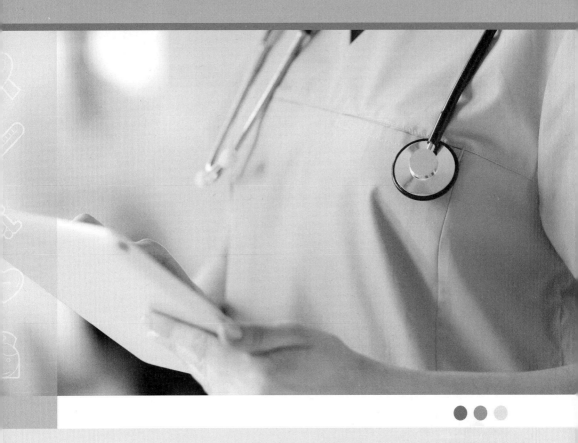

간호진단
Nursing
Diagnosis

길숙영 지음

간호진단

첫째판 1쇄 발행 | 2014년 7월 21일
둘째판 1쇄 인쇄 | 2019년 10월 24일
둘째판 1쇄 발행 | 2019년 10월 31일

지 은 이   길숙영
발 행 인   장주연
출 판 기 획   나영주
편집디자인   신지원
표지디자인   김재욱
발 행 처   군자출판사(주)
　　　　　등록 제4-139호(1991. 6. 24)
　　　　　본사 (10881) **파주출판단지** 경기도 파주시 회동길 338(서패동 474-1)
　　　　　전화 (031) 943-1888   팩스 (031) 955-9545
　　　　　홈페이지 | www.koonja.co.kr

ISBN 979-11-5955-491-9

정가 30,000원

저자약력

길숙영 교수

CHA의과대학교 간호대학 교수

머리말

다양한 환경에서 간호사와 간호 학생들이 간호 행위를 수행하는데 있어서 과학적인 접근 방법으로 간호과정을 적용하는 것은 필수적이다. 이 과정에서 간호진단은 자료를 분석하고 문제를 확인하여 전문직 간호사들의 의사소통을 향상시킴으로서 간호의 질을 향상시킬 수 있다. 간호진단은 간호사와 대상자 모두에게 도움이 되는 것으로 간호 실무의 독자적인 영역을 명확하게 하고, 간호진단을 기반으로 한 대상자의 개별 간호를 제공할 수 있다.

본서에서 사용한 간호진단은 대한간호협회에서 NANDA의 간호진단명을 우리말로 표준화한 목록을 기준으로, 2018-2020 NANDA 간호진단을 참고하여 구성하였다. 1장에서는 간호진단에 대한 전체적인 내용을 제시하였고, 2장에서는 NANDA에서 제시한 간호진단명을 정의와 특성, 관련요인, 연관조건, 위험요인, 위험대상자 등을 중심으로 수록하였으며, 3장에서는 의학적 진단명이나 임상 상황에 따라 가능한 간호진단을 중심으로 기술하였다.

본서의 내용이 임상 및 간호 현장에서 학생들과 임상간호사들에게 유용한 자료가 되기를 바라며, 출판하는데 많은 도움을 주신 군자출판사 사장님과 임직원 여러분들께 감사의 마음을 드린다.

2019년 9월
저자 길숙영

제3장
의학진단, 증상, 상황별 간호진단

찾아보기 · 참고문헌

제 1장

간호진단 개요

01 간호진단의 배경

간호진단은 간호과정의 두 번째 단계로 건강 상태에 대한 결론을 내리고 자료 분석을 위해 진단적 추리하고, 간호 계획을 위한 적절할 목표와 간호지시를 개발하는 지침으로 적용하는 단계이다.

간호진단이란 용어를 McManus(1950)가 처음 사용하였다. Fry(1953)는 간호진단을 간호대상자 요구에 근거하여 진술하였는데, 이것은 간호계획을 위한 것이 아니라 의사의 확실한 진단을 위해서 환자에 대한 자료수집이 이루어졌다.

미국 간호협회(ANA)에서 1973년에 간호실무 표준에서 간호진단을 간호과정의 중요한 부분으로 포함하였고, 간호진단을 전문적 간호사의 기능을 합법화하면서 NANDA조직을 중심으로 간호진단 용어의 표준화 작업이 시작되었다. 1980년대에 이르러 간호진단이 법적 권리뿐만 아니라 간호의무화가 되기 시작하였다.

NANDA (North America Nursing Diagnosis Association)를 중심으로 간호 진단을 위한 용어 표준화 작업을 시작하였고, 이 조직은 2년에 한번씩 회의를 개최하여 진단적 명명과 분류를 위한 체계화 작업을 계속하고 있다.

1992년에 NANDA 간호진단 분류체계Ⅰ에서 9가지 인간반응 양상을 대분류로 하여 108개 간호진단으로 분류하고, 2000년 14차 회의에서 13개의 영역, 106개의 분류, 155개의 간호진단목록으로 이루어진 NANDA-Ⅰ 분류체계Ⅱ 체계를 개발하였다. 2004년까지 13개의 영역, 46개의 분류, 167개의 간호진단목록, 2007년 194개 간호진단, 2009-2011년에 NANDA 간호진단 개발위원회에서는 새로운 간호진단 21개와 수정 및 삭제하여 총 201개의 간호진단목록을 발표하였다. 2017년에 NANDA-Ⅰ 회의에서 제안된 내용중 2018년에 승인된 내용으로 NANDA-Ⅰ 분류체계Ⅱ에서 13개의 영역, 47개의 과, 248개의 간호진단목록을 중심으로 진술하고 있다.

Nursing Diagnosis

02 | 건강상태 진단하기

대상자의 현재 상태를 규명하기 위한 진단을 위한 포괄적인 간호계획으로 대상자의 건강상태를 강점, 안녕진단, 실제적, 잠재적, 가능한 간호진단, 상호의존적 문제, 의학적 문제의 관점에서 기술한 진단적 진술을 포함한다.

1) 대상자의 강점

강점은 대상자가 더 높은 수준의 안녕상태에 도달하거나 문제 예방, 조절 및 해경에 도움이 되는 정상적인 건강기능의 영역을 말한다. 강점은 신체적, 심리적, 사회심리적, 영적 측면을 포함하며, 강점 목록을 대상자가 작성하도록 하여 스스로 자신의 상황을 극복할 수 있는 능력이 있음을 인식하게 한다.

2) 안녕진단

NANDA-I에서는 안녕진단을 건강을 증진할 준비가 되어 있는 개인, 가족, 지역사회의 안녕수준에 대한 인간반응으로 정의하였다. 안녕진단은 문제점은 없지만 더 높은 안녕 성취를 원하는 건강한 대상자가 정상적으로 기능하는 것을 위한 진단으로 진단명만 있고, 관련요인은 없다. 진단명은 개인이나 집단이 바라는 더 높은 수준의 안녕과 '향상 가능성'이 연결된다.

3) 간호진단인지

간호진단은 대상자의 현재 건강 상태에 대한 진술을 말하며, 간호사가 합법적인 진술이 가능하다. 간호진단에는 일차적 치료, 예방법을 지시할 수 있는 실재적, 잠재적(위험성), 가능한 건강문제를 기술한 것이다. 간호사는 모든 간호를 간호진단으로 지시할 수는 없으나 문제해결 및 예방에 필요한 중재 대부분을 지시할 수 있다.

(1) 실제적 간호진단

실제적 간호진단은 간호사정 당시 실제로 존재하는 문제에 대한 진단을 말한다. 문제와 연관된 증상과 징후의 존재에 의해 인지되며, 실제적 문제 완화 해결, 대응방향을 지시하는 간호지시를 포함한다.

(2) 잠재적(위험성) 간호진단

잠재적 간호진단은 간호사가 중재하지 않을 경우 발생 가능한 문제에 대한 진단으로, 문제발생을 촉진하는 위험요인이 존재하는 경우 진단한다. 간호 지시는 위험요인감소로 문제 예방, 문제점 조기 발견의 방향을 지시한다.

NANDA의 위험성 간호진단은 취약한 개인, 가족, 지역사회에서 발생하는 건상상태의 생의 과정에 대한 인간반응의 기술, 취약성 증가에 기여하는 위험요인에 의해 지지된다.

예] 신체손상위험성, 수술 중 체위관련 손상위험성, 질식위험성

(3) 가능한 간호진단

가능한 간호진단은 문제의 불확실성이 존재하는 것으로 문제가 있을 것으로 의심하기에 충분한 자료를 가지고 있으나 확신할 수 없는 경우를 말한다. 간호 지시는 진단의 확인하기 위한 핵심자료를 수집방향을 지시함으로써 중요한 진단을 빠뜨리거나 불충분한 자료로 인한 잘못된 진단 오류 예방할 수 있다.

4) 상호의존적 문제 인지

상호의존적 문제를 Carpenito(1991)는 '합병증의 발병 또는 상태변화를 발견해 내기 위하여 간호사가 감시하는 특정의 생리적 합병증'이라고 정의하였다. 합병증 최소화를 위해 의사의 처방 중재와 간호사의 처방 중재 모두 활용하여 협력적 문제를 관리할 수 있다.

독자적인 간호 중재는 환자 상태 모니터링 및 합병증 진행 예방에 초점을 둔다. 대상자의 상태를 결정적으로 치료하기 위해서는 의학적 중재와 간호중재 모두 필요하며, 협

력적인 문제는 잠재적인 문제에 초점을 둔다. 잠재적 합병증을 예측하고 발견하는데 도움이 되는 지침은 환자의 의학적 진단을 찾기, 환자의 모든 약물을 찾기, 환자의 수술, 치료, 진단과 관련된 가장 흔한 합병증을 찾기, 잠재적인 합병증의 징후와 증상에 관해 알고 있어야 어떤 사정이 필요한지 알 수 있다.

5) 의학적 진단인지

의학적 진단은 질병과정과 병리를 규명하고 병리치료를 목적으로 하며, 병리에 대한 인간반응을 반드시 고려하지는 않는다. 반면 간호진단에서는 환자의 반응이 변화함에 따라 변하고, 같은 의학적 진단을 가진 환자라도 간호진단은 다를 수 있다. 의학적 문제에 대해 진단을 내리거나 치료를 처방 하지 않아도 간호 판단은 필요하다.

03 간호진단의 분류

NANDA 분류에는 영역(Domain), 과(Class), 간호진단(Nursing Diagnosis) 로 되어있고, 간호진단 분류에는 간호실무 지식, 이론적 기틀, 분류 특성을 포함하고 있다. NANDA 진단명은 대상자가 어떤 건강 상태에 있다고 하더라도 특징을 묘사할 수 있는 공통 언어를 제공한다.

NANDA의 진단의 구성요소는 명칭(Label), 정의(Definition), 정의된 특성(Defining Characteristics), 관련요인(Related Factor) 또는 위험요인(Risk Factor)의 네가지 구성 요소를 가진다. 2018-2020년에 새롭게 도입된 부분은 위험대상자와 연관조건을 추가하였다.

1) 명칭

명칭은 대상자의 건강을 간략한 용어로 서술한 것으로 제목 또는 이름이다.

간호진단에 사용되는 수식어(NANDA-I 분류체계 II)는 간호진단을 쉽게 첨가하거나 수정하도록 실질적으로 조직적인 명명법의 융통성을 높이기 위해 7가지 축을 포함한다.

① 축 1 : 진단적 초점(focus)

진단적 진술의 근원이 되는 요소 또는 기본적이고 필수적인 요소를 말한다.

② 축 2 : 간호대상(unit or care)

간호진단이 확인된 각각의 집단으로 개인, 돌봄제공자, 가족, 집단, 지역사회를 포함한다.

③ 축 3 : 판단(judgment)

(손상된 비효과적등) 수식어로 간호진단의 의미를 한정하거나 구체화한다.

④ 축 4 : 위치(location)

구강, 말초, 뇌등 신체의 부위나 영역을 포함한다.

⑤ 축 5 : 연령(age)

개인이 살아온 시간의 길이나 간격으로 태아, 신생아, 영아, 취학전 , 청소년기, 성인기를 포함한다.

⑥ 축 6 : 시간(time)

어떤 기간의 지속이나 간격을 의미하며, 이 축의 기준은 급성, 만성, 간헐적, 지속적인 상태 구분된다.

⑦ 축 7 : 진단상태(status of the diagnosis)

건강 연속선상에서의 위치나 등급으로 안녕(Wellness), 위험(risk), 실제적(actual) 상태를 포함한다.

2) 정의

정의는 진단명의 본질적인 성질을 정확하고 분명하게 표현하는 것으로 모든 다른 진단명과 구별할 수 있게 한다.

3) 정의된 특성

정의된 특성은 진단명의 존재를 나타내주는 단서들로 주관적, 객관적 자료를 포함한다. 실제적 진단에서는 환자의 증상과 증후를 말하며, 잠재적 진단에서는 위험 요인을 나타낸다. 발견할 수 있는 증상과 징후가 많을수록 내려진 진단이 좀 더 타탕한 것으로 볼 수 있다.

4) 관련 또는 위험요인

관련 또는 위험요인은 문제와 연관된 조건 또는 상황을 말하며, 문제에 기여하거나, 선행되거나, 영향을 주거나, 원인이 되는 조건 등을 말한다. 관련요인을 확인하는 것은 간호사가 건강 문제를 해결하기 위한 특정한 중재를 개발하는데 도움이 되며, 위험요인은 간호진단에서 임상적 단서를 기술하는데 사용된다.

04 간호진단진술문 작성

진단진술문은 대상자의 문제와 관련 요인 또는 위험 요인을 서술한 것으로, 기본 형식 (문제+원인)은 간호진단, 안녕진단 또는 협력 문제 중 어느 것을 작성할 것인지에 따라 그리고 문제 상태(실제적, 잠재적, 가능성이 있는)에 따라 다르다.

문제는 대상자의 건강 상태를 분명하고 간략하게 서술한 것이며 대상자의 목표/기대 되는 결과를 제시해야 하는데 가능하면 NANDA – I의 진단명 목록을 이용하도록 한다. 원인은 기여하거나 원인이 되는 요인들을 서술하는 실제적 문제와 존재하는 위험 요인 서술하는 잠재적인 문제로 분류한 것으로 개별화된 간호를 할 수 있게 해 준다.

진술문의 두 부분을 연결시켜주기 위하여 "~와 관련된"(r/t: related to)을 사용하며, 문제의 원인과 상호작용하는 요인은 다양하고, 비록 원인 요소가 제거 되었다 하더라도 문제 반응은 여전히 존재할 수 있다.

1) 실재적 간호진단

대상자의 증상과 증후가 진단명의 정의된 특성과 맞을 때 실제적 진단이 존재

(1) 기본 형식 : 문제와 원인(2개 부분 진술)

문제(NANDA – I 진단명칭) 와 관련된(r/t) 원인(관련요인)으로 구성되며 진술된 원 인에 따라 간호중재가 달라진다.

문제(NANDA 진단명)	r/t	원인(관련요인)
위장관 운동 기능장애		위장관 부동
변실금		환경요인(화장실 사용 어려움)

(2) P.E.S 형식 : 세부분 진술

세 부분 진술은 문제와 원인이외에 정의된 특성을 진단진술문의 한 부분으로 포함시킨 진술을 말한다. 문제(Problem)는 대상자에게 실제로 있거나 잠재되어 있는 건강문제에 대한 인간의 반응(진단명)이며, 원인(Etiology)은 장애 또는 변화의 원인요소, 문제의 원인으로 원인을 구체화함으로써 간호중재의 방향을 제시한다. 증상 및 징후(Sign & Symptom)는 대상자가 그 진단상태에 있다는 것을 나타내는 특징을 말하는 것으로 첫글자를 이용하여 P.E.S.형식이라고 한다.

문제(P)	r/t	원인(E)	A.M.B	증상(S)
NANDA 진단명	r/t	관련요인	=as manifested by	정의된 특성
불면증		성별 관련 호르몬 변화		감정변화 관찰됨, 기분변화 보고, 삶의 질 저하 보고, 집중저하 보고, 잠들기 어려움을 보고, 잠을 지속하기 어려움을 보고, 다음날 일상활동에 장애를 주는 수면 보고

(3) 기본 형식의 변형

① 1개 부분 진술문

원인이나 기여요인을 모를지라도 특성이 존재할 때 원인 없이 NANDA 진단명만을 이용할 수 있다.

예] 환경 해석 장애 증후군, 외상 후 증후군, 환경변화 스트레스증후군

② "이차적인": secondary to: 2°"

원인을 두 부분으로 나누어야만 그 진단진술이 명확해 지는 경우, '이차적인[secondary to~(2°)]'이라는 단어를 사용한다. "이차적"이라는 단어 뒤에 오는 부분은 흔히 병태 생리적 또는 질병과정이 된다.

예] 피부통합성 장애 위험성 r/t 순환장애 2° 당뇨병

③ 원인 불명

원인이나 기여 요인을 모를지라도 정의된 특성이 존재할 경우 진단을 내릴 수 있으며, 원인이 짐작이 가나 확증하기 위해선 더 많은 자료가 필요한 경우 "관련 가능성 있는"(possibly) 이라는 어구 사용한다.

예] 불안정한 혈당수치 위험성 possibly r/t 당뇨 치료 지시 불이행

④ 복합요인

원인이 너무 많거나 너무 복잡하여 간단한 어구로 진술 할 수 없을 때 원인을 생략하고 "복합 요인"의 어구로 대체한다.

예] 복합요인과 관련된 만성적 자존감 저하

⑤ 어떤 진단명들은 두 부분으로 구성된다. 첫 부분은 하나의 전반적인 반응을 나타내며, 두 번째 부분은 구체화하고, 진단명을 구체적으로 만들기 위해 (:)과 설명을 덧붙인다.

예] 영양불균형: 영양소 흡수 불능과 관련된 영양부족

영양불균형: 대사요구량보다 과다한 섭취와 관련된 영양과다

2) 잠재적(위험) 간호진단 – 위험성 문제(r/t) 위험요소

잠재적(위험) 간호진단은 간호사가 그것을 예방하기 위해 중재를 하지 않은 경우 발전될 수 있는 것을 말한다. 형식은 '문제+원인'으로 대상자의 위험요인이 원인이 되며, 증상과 징후가 없으므로 P.E.S.형식은 사용할 수 없다.

예] 비효율적 말초조직 관류 위험성 r/t 질병과정에 대한 지식부족 2° 고지혈증

3) 가능한 간호진단 – 가능한 문제(r/t) 실제적(가능한) 원인

가능한 간호진단은 확증할 만한 충분한 자료가 없거나 원인을 확증할 수 없을 때 사용한다. 가능한(passible)이란 단어는 문제와 원인 모두에 사용 가능하며, 원인을 모를 경우 "원인불명과 관련된"으로 사용한다. 의심은 되나 원인을 확인 할 수 없을 경우 "관련 가능성 있는(possibly r/t)"을 사용한다.

• 만성적 자존감 저하 가능성 r/t 실패 반복
• 사고과정 장애의 가능성 있는 r/t 익숙하지 않은 환경
• 자존감 저하의 가능성 r/t 원인불명

4) 안녕진단

안녕진단은 한 부분 진술문으로 구성된다. 구체적 원인이 없어도 새로운 NANDA 안녕진단명은 진단 진술문을 만들 수 있다.

예] 자가간호 향상 가능성, 지식향상 가능성, 관련 향상 가능성

간호진단 진술의 오류방지

(1) 간호진단으로 오인하기 쉬운 것

    ① 의학진단은 간호진단이 아니다.

    ② 진단검사는 간호진단이 아니다.

    ③ 의학적 치료나 수술은 간호진단이 아니다(관련요인은 될 수 있다).
       간호진단은 치료나 수술에 대한 대상자의 반응이다.

    ④ 시술명은 간호진단이 아니다.

    ⑤ 의료장비나 기구는 간호진단이 아니다.

    ⑥ 간호진단은 간호사의 문제를 진술하는 것이 아니다.

    ⑦ 간호진단은 간호수행을 진술하는 것이 아니다.

    ⑧ 증상이나 징후는 간호진단이 아니다.

(2) 간호진단 진술시의 오류

    ① 관련요인과 건강문제를 역으로 진술

    ② 관련요인에 대상자의 반응을 재진술

    ③ 한 가지 이상의 건강문제를 함께 진술

    ④ 간호사의 가치판단을 포함

    ⑤ 간호사가 변화시킬 수 없는 것을 관련요인으로 진술하며, 가능한 한 간호사
       는 간호중재를 위한 방향을 제공할 수 있게 원인을 작성해야 한다.

    ⑥ 건강문제에 한 가지 이상의 관련요인이 있을 때, 각각을 분리하여 진술

    ⑦ 관련요인 없이 건강문제만을 진술
       관련요인이 간호중재를 지시하므로 안녕 간호진단, 증후군 간호진단을 제
       외하고는 관련요인 없이 건강문제만 진술하는 것은 바람직하지 않다.

    ⑧ 법에 저촉되는 방식으로 진술

05 NANDA-I 분류체계 II 영역별 간호진단 목록(2018-2020)

영역	과	간호진단
1. 건강증진 Health promotion	1. 건강인식 Health awareness	• 여가활동 감소 Decreased diversional activity engagement • 건강문해력 향상을 위한 준비 Readiness for enhanced health literacy • 비활동적 생활양식 Sedentary lifestyle
	2. 건강관리 Health management	• 허약노인 증후군 Frail elderly syndrome • 허약노인 증후군 위험성 Risk for frail elderly syndrome • 지역사회 건강 부족 Deficient community health • 위험성향 건강 행동 Risk-prone health behavior • 비효율적 건강 유지 Ineffective health maintenance • 비효율적 건강관리 Ineffective health management • 건강관리 향상 가능성 Readiness for enhanced health manage-ment • 비효율적 가족건강 관리 Ineffective family health management • 비효율적 방어 Ineffective protection
2. 영양 Nutrition	1. 섭취 Ingestion	• 영양불균형: 영양부족 Imbalanced nutrition: Less than body require-ments • 영양 향상을 위한 가능성 Readiness for enhanced nutrition • 불충분한 모유생산 Insufficient breast milk production • 비효율적 모유수유 Ineffective breastfeeding • 모유수유 중단 Interrupted breastfeeding • 모유수유 향상 가능성 Readiness for enhanced breastfeeding • 비효율적 청소년 식생활 역학 Ineffective adolescent eating dynamics • 비효율적 아동 식생활 역학 Ineffective child eating dynamics • 비효율적 영아 식생활 역학 Ineffective infant eating dynamics • 비효율적 영아 수유양상 Ineffective infant feeding pattern • 비만 Obesity • 과체중 Overweight • 과체중 위험성 Risk for overweight • 연하장애 Impaired swallowing

2. 영양 Nutrition	2. 소화 Digestion	해당진단 없음
	3. 흡수 Absorption	해당진단 없음
	4. 대사 Metabolism	• 불안정한 혈당수치 위험성 Risk for unstable blood glucose level • 신생아 고빌리루빈혈증 Neonatal hyperbilirubinemia • 신생아 고빌리루빈혈증 위험성 Neonatal hyperbilirubinemia • 간 기능 장애 위험성 Risk for impaired liver function • 대사불균형의 위험성 Risk for metabolic imbalance syndrome
	5. 수화 Hydration	• 전해질 불균형 위험성 Risk for electrolyte imbalance • 체액불균형 위험성 Risk for Imbalanced fluid volume • 체액부족 Deficient fluid Volume • 체액부족 위험성 Risk for deficient fluid volume • 체액과다 Excess fluid volume
3. 배설/교환 Elimination and Exchange	1. 배뇨 기능 Urinary function	• 배뇨장애 Impaired urinary elimination • 기능적 요실금 Functional urinary incontinence • 익류성 요실금 Overflow urinary incontinence • 신경인성 요실금 Reflex urinary incontinence • 복압성 요실금 Stress urinary incontinence • 절박성 요실금 Urge urinary incontinence • 절박성 요실금 위험성 Risk for urge urinary incontinence • 요정체 Urinary retention
	2. 위장관 기능 Gastrointestinal Function	• 변비 Constipation • 변비 위험성 Risk for Constipation • 상상변비 Perceived Constipation • 만성 기능성 변비 Chronic functional constipation • 만성 기능성 변비 위험성 Risk for chronic functional constipation • 설사 Diarrhea • 위장관 운동 기능장애 Dysfunctional gastrointestinal mobility • 위장관 운동 기능장애 위험성 Risk for dysfunctional gastrointestinal mobility • 변실금 Bowel Incontinence
	3. 피부기능 Integumentary Function	해당진단 없음
	4. 호흡기능 Respiratory Function	• 가스교환장애 Impaired Gas Exchange

4. 활동/휴식 Activity/rest	1. 수면/휴식 Sleep/rest	• 불면증 Insomnia • 수면 박탈 Sleep deprivation • 수면 향상 가능성 Readiness for enhanced sleep • 수면 양상 장애 Disturbed sleep pattern
	2. 활동/운동 Activity/ exercise	• 비사용 증후군 위험성 Risk for disuse syndrome • 침상 체위이동 장애 Impaired bed mobility • 신체 이동성 장애 Impaired physical mobility • 휠체어 이동성 장애 Impaired wheelchair mobility • 앉기 장애 Impaired sitting • 기립 장애 Impaired standing • 이동능력 장애 Impaired transfer ability • 보행 장애 Impaired walking
	3. 에너지 균형 Energy balance	• 에너지장 불균형 Imbalanced energy field • 피로 Fatigue • 배회 Wandering
	4. 심혈관/ 호흡기계 반응 Cardiovascular/ pulmonary responses	• 활동 지속성 장애 Activity intolerance • 활동 지속성 장애 위험성 Risk for activity intolerance • 비효율적 호흡 양상 Ineffective breathing pattern • 심박출량 감소 Decreased cardiac output • 심박출량 감소 위험성 Risk for decreased cardiac output • 자발적 환기 장애 Impaired spontaneous ventilation • 혈압 불안정 위험성 Risk for unstable blood pressure • 심장 조직 관류 감소 위험성 Risk for decreased cardiac tissue perfusion • 비효율적 뇌조직 관류 위험성 Risk for ineffective cerebral tissue perfusion • 비효율적 말초 조직 관류 Ineffective peripheral tissue perfusion • 비효율적 말초조직 관류 위험성 Risk for ineffective peripheral tissue perfusion • 호흡기 제거에 대한 부적응 Dysfunctional ventilatory weaning response
	5. 자가간호 Self-care	• 가정유지 장애 Impaired home maintenance • 목욕 자가간호 결핍 Bathing self-care deficit • 옷 입기 자가간호 결핍 Dressing self-care deficit • 음식섭취 자가간호 결핍 Feeding self-care deficit • 용변 자가간호 결핍 Toileting self-care deficit • 자가간호 향상 가능성 Readiness for enhanced self-care • 자기무시 Self-neglect
5. 지각/인지 Perception/ cognition	1. 집중 Attention	• 편측성 지각 장애 Unilateral neglect

5. 지각/인지 Perception/ cognition	2. 지남력 Orientation	해당진단 없음
	3. 감각/지각 Sensation/ perception	해당진단 없음
	4. 인지 Cognition	• 급성혼동 Acute confusion • 급성혼동 위험성 Risk for Acute confusion • 만성혼동 Chronic confusion • 불안정한 감정 조절 Labile emotional control • 비효율적 충동 조절 Ineffective Impulse control • 지식부족 Deficient Knowledge • 지식 향상 가능성 Readiness for enhanced knowledge • 기억장애 Impaired memory
	5. 의사소통 Communication	• 의사소통 향상 가능성 Readiness for enhanced communication • 언어소통 장애 Impaired verbal communication
6. 자아인식 Self- perception	1. 자아개념 Self- concept	• 절망감 Hopelessness • 희망 향상 가능성 Readiness for enhanced hope • 인간 존엄성 손상 위험성 Risk for compromised human dignity • 자아정체성 장애 Disturbed personal identity • 자아정체성 장애 위험성 Risk for disturbed personal identity • 자아개념 향상 가능성 Readiness for enhanced self-concept
	2. 자존감 Self- esteem	• 만성적 자존감 저하 Chronic low self-esteem • 만성적 자존감 저하 위험성 Risk for chronic low self-esteem • 상황적 자존감 저하 Situational low self-esteem • 상황적 자존감 저하 위험성 Risk for situational low self-esteem
	3. 신체상 Body image	• 신체상 장애 Disturbed body image
7. 역할관계 Role relationships	1. 돌봄 역할 Caregiving roles	• 돌봄제공자 역할 부담감 Caregiver role strain • 돌봄제공자 역할 부담감 위험성 Risk for caregiver role strain • 부모 역할 장애 Impaired parenting • 부모 역할 장애 위험성 Risk for Impaired parenting • 부모 역할 향상 가능성 Readiness for Enhanced parenting
	2. 가족관계 Family relationship	• 애착장애 위험성 Risk for impaired attachment • 가족과정 기능 장애 Dysfunctional family processes • 가족과정 중단 Interrupted family processes • 가족과정 향상 가능성 Readiness for enhanced family processes

7. 역할관계 Role relationships	3. 역할수행 Role performance	• 비효율적 관계 Ineffective relationship • 비효율적 관계 위험성 Risk for ineffective relationship • 관계 향상 가능성 Readiness for enhanced relationship • 부모역할 갈등 Parental role conflict • 비효율적 역할 수행 Ineffective role performance • 사회적 상호작용 장애 Impaired social interaction
8. 성 Sexuality	1. 성정체감 Sexual identity	해당진단 없음
	2. 성기능 Sexual function	• 성기능 장애 Sexual dysfunction • 비효율적 성적 양상 Ineffective sexuality pattern
	3.생식 Reproduction	• 비효율적 출산과정 Ineffective childbearing process • 비효율적 출산과정 위험성 Risk for ineffective childbearing process • 출산과정 향상 가능성 Readiness for enhanced childbearing process • 모아관계 형성 장애 위험성 Risk for disturbed maternal-fetal dyad
9. 대응/ 스트레스 내성 Coping/ stress tolerance	1. 외상 후 반응 Post-Trauma responses	• 복합적 이민전환 위험성 Risk for complicated immigration transition • 외상 후 증후군 Post-trauma syndrome • 외상 후 증후군 위험성 Risk for Post-trauma syndrome • 강간 상해 증후군 Rape-trauma syndrome • 환경변화 스트레스 증후군 Relocation stress syndrome • 환경변화 스트레스 증후군 위험성 Risk for relocation stress syndrome
	2. 대응반응 Coping responses	• 비효율적 활동 계획 Ineffective activity planning • 비효율적 활동 계획 위험성 Risk for ineffective activity planning • 불안 Anxiety • 방어적 대응 Defensive coping • 비효율적 대응 Ineffective coping • 대응 향상 가능성 Readiness for enhanced coping • 지역사회의 비효율적 대응 Ineffective community coping • 지역사회 대응 향상 가능성 Readiness for enhanced community coping • 가족의 비효율적 대응 Compromised family coping • 가족 대응 불능 Disabled family coping • 가족 대응 향상 가능성 Readiness for enhanced family coping • 죽음불안 Death anxiety • 비효율적 부정 Ineffective denial • 성인 성장 장애 Adult Failure to thrive • 두려움 Fear • 슬픔 Grieving

9. 대응/ 스트레스 내성 Coping/ Stress Tolerance	2. 대응반응 Coping responses	• 복합적 슬픔 Complicated grieving • 복합적 슬픔 위험성 Risk for complicated grieving • 기분조절장애 Impaired mood regulation • 무력감 Powerlessness • 무력감 위험성 Risk for powerlessness • 힘 향상 가능성 Readiness for Enhanced power • 적응력 장애 Impaired resilience • 적응력 장애 위험성 Risk for impaired resilience • 적응력 향상 가능성 Readiness for enhanced resilience • 만성 비탄 Chronic sorrow • 과잉 스트레스 Stress overload

	3. 신경 · 행동적
	스트레스
	Neurobe–
	havioral stress
		• 급성 약물 중단 증후군 Acute substannce withdrawl syndrome
		• 급성 약물 중단 증후군 위험성 Risk for acute substannce withdrawl
		  syndrome
		• 자율신경 반사장애 Autonomic dysreflexia
		• 자율신경 반사장애 위험성 Risk for autonomic dysreflexia
		• 두개 내압 적응력 감소 Decreases intracranial adaptive capacity
		• 신생아 약물중단 증후군 Neonatal abstinence syndrome
		• 영아의 비조직적 행위 Disorganized infant behavior
		• 영아의 비조직적 행위 위험성 Risk for disorganized infant behavior
		• 영아의 조직적 행위 향상 가능성 Readiness for enhanced organized
		  infant behavior

10. 삶의 원리 Life Principle	1. 가치 Value	해당진단 없음
	2. 신념 Beliefs	• 영적 안녕증진 가능성 Readiness for enhanced spiritual well–being

	3. 가치/신념/행동
	일치성
	Value/
	Belief/Action
	Congruence
		• 의사결정 향상 가능성 Readiness for enhanced decision–making
		• 의사결정 갈등 Decisional conflict
		• 자주적 의사결정 장애 Impaired emancipated decision–making
		• 자주적 의사결정 장애 위험성 Risk for impaired emancipated
		  decision–making
		• 자주적 의사결정 향상 준비성 Readiness for enhanced emancipated
		  decision–making
		• 도덕적 고뇌 Moral distress
		• 손상된 신앙심 Impaired religiosity
		• 신앙심 손상 위험성 Risk for Impaired religiosity
		• 신앙심 향상 가능성 Readiness for enhanced religiosity
		• 영적 고뇌 Spiritual distress
		• 영적고뇌 위험성 Risk for spiritual distress

	1. 감염 Infection	• 감염 위험성 Risk for infection • 수술부위 감염 위험성 Risk for surgical site infection
11. 안전/보호 Safety/ Protection	2. 신체적 손상 Physical injury	• 비효율적 기도 청결 Ineffective airway clearance • 기도흡인 위험성 Risk for aspiration • 출혈 위험성 Risk for bleeding • 치아상태 불량 Impaired dentition • 안구 건조 위험성 Risk for dry eye • 구강 건조 위험성 Risk for dry mouth • 낙상 위험성 Risk for falls • 각막손상 위험성 Risk corneal injury • 신체손상 위험성 Risk for injury • 요도손상 위험성 Risk for urinary tract injury • 수술 중 체위 관련 손상 위험성 Risk for perioperative positioning injury • 열 손상 위험성 Risk for thermal injury • 구강점막 통합성 손상 Impaired oral mucous membrane integrity • 구강점막 통합성 손상 위험성 Risk for impaired oral mucous membrane integrity • 말초신경혈관 기능 장애 위험성 Risk for peripheral neurovascular dysfunction • 신체적 외상 위험성 Risk for physical trauma • 혈관 외상 위험성 Risk for Vascular Trauma • 욕창 위험성 Risk for pressure ulcer • 쇼크 위험성 Risk for shock • 피부 통합성 장애 Impaired skin integrity • 피부 통합성 장애 위험성 Risk for impaired skin integrity • 영아 돌연사 위험성 Risk for sudden infant death • 질식 위험성 Risk for suffocation • 수술 후 회복 지연 Delayed surgical recovery • 수술 후 회복 지연 위험성 Risk for delayed surgical recovery • 조직 통합성 장애 Impaired tissue integrity • 조직 통합성 장애 위험성 Risk for impaired tissue integrity • 정맥 혈전 색전증 위험성 Risk for venous thromboembolism
	3. 폭력 Violence	• 여성 생식기 손상 위험성 Risk for female genital mutilation • 타인지향 폭력 위험성 Risk for other-directed violence • 본인지향 폭력 위험성 Risk for self-directed violence • 자해 Self-mutilation • 자해 위험성 Risk for self-mutilation • 자살 위험성 Risk for suicide
	4. 환경적 위험 Environmental Hazards	• 오염 Contamination • 오염 위험성 Risk for contamination • 직업 상해 위험성 Risk for occupational injury • 중독 위험성 Risk for poisoning

11. 안전/보호 Safety/ Protection	5. 방어과정 Defensive Processes	• 요오드 조영제 부작용 위험성 Risk for adverse reaction to iodinated contrast media • 알레르기 반응 위험성 Risk for allergy reaction • 라텍스 알레르기 반응 Latex allergy response • 라텍스 알레르기 반응 위험성 Risk for latex allergy response
	6. 체온조절 Thermoregul- ation	• 고체온 Hyperthermia • 저체온 Hypothermia • 저체온 위험성 Risk for hypothermia • 수술 중 저체온 위험성 Risk for perioperative hypothermia • 비효율적 체온조절 Ineffective thermoregulation • 비효율적 체온조절 위험성 Risk for ineffective thermoregulation
12. 안위 Comfort	1. 신체적 안위 Pahysical comfort	• 안위장애 Impaired comfort • 안위 향상 가능성 Readiness for enhanced comfort • 오심 Nausea • 급성통증 Acute pain • 만성통증 Chronic pain • 만성통증 증후군 Chronic pain syndrome • 분만통증 Labor pain
	2. 환경적 안위 Environmental comfort	• 안위장애 Impaired comfort • 안위 향상 가능성 Readiness for enhanced comfort
	3. 사회적 안위 Social comfort	• 안위장애 Impaired comfort • 안위 향상 가능성 Readiness for enhanced comfort • 외로움 위험성 Risk for loneliness • 사회적 고립 Social isolation
13. 성장/발달 Growth/ Develop- ment	1: 성장 Growth	해당진단 없음
	2. 발달 Development	• 발달지체 위험성 Risk for delayed development

06 | NANDA-I 분류체계II 알파벳 순서별 간호진단 목록(2018-2020)

A

- **Activity intolerance** 활동 지속성 장애
- Risk for **activity intolerance** 활동 지속성 장애 위험성
- Ineffective **activity planning** 비효율적 활동 계획
- Risk for **ineffective activity planning** 비효율적 활동 계획 위험성
- **Acute substannce withdrawl syndrome** 급성 약물 중단 증후군
- Risk for **acute substannce withdrawl syndrome** 급성 약물 중단 증후군 위험성
- Risk for **adverse reaction to iodinated contrast media** 요오드 조영제 부작용 위험성
- Ineffective **airway clearance** 비효율적 기도 청결
- Risk for **allergy response** 알레르기 반응 위험성
- **Anxiety** 불안
- Risk for **aspiration** 기도흡인 위험성
- Risk for impaired **attachment** 애착장애 위험성
- **Autonomic dysreflexia** 자율신경 반사장애
- Risk for **autonomic dysreflexia** 자율신경 반사장애 위험성

B

- Im**balanced energy field** 에너지장 불균형
- Risk for Im**balanced fluid volume** 체액불균형 위험성
- Im**balanced nutrition**: Less than body requirements 영양불균형: 영양부족
- Disorganized infant **behavior** 영아의 비조직적 행위
- Readiness for enhanced organized infant **behavior** 영아의 조직적 행위 향상 가능성

- Risk for **bleeding** 출혈 위험성
- Risk for unstable **blood glucose level** 불안정한 혈당수치 위험성
- Disturbed **body image** 신체상 장애
- Ineffective **breastfeeding** 비효율적 모유수유
- Interrupted **breastfeeding** 모유수유 중단
- Readiness for enhanced **breastfeeding** 모유수유 향상 가능성
- Insufficient **breast milk production** 불충분한 모유생산
- Ineffective **breathing pattern** 비효율적 호흡 양상

C

- Decreased **cardiac output** 심박출량 감소
- Risk for decreased **cardiac output** 심박출량 감소 위험성
- **Caregiver role strain** 돌봄제공자 역할 부담감
- Risk for **caregiver role strain** 돌봄제공자 역할 부담감 위험성
- Ineffective **childbearing process** 비효율적 출산과정
- Readiness for enhanced **childbearing process** 출산과정 향상 가능성
- Risk for ineffective **childbearing process** 비효율적 출산과정 위험성
- Impaired **comfort** 안위장애
- Readiness for enhanced c**omfort** 안위 향상 가능성
- Readiness for enhanced **communication** 의사소통 향상 가능성
- Acute **confusion** 급성혼동
- Chronic **confusion** 만성혼동
- Risk for acute **confusion** 급성혼동 위험성
- **Constipation** 변비
- Risk for **constipation** 변비 위험성
- Perceived **constipation** 상상변비
- **Contamination** 오염
- Risk for **contamination** 오염 위험성
- Compromised family **coping** 가족의 비효율적 대응
- Defensive **coping** 방어적 대응

- Disabled family **coping** 가족 대응 불능
- Ineffective **coping** 비효율적 대응
- Ineffective community **coping** 지역사회의 비효율적 대응
- Readiness for enhanced **coping** 대응 향상 가능성
- Readiness for enhanced community **coping** 지역사회 대응 향상 가능성
- Readiness for enhanced family **coping** 가족 대응 향상 가능성
- Risk **corneal injury** 각막손상 위험성

D

- **Death anxiety** 죽음불안
- Ineffective **denial** 비효율적 부정
- **Decisional conflict** 의사결정 갈등
- Readiness for enhanced **decision-making** 의사결정 향상 가능성
- Impaired **dentition** 치아상태 불량
- Risk for delayed **development** 발달지체 위험성
- **Diarrhea** 설사
- Risk for **disuse syndrome** 비사용 증후군 위험성
- Decreased **diversional activity engagement** 여가활동 감소
- Risk for **dry eye** 안구 건조 위험성
- Risk for **dry mouth** 구강 건조 위험성

E

- Ineffective adolescent **eating dynamics** 비효율적 청소년 식생활 역학
- Ineffective child **eating dynamics** 비효율적 아동 식생활 역학
- Ineffective infant **eating dynamics** 비효율적 영아 식생활 역학
- Risk for **electrolyte imbalance** 전해질 불균형 위험성
- Impaired urinary **elimination** 배뇨장애
- Impaired **emancipated decision-making** 자주적 의사결정 장애
- Readiness for enhanced **emancipated decision-making** 자주적 의사결정 향상 준비성
- Risk for impaired **emancipated decision-making** 자주적 의사결정 장애 위험성
- Labile **emotional control** 불안정한 감정 조절

F

- Adult **Failure to thrive** 성인 성장 장애
- Risk for **falls** 낙상 위험성
- Dysfunctional **family processes** 가족과정 기능 장애
- Interrupted **family processes** 가족과정 중단
- Readiness for enhanced **family processes** 가족과정 향상 가능성
- **Fatigue** 피로
- **Fear** 두려움
- Ineffective infant **feeding pattern** 비효율적 영아 수유양상
- Risk for **female genital mutilation** 여성 생식기 손상 위험성
- Deficient **fluid Volume** 체액부족
- Excess **fluid volume** 체액과다
- Risk for deficient **fluid volume** 체액부족 위험성
- **Frail elderly syndrome** 허약노인 증후군
- Risk for **frail elderly syndrome** 허약노인 증후군 위험성
- Chronic **functional constipation** 만성 기능성 변비
- Risk for chronic **functional constipation** 만성 기능성 변비 위험성

G

- Impaired **Gas Exchange** 가스교환장애
- Dysfunctional **gastrointestinal mobility** 위장관 운동 기능장애
- Risk for dysfunctional **gastrointestinal mobility** 위장관 운동 기능장애 위험성
- **Grieving** 슬픔
- Complicated **grieving** 복합적 슬픔
- Risk for complicated **grieving** 복합적 슬픔 위험성

H

- Deficient community **health** 지역사회 건강 부족
- Readiness for enhanced **health literacy** 건강문해력 향상을 위한 준비
- Risk-prone **health behavior** 위험성향 건강 행동
- Ineffective **health maintenance** 비효율적 건강 유지

- Ineffective **health management** 비효율적 건강관리
- Ineffective Family **health management** 비효율적 가족건강 관리
- Readiness for Enhanced **health management** 건강관리 향상 가능성
- Neonatal **hyperbilirubinemia** 신생아 고빌리루빈혈증
- Neonatal **hyperbilirubinemia** 신생아 고빌리루빈혈증 위험성
- Impaired **home maintenance** 가정유지 장애
- Readiness for enhanced **hope** 희망 향상 가능성
- **Hopelessness** 절망감
- Risk for compromised **human dignity** 인간 존엄성 손상 위험성
- **Hyperthermia** 고체온
- **Hypothermia** 저체온
- Risk for **hypothermia** 저체온 위험성

I

- Risk for complicated **immigration transition** 복합적 이민전환 위험성
- Ineffective **Impulse control** 비효율적 충동 조절
- Bowel **Incontinence** 변실금
- Functional urinary **incontinence** 기능적 요실금
- Overflow urinary **incontinence** 익류성 요실금
- Reflex urinary **incontinence** 신경인성 요실금
- Risk for urge urinary **incontinence** 절박성 요실금 위험성
- Stress urinary **incontinence** 복압성 요실금
- Urge urinary **incontinence** 절박성 요실금
- Risk for **infection** 감염 위험성
- Risk for **injury** 신체손상 위험성
- **Insomnia** 불면증
- Decreases **intracranial adaptive capacity** 두개 내압 적응력 감소
- Risk for urinary tract **injury** 요도손상 위험성

K

- Deficient **knowledge** 지식부족

- Readiness for enhanced **knowledge** 지식 향상 가능성

L

- **Labor pain** 분만통증
- **Latex allergy response** 라텍스 알레르기 반응
- Risk for **latex allergy response** 라텍스 알레르기 반응 위험성
- Sedentary **lifestyle** 비활동적 생활양식
- Risk for impaired **liver function** 간 기능 장애 위험성
- Risk for **loneliness** 외로움 위험성

M

- Risk for disturbed **maternal-fetal dyad** 모아관계 형성 장애 위험성
- Risk for **metabolic imbalance syndrome** 대사불균형의 위험성
- Impaired **memory** 기억장애
- Impaired bed **mobility** 침상 체위이동 장애
- Impaired physical **mobility** 신체 이동성 장애
- Impaired wheelchair **mobility** 휠체어 이동성 장애
- Impaired **mood regulation** 기분조절장애
- **Moral distress** 도덕적 고뇌

N

- **Nausea** 오심
- **Neonatal abstinence syndrome** 신생아 약물중단 증후군
- Readiness for enhanced **nutrition** 영양 향상을 위한 가능성

O

- **Obesity** 비만
- Risk for **occupational injury** 직업 상해 위험성
- Impaired **oral mucous membrane integrity** 구강점막 통합성 손상
- Risk for impaired **oral mucous membrane integrity** 구강점막 통합성 손상 위험성
- Risk for disorganized infant **behavior** 영아의 비조직적 행위 위험성
- Risk for **other-directed violence** 타인지향 폭력 위험성
- **Overweight** 과체중

- Risk for **overweight** 과체중 위험성

P

- Acute **pain** 급성통증
- Chronic **pain** 만성통증
- Chronic **pain syndrome** 만성통증 증후군
- Impaired **parenting** 부모 역할 장애
- Risk for Impaired **parenting** 부모 역할 장애 위험성
- Readiness for Enhanced **parenting** 부모 역할 향상 가능성
- Risk for **perioperative positioning injury** 수술 중 체위 관련 손상 위험성
- Risk for **peripheral neurovascular dysfunction** 말초신경혈관 기능 장애 위험성
- Risk for **perioperative hypothermia** 수술 중 저체온 위험성
- Disturbed **personal identity** 자아정체성 장애
- Risk for disturbed **personal identity** 자아정체성 장애 위험성
- Risk for **physical trauma** 신체적 외상 위험성
- Risk for **poisoning** 중독 위험성
- **Post-trauma syndrome** 외상 후 증후군
- Risk for **Post-trauma syndrome** 외상 후 증후군 위험성
- **Powerlessness** 무력감
- Risk for **powerlessness** 무력감 위험성
- Readiness for enhanced **power** 힘 향상 가능성
- Risk for **pressure ulcer** 욕창 위험성
- Ineffective **protection** 비효율적 방어

R

- **Rape-trauma syndrome** 강간 상해 증후군
- Ineffective **relationship** 비효율적 관계
- Readiness for enhanced **relationship** 관계 향상 가능성
- Risk for ineffective **relationship** 비효율적 관계 위험성
- Impaired **religiosity** 손상된 신앙심
- Readiness for enhanced **religiosity** 신앙심 향상 가능성

- Risk for Impaired **religiosity** 신앙심 손상 위험성
- **Relocation stress syndrome** 환경변화 스트레스 증후군
- Risk for **relocation stress syndrome** 환경변화 스트레스 증후군 위험성
- Impaired **resilience** 적응력 장애
- Risk for impaired **resilience** 적응력 장애 위험성
- Readiness for enhanced **resilience** 적응력 향상 가능성
- Parental **role conflict** 부모역할 갈등
- Ineffective **role performance** 비효율적 역할 수행

S

- Bathing **self-care** deficit 목욕 자가간호 결핍
- Dressing **self-care** deficit 옷 입기 자가간호 결핍
- Feeding **self-care** deficit 음식섭취 자가간호 결핍
- Toileting **self-care** deficit 용변 자가간호 결핍
- Readiness for enhanced **self-care** 자가간호 향상 가능성
- Readiness for enhanced **self-concept** 자아개념 향상 가능성
- Risk for **self-directed violence** 본인지향 폭력 위험성
- Chronic low **self-esteem** 만성적 자존감 저하
- Risk for chronic low **self-esteem** 만성적 자존감 저하 위험성
- Situational low **self-esteem** 상황적 자존감 저하
- Risk for situational low **self-esteem** 상황적 자존감 저하 위험성
- **Self-mutilation** 자해
- Risk for **self-mutilation** 자해 위험성
- **Sexual dysfunction** 성기능 장애
- Ineffective **sexuality pattern** 비효율적 성적 양상
- **Self-neglect** 자기무시
- **Sleep** deprivation 수면 박탈
- Readiness for enhanced **sleep** 수면 향상 가능성
- Disturbed **sleep pattern** 수면 양상 장애
- Risk for un**stable blood pressure** 혈압 불안정 위험성

- Risk for **shock** 쇼크 위험성
- Impaired **sitting** 앉기 장애
- Impaired **skin integrity** 피부 통합성 장애
- Risk for impaired **skin integrity** 피부 통합성 장애 위험성
- Impaired **social interaction** 사회적 상호작용 장애
- **Social isolation** 사회적 고립
- Chronic **sorrow** 만성 비탄
- **Spiritual distress** 영적 고뇌
- Risk for **spiritual distress** 영적고뇌 위험성
- Readiness for enhanced **spiritual well-being** 영적 안녕증진 가능성
- Impaired **spontaneous ventilation** 자발적 환기 장애
- Impaired **standing** 기립 장애
- **Stress** overload 과잉 스트레스
- Risk for **sudden infant death** 영아 돌연사 위험성
- Risk for **suffocation** 질식 위험성
- Risk for **suicide** 자살 위험성
- Delayed **surgical recovery** 수술 후 회복 지연
- Risk for delayed **surgical recovery** 수술 후 회복 지연 위험성
- Risk for **surgical site infection** 수술부위 감염 위험성
- Impaired **swallowing** 연하장애

T

- Risk for **thermal injury** 열 손상 위험성
- Ineffective **thermoregulation** 비효율적 체온조절
- Risk for ineffective **thermoregulation** 비효율적 체온조절 위험성
- Risk for decreased cardiac **tissue perfusion** 심장 조직 관류 감소 위험성
- Risk for ineffective cerebral **tissue perfusion** 비효율적 뇌조직 관류 위험성
- Ineffective peripheral **tissue perfusion** 비효율적 말초 조직 관류
- Risk for ineffective peripheral **tissue perfusion** 비효율적 말초조직 관류 위험성
- Impaired **tissue integrity** 조직 통합성 장애

- Risk for impaired **tissue integrity** 조직 통합성 장애 위험성
- Impaired **transfer ability** 이동능력 장애

U

- **Unilateral neglect** 편측성 지각 장애
- **Urinary retention** 요정체

V

- Risk for **Vascular Trauma** 혈관 외상 위험성
- Risk for **venous thromboembolism** 정맥 혈전 색전증 위험성
- Dysfunctional **ventilatory weaning response** 호흡기 제거에 대한 부적응
- Impaired **verbal communication** 언어소통 장애

W

- Impaired **walking** 보행 장애
- **Wandering** 배회

제 2장

NANDA-I 분류체계 II
영역별 간호진단

영역 1. 건강증진
영역 2. 영양
영역 3. 배설/교환
영역 4. 활동/휴식
영역 5. 지각/인지
영역 6. 자아인식
영역 7. 역할관계
영역 8. 성
영역 9. 대응/스트레스 내성
영역 10. 삶의 원리
영역 11. 안전/보호
영역 12. 안위
영역 13. 성장/발달

영역 1

《 건강증진 Health promotion 》

과 1: 건강인식 Health awareness

- 여가활동 감소 Decreased **diversional activity engagement**
- 건강문해력 향상을 위한 준비 Readiness for enhanced **health literacy**
- 비활동적 생활양식 Sedentary **lifestyle**

과 2: 건강관리 Health management

- 허약노인 증후군 **Frail elderly syndrome**
- 허약노인 증후군 위험성 Risk for **frail elderly syndrome**
- 지역사회 건강 부족 Deficient community **health**
- 위험성향 건강 행동 Risk−prone **health behavior**
- 비효율적 건강 유지 Ineffective **health maintenance**
- 비효율적 건강관리 Ineffective **health management**
- 건강관리 향상 가능성 Readiness for enhanced **health management**
- 비효율적 가족건강 관리 Ineffective family **health management**
- 비효율적 방어 Ineffective **protection**

여가활동 감소
Decreased diversional activity engagement

영역 1	건강증진	과 1	건강인식

정의

오락이나 여가활동에 대한 자극, 관심, 참여가 감소된 상태

정의된 특성	관련요인
• 기분변화 • 권태로움 • 상황 불만족 • 감정 무표현 • 잦은 낮잠 • 신체기능저하	• 신체활동 참여가 어려운 현재 환경 • 기동성 장애 • 환경적 장벽 • 에너지부족 • 운동 부족 • 신체적 불편감 • 전환활동 부족
위험 대상자	**연관조건**
• 노인 • 지속적 입원 • 지속적 기관거주	• 운동제한 처방 • 심리적 근심 • 치료적 격리

건강문해력 향상을 위한 준비
Readiness for enhanced health literacy

영역 1	건강증진	과 1	건강인식

정의

건강 유지 및 증진, 위험성 감소 및 삶의 질 향상을 위한 의사결정 요구를 위한 건강 정보와 개념을 찾아 이해, 평가, 이용을 위한 일련의 기술과 역량(문해력, 지식, 동기, 문화, 언어)을 개발하고 적용하는 양상을 강화할 수 있는 것

정의된 특성

- 매일의 건강 요구를 위해 읽기, 쓰기, 말하기, 해석하기 등에 대한 요구 표현
- 공중보건에 영향하는 기관의 관리 과정에 대한 인식 표현
- 건강관리제공자와 건강에 대한 의사소통 증진요구 표현
- 사회적, 신체적 환경에서 현재의 건강 결정요인에 대한 지식 요구 표현
- 개인의 건강관리 의사결정 요구 표현
- 건강을 위한 사회적지지 향상 요구 표현
- 건강관리 선택을 위한 관습 및 신념이해에 대한 요구 표현
- 건강관리 시스템에 대한 충분한 정보를 얻기 위한 요구 표현

비활동적 생활양식
Sedentary lifestyle

영역 1	건강증진	과 1	건강인식

정의

낮은 수준의 신체적 활동 습관을 보고함

정의된 특성	관련요인
• 부족한 신체적 활동을 보이는 하루 일과 • 낮은 신체적 활동 선호 • 안 좋은 신체적 건강	• 신체적 건강 유익성에 대한 지식 부족 • 흥미 부족 • 동기 부족 • 자원(시간, 금전, 시설 등) 부족 • 신체적 운동 수행을 위한 훈련부족

허약노인 증후군
Frail elderly syndrome

영역 1	건강증진	과 2	건강관리

정의

한 가지 이상의 건강 영역(신체, 기능, 정신, 사회)에서 악화 및 건강상의 부작용을 경험하고, 특히 장애에 대한 민감성 증가를 초래하는 노인의 역동에 불안정 상태

정의된 특성	관련요인
• 활동 지속성 장애	• 활동 지속성 장애
• 목욕 자가간호 결핍	• 불안
• 심박출량 감소	• 연령, 성별 활동요구량보다 감소된 일평균 활동량
• 옷 입기 자가간호 결핍	• 에너지 감소
• 피로감	• 우울
• 음식섭취 자가간호 결핍	• 소진
• 절망감	• 낙상위험성
• 영양불균형: 신체요구량보다 적음	• 부동
• 기억장애	• 균형감 손상
• 신체운동장애	• 운동성 손상
• 사회적 고립	• 사회적지지 부족
• 용변 자가간호 결핍	• 영양실조
	• 근육 약화
	• 비만
	• 슬픔
	• 비활동적 생활양식
	• 사회적 고립

위험 대상자	연관조건
• 70세 이상	• 인지적 기능 변화
• 주거 공간 제한	• 응고 과정 변화
• 저소득	• 식욕부진
• 유색인종	• 만성질환
• 여성	• 혈청 25-hydroxyvitamine D 농축
• 낙상 경험	• 내분비조절장애
• 독거	• 정신질환
• 낮은 교육수준	• 근육감소증
• 장기간 입원	• 근감소성 비만
• 사회적 취약	• 감각결핍
	• 염증반응 억제
	• 1년간 체중 25% 비의도적 감소
	• 1년간 체중 10LB(4.5kg) 비의도적 감소
	• 15feet 보행에 6초 이상 소요(4m 보행에 5초 이상 소요)

허약노인 증후군 위험성
Risk for frail elderly syndrome

영역 1	건강증진	과 2	건강관리

정의

한 가지 이상의 건강 영역(신체, 기능, 정신, 사회)에서 악화 및 건강상의 부작용을 경험하고, 특히 장애에 대한 민감성 증가를 초래하는 노인의 역동에 불안이 의심이 되는 상태

위험요인

- 활동 지속성 장애
- 불안
- 연령, 성별 활동요구량보다 감소된 일평균 화동량
- 에너지 감소
- 우울
- 소진
- 낙상위험성
- 부동
- 균형감 손상
- 운동성 손상
- 사회적지지 부족
- 영양실조
- 근육 약화
- 비만
- 슬픔
- 비활동적 생활 양식
- 사회적 고립

위험 대상자

- 70세 이상
- 주거공간 제한
- 저소득
- 유색인종
- 여성
- 낙상 경험
- 독거
- 낮은 교육수준
- 장기간 입원
- 사회적 취약

연관조건

- 인지적 기능 변화
- 응고 과정 변화
- 식욕부진
- 만성질환
- 혈청 25-hydroxyvitamine D 농축
- 내분비조절장애
- 정신질환
- 근육감소증
- 근감소성 비만
- 감각결핍
- 염증반응 억제
- 1년간 체중 25% 비의도적 감소
- 1년간 체중 10LB(4.5kg) 비의도적 감소
- 15feet 보행에 6초 이상 소요(4m 보행에 5초 이상 소요)

지역사회 건강 부족
Deficient community health

영역 1	건강증진	과 2	건강관리

정의

집단이 경험하는 건강문제 위험성이 증가하거나 건강을 위협하는 한 가지 이상의 건강 문제나 요인의 존재

정의된 특성	관련요인
• 집단이나 구성원들의 입원 경험과 관련된 위험발생률 • 집단이나 구성원들의 생리적 경험과 관련된 위험발생률 • 집단이나 구성원들의 정신적 경험과 관련된 위험발생률 • 집단이나 구성원들의 건강문제 경험과 관련된 위험발생률 • 집단이나 구성원들의 건강향상을 위한 가능한 프로그램 부재 • 집단이나 구성원들의 한 가지 이상 건강문제 예방을 위한 가능한 프로그램 부재 • 집단이나 구성원들의 한 가지 이상 건강문제 감소를 위한 가능한 프로그램 부재 • 집단이나 구성원들의 한 가지 이상 건강문제 제거를 위한 가능한 프로그램 부재	• 공중보건 관련 전문가들에 대한 접근성 부족 • 지역사회 전문가 부족 • 한정된 자원 • 프로그램 예산 부족 • 부적절한 지역사회 지지 프로그램 • 부적절한 소비자 만족 프로그램 • 부적절한 평가계획 프로그램 • 부적절한 평가자료 프로그램 • 불완전한 건강문제 프로그램

위험성향 건강 행동
Risk-prone health behavior

영역 1	건강증진	과 2	건강관리

정의

건강상태 향상을 위한 삶의 방식, 행동을 수정하는 능력 장애

정의된 특성

- 최적의 통제감 달성 실패
- 건강문제 예방 행동 보임을 실패
- 최소한의 건강상태 변화
- 건강상태 변화를 수용하지 않음
- 흡연
- 약물오용

관련요인

- 지나친 음주
- 부적절한 이해
- 부적절한 사회적 지지
- 낮은 자기효능감
- 건강제공자에 대한 부정적 인식
- 건강전략에 대한 부정적 인식
- 사회적 불안
- 스트레스원

비효율적 건강 유지
Ineffective health maintenance

영역 1	건강증진	과 2	건강관리

정의

건강유지를 위해 필요한 자원 확인, 관리, 도움 요청을 못하는 상태

정의된 특성

- 환경 변화에 적응하는 행동에 대한 표현 부족
- 기본적 건강 실행을 위한 지식 표현 부족
- 건강증진 행위 과거력 부족
- 기본적 건강행위 실행이나 기능적 양상에서 책임감에 대한 무능력
- 개인적 지지체계 장애
- 건강증진 행위에 대한 흥미 표현 부족

관련요인

- 복합적 슬픔
- 의사결정 장애
- 비효율적 의사소통 기술
- 비효율적 대처 전략
- 자원부족
- 영적고통

위험 대상자	연관조건
• 발달 지연	• 인지기능변화 • 소근육 운동 기술 감소 • 대근육 운동 기술 감소 • 지각장애

비효율적 건강관리
Ineffective health management

영역 1	건강증진	과 2	건강관리

정의

개인이 질병과 후유증을 치료하기 위한 치료요법을 일상 활동에 통합하고 조절하는 것이 불만족스러운 양상

정의된 특성	관련요인
• 처방된 요법 수행 어려움 • 일상 활동에 치료 요법 불포함 • 위험 요인 감소 행동을 취하지 않음 • 건강목표 달성을 위한 비효율적 선택	• 의사결정 갈등 • 복잡한 건강관리체계를 이용하기 어려움 • 복잡한 치료요법을 관리하기 어려움 • 과도한 요구 • 가족갈등 • 가족의 건강관리 양상 • 행동 단서 수의 부적절성 • 치료요법에 대한 지식 부족 • 사회적 지지부족 • 지각된 장애 • 지각된 이익 • 지각된 심각성 • 지각된 민감성 • 무력감

위험 대상자

• 경제적 불이익자

건강관리 향상 가능성
Readiness for enhanced health management

영역 1	건강증진	과 2	건강관리

정의

질병이나 후유증 치료를 위해 일상 활동에 치료요법을 조절하고 통합하는 방식으로 특정 건강 목표 달성에 충분하고 향상될 수 있는 양상

정의된 특성

- 치료나 예방 목표를 달성하는데 적합한 일상활동 선택
- 질병의 진행과 예후에 대한 위험 요소 감소 표현
- 질병을 관리하려는 요구 표현
- 처방된 치료요법의 관리향상 요구 표현
- 위험요인 관리 향상 요구 표현
- 증상 관리 향상 요구 표현

비효율적 가족건강관리
Ineffective family health management

영역 1	건강증진	과 2	건강관리

정의

가족과정에서 질병과 후유증을 치료하기 위한 프로그램을 적용하는데 조절 및 통합이 특정 목표 달성에 어려움이 있는 양상

정의된 특성	관련요인
• 가족구성원의 질병 증상 악화 • 질병에 대한 관심 부족 • 처방된 방법에 대한 어려움 보고 • 위험 요인을 감소시키는 행동 취하기 실패 • 건강 목표 달성에 부적절한 가족 활동	• 의사결정 갈등 • 복잡한 건강관리체계 • 복잡한 치료요법 • 가족갈등

비효율적 방어
Ineffective protection

영역 1	건강증진	과 2	건강관리

정의

질병이나 손상등과 같은 내·외적 위협에서 자신을 보호하는 능력 감소

정의된 특성	관련요인
• 응고변화	• 부적절한 영양상태
• 발한과정변화	• 물질 남용
• 식욕부진	
• 오한	
• 기침	
• 면역부족	
• 지남력 상실	
• 호흡곤란	
• 피로감	
• 부동	
• 불면증	
• 소양감	
• 스트레스 반응 부적응	
• 신경감각 변화	
• 욕창	
• 안절부절못함	
• 쇠약감	

위험 대상자

• 양극화 연령

영역 2

《 영양 Nutrition 》

과 1: 섭취 Ingestion

- 영양불균형: 영양부족 **Imbalanced nutrition**: less than body requirements
- 영양 향상을 위한 가능성 Readiness for enhanced **nutrition**
- 불충분한 모유생산 Insufficient **breast milk production**
- 비효율적 모유수유 Ineffective **breastfeeding**
- 모유수유 중단 Interrupted **breastfeeding**
- 모유수유 향상 가능성 Readiness for Enhanced **breastfeeding**
- 비효율적 청소년 식생활 역학 Ineffective adolescent **eating dynamics**
- 비효율적 아동 식생활 역학 Ineffective child **eating dynamics**
- 비효율적 영아 식생활 역학 Ineffective infant **feeding dynamics**
- 비효율적 영아 수유양상 Ineffective infant **feeding pattern**
- 비만 **Obesity**
- 과체중 **Overweight**
- 과체중 위험성 Risk for **overweight**
- 연하장애 Impaired **swallowing**

과 2: 소화 Digestion

해당진단 없음

과 3: 흡수 Absorption

해당진단 없음

과 4: 대사 Metabolism

- 불안정한 혈당수치 위험성 Risk for unstable **blood glucose level**
- 신생아 고빌리루빈혈증 Neonatal **hyperbilirubinemia**
- 신생아 고빌리루빈혈증 위험성 Neonatal **hyperbilirubinemia**
- 간 기능 장애 위험성 Risk for impaired **liver function**
- 대사불균형의 위험성 Risk for **metabolic imbalance syndrome**

과 5: 수화 Hydration

- 전해질 불균형 위험성 Risk for **electrolyte** imbalance
- 체액불균형 위험성 Risk for **Imbalanced fluid volume**
- 체액부족 Deficient **fluid volume**
- 체액부족 위험성 Risk for deficient **fluid volume**
- 체액과다 Excess **fluid volume**

영양불균형: 영양부족
Imbalanced nutrition: less than body requirements

영역 2	영양	과 1	섭취

정의

대사요구량보다 부족한 영양상태

정의된 특성	관련요인
• 복부 경련 • 복부 통증 • 미각변화 • 20%이상 저체중 • 모세혈관 약화 • 설사 • 과도한 탈모 • 음식기피 • 일일권장량보다 적은 음식물 섭취량 • 과도한 장음 • 정보 부족 • 음식에 대한 관심 없음 • 근육긴장도 부족 • 잘못된 정보 • 오해 • 창백한 결막 및 점막 • 지각된 음식 소화 불능 • 식사 직후 포만감 느낌 • 구강 점막 염증 • 저작근육 강도 약화 • 연하근육 강도 약화 • 적절한 음식 섭취에 비해 체중감소	• 음식섭취 불능

위험 대상자	연관조건
• 생물학적 요인 • 경제적 불이익자	• 영양흡수 불능 • 소화 불능 • 식이섭취 불능 • 심리적 장애

영양 향상을 위한 가능성
Readiness for enhanced nutrition

영역 2	영양	과 1	섭취

정의

대사요구량을 충족하고 강화할 수 있는 영양 섭취 양상

정의된 특성

• 영양상태 강화 원함을 표현함

불충분한 모유생산
Insufficient breast milk production

영역 2	영양	과 1	섭취

정의

영유아 수유를 위한 모유량이 부족함

정의된 특성

• 유두자극 시 모유 분비가 안됨
• 모유량이 영아수유에 필요한 양보다 적음
• 모유생산 지연
• 영아의 변비
• 영아가 자주 보챔
• 영아의 잦은 모유수유 요구
• 영아의 젖 빨기 거부
• 영아의 소량 농축소변 배설
• 체중증가량이 1개월에 500g 미만
• 모유수유시간 길어짐
• 젖 빨기를 지속하지 못함

관련요인

• 비효율적인 엄마 젖에 대한 애착
• 비효율적 빨기 반사
• 엄마 젖빨기 기회 부족
• 엄마 젖빨기 시간 부족
• 엄마의 음주
• 부족한 모유량
• 엄마의 영양결핍
• 엄마의 흡연
• 엄마의 치료방법
• 모유거부

연관조건

• 임신

비효율적 모유 수유
Ineffective breastfeeding

영역 2	영양	과 1	섭취

정의

모유를 제공하는데 어려움이 있어 영유아의 영양상태가 위협받을 수 있는 상태임

정의된 특성	관련요인
• 부적절한 대변 양상	• 유즙생성 2단계 지연
• 수유시 영아의 등 구부림	• 부적절한 모유공급
• 수유시 보챔	• 가족지지 부족
• 모유수유 후 1시간 이내에 보챔	• 젖빨기 기회 부족
• 모유수유 후 1시간 이내에 소란스러움	• 모유수유에 대한 부모의 지식부족
• 엄마 젖을 정확히 찾지 못함	• 모유수유에 중요성에 대한 부모의 지식부족
• 부모의 모유수유 방법 지식 부족	• 모유수유 중단
• 부모의 모유수유 중요성에 대한 지식 부족	• 엄마의 양가감정
• 엄마의 양가감정	• 모성불안
• 비효율적 영아의 체중증가	• 엄마의 비정상 유방
• 비효율적 옥시토신 분비 징후	• 엄마의 피로감
• 부적절한 모유공급 인식	• 엄마의 통증
• 지속적인 영아 체중감소	• 영아의 젖 빨기 반사 불량
• 비지속적 젖 빨기	• 인공젖꼭지로 수유

위험 대상자	연관조건
• 미숙아	• 구강인두 기형
• 유방수술 기왕력	
• 모유수유 실패 기왕력	
• 단기 출산휴가	

모유 수유 중단
Interrupted breastfeeding

영역 2	영양	과 1	섭취

정의

모유수유를 지속하기 어려워 영유아의 영양상태가 위협받을 수 있는 상태임

정의된 특성	관련요인
• 모유수유가 전부가 아님	• 엄마의 직장 • 모아분리 • 갑작스러운 모유수유 중단 필요

위험 대상자	연관조건
• 입원 • 미숙아	• 모유수유 금기 • 영아의 질병 • 엄마의 질병

모유수유 향상 가능성
Readiness for enhanced breastfeeding

영역 2	영양	과 1	섭취

정의

영유아의 모유수유 양상을 강화할 수 있음

정의된 특성

• 엄마의 모유수유 능력 표현
• 엄마의 아기에게 필요한 영양을 제공할 수 있는 능력 향상 요구를 표현

비효율적 청소년 식생활 역학
Ineffective adolescent eating dynamics

영역 2	영양	과 1	섭취

정의

건강한 영양을 손상시키는 섭식 양상에 영향하는 변화된 태도나 행위

정의된 특성

- 규칙적 식사 안함
- 식간 배고픔 호소
- 음식 거부
- 잦은 간식
- 빈번한 패스트 푸드 섭취
- 빈번한 저질 음식 섭취
- 과식
- 식욕부진
- 부족한 섭취

관련요인

- 가족 역동 변화
- 불안
- 사춘기에 낮은 자존감
- 우울
- 섭취장애
- 혼자 식가
- 가족의 과도한 식사시간 조절
- 과다 스트레스
- 부적절한 음식 선택
- 불규칙적 식사시간
- 고칼로리의 불건강한 음식 섭취에 대한 매체의 영향
- 고칼로리의 불건강한 음식 섭취의 지식에 대한 매체의 영향
- 부모의 섭취행동에 대한 부정적 영향
- 심리적 남용
- 심리적 기만
- 식사동안 스트레스

연관조건

- 섭취로 인한 신체적 어려움
- 음식제공으로 인한 신체적 어려움
- 부모의 신체적 건강 문제
- 부모의 심리적 건강 문제

비효율적 아동 식생활 역학
Ineffective child eating dynamics

영역 2	영양	과 1	섭취

정의

건강한 영양을 손상시키는 아동의 섭식 양상에 영향하는 변화된 태도나 행위

정의된 특성

- 규칙적 식사 안함
- 식간 배고픔 호소
- 음식 거부
- 잦은 간식

- 빈번한 패스트 푸드 섭취
- 빈번한 저질 음식 섭취
- 과식
- 식욕부진
- 부족한 섭취

관련요인

식습관

- 아이가 먹게 달래기
- 단시간에 많은 양 섭취
- 식습관 장애
- 혼자 식사
- 아동의 식이에 부모의 과도한 토제
- 가족 식사시간동안 부모의 과도한 통제
- 아동에 먹기 강요
- 부적절한 음식 선택
- 불규칙적 식사
- 아동의 식이 제한
- 식사에 대한 보상
- 식사동안 스트레스
- 예기치 않은 식사 양상
- 식간 군것질

가족과정

- 학대적 관계
- 불안정한 부모 자식 관계
- 비강압적 양육방식
- 적대적 부모 자식 관계
- 위험한 부모 자식 관계

- 너무 지나친 간섭
- 긴장된 부모 자식 관계
- 양육에 관여 안하는 양육

부모

- 식욕부진
- 우울
- 부모 자식간 식이에 대한 책임 구분 못함
- 부모 자식간 식사제공에 대한 책임 구분 못함
- 건강한 식이 형태 지지를 못함
- 비효율적 대처 전략
- 아이가 건강한 식이 습관을 갖게 하는 자신감 결여
- 아이가 적절히 성장하게 하는 자신감 결여
- 물질 남용

환경

- 고칼로리의 불건강한 음식 섭취에 대한 매체의 영향
- 고칼로리의 불건강한 음식 섭취의 지식에 대한 매체의 영향

위험 대상자

- 경제적 소외자
- 노숙자
- 양육체계 대상자
- 생애주기 변환자
- 비만 부모

연관조건

- 섭취로 인한 신체적 어려움
- 음식제공으로 인한 신체적 어려움
- 부모의 신체적 건강 문제
- 부모의 심리적 건강 문제

비효율적 영아 식생활 역학
Ineffective infant feeding dynamics

영역 2	영양	과 1	섭취

정의
부모의 변화된 식사제공 행위로 초래되는 과식이나 소식 양상

정의된 특성
- 음식거부
- 부적절한 경식으로 전이
- 과식
- 식욕부진
- 식사 부족

관련요인
- 학대적 관계
- 애착문제
- 안전하지 못한 식이 및 수유 기왕력
- 아이가 건강한 식이 습관을 갖게 하는 자신감 결여
- 아이가 적절히 성장하게 하는 자신감 결여
- 아이가 발달 단계에 따라 적절히 성장하게 하는 자신감 결여
- 아동의 발달 단계에 따른 지식 결여
- 아동에 대한 식이제공에 대한 부모의 책임감에 대한 지식 결여
- 고칼로리의 불건강한 음식 섭취에 대한 매체의 영향
- 고칼로리의 불건강한 음식 섭취의 지식에 대한 매체의 영향
- 과도하게 간섭하는 부모의 양육 방식
- 방임적인 부모의 양육 방식

위험 대상자
- 영아 방치
- 경제적 소외자
- 불안전한 식이 및 음식제공 기왕력
- 노숙자
- 양육체계 대상자
- 생애주기 전환
- 신생아 중환자 치료 대상 경험
- 미숙아
- 장기 입원
- 재태 기간에 비해 작음

연관조건
- 염색체 이상
- 구순열
- 구개파열
- 선천성 심장질환
- 유전질환
- 신경관 결손
- 섭취로 인한 신체적 어려움
- 음식제공으로 인한 신체적 어려움
- 부모의 신체적 건강 문제
- 부모의 심리적 건강 문제
- 감각통합성 문제

비효율적 영아 수유양상
Ineffective infant feeding pattern

영역 2	영양	과 1	섭취

정의

영아의 빨거나 빨고 삼키는 능력 장애로 초래되는 대사요구량에 비해 부적절한 구강 영양임

정의된 특성	관련요인
• 빨고, 삼키고, 숨쉬는 조정능력 부족 • 효율적 빨기를 시작하는 능력 결여 • 효율적 빨기 지속 능력 결여	• 민감성 구강 • 지속적 금식
위험 대상자	**연관조건**
• 미숙아	• 신경학적 지연 • 민감성 구강 • 신경학적 장애

비만 Obesity			
영역 2	영양	**과 1**	섭취

정의

성별, 연령에 비해 개인의 지방이 과다하게 축적되어 과체중을 초과함

정의된 특성	**관련요인**
• 성인: 체질량지수(BMI) 〉 30kg/㎡ • 아동: 2세 미만의 아동인 경우 비만이라는 용어를 사용 안함 • 2-18세 아동: BMI〉95th % 또는 30kg/㎡	• 일평균 신체활동이 또래의 성별이나 연령의 권장량에 비해 적음 • 단음료 섭취 • 섭식 장애 • 섭식 인지 장애 • 에너지 소비가 섭취보다 낮음 • 과도한 음주 • 음식제공 결여에 관한 두려움 • 잦은 군것질 • 잦은 외식이나 튀긴음식 • 칼슘섭취 부종 아동 • 권장량보다 적은량 섭취 • 1일 2시간 이상 비활동성 행동 • 수면 부족 • 수면 장애 • 5개월 미만 아동에 대한 음식이 주로 고형식
위험 대상자	**연관조건**
• 경제적 소외자 • 분유나 모유와 분유를 혼합 섭취한 영아 • 상호 관련 인자 유전 가능성 • 섭식 행동 점수에 높은 탈억제 및 제한 • 모성 당뇨 • 모성 흡연 • 모성 비만 • 미숙한 사춘기 • 아동의 빠른 체중 증가 • 생후 1주, 4개월, 1년동안 신생아의 빠른 체중 증가	• 유전질환

과체중
Overwieght

영역 2	영양	과 1	섭취

정의
성별, 연령에 비해 개인의 지방이 과다하게 축적된 상태

정의된 특성
- 성인: 체질량지수(BMI) > 25kg/㎡
- 아동: 2세 미만의 아동: 신장에 비해 체중 > 95th %
- 2-18세 아동: BMI> 85th % 또는 25kg/㎡, 또는 95th % 또는 30kg/㎡

관련요인
- 일평균 신체활동이 또래의 성별이나 연령의 권장량에 비해 적음
- 단음료 섭취
- 섭식 장애
- 섭식 인지 장애
- 에너지 소비가 섭취보다 낮음
- 과도한 음주
- 음식제공 결여에 관한 두려움
- 잦은 군것질
- 잦은 외식이나 튀긴음식
- 칼슘섭취 부종 아동
- 권장량보다 적은량 섭취
- 1일 2시간 이상 비활동성 행동
- 수면 부족
- 수면 장애
- 5개월 미만 아동에 대한 음식이 주로 고형식

위험 대상자
- 성인: 체질량지수(BMI)가 25kg/㎡에 근접
- 아동: 2세 미만의 아동: 신장에 비해 체중이 95th %에 근접
- 2-18세 아동: BMI가 85th % 또는 25kg/㎡에 근접
- BMI %를 초과한 아동
- BMI %가 높은 아동
- 사회적 불이익자
- 분유나 모유와 분유를 혼합 섭취한 영아
- 상호 관련 인자 유전 가능성
- 섭식 행동 점수에 높은 탈억제 및 제한
- 모성 당뇨
- 모성 흡연
- 모성 비만
- 미숙한 사춘기
- 아동의 빠른 체중 증가
- 생후 1주, 4개월, 1년동안 신생아의 빠른 체중 증가

연관조건
- 유전질환

과체중 위험성
Risk for overweight

영역 2	영양	과 1	섭취

정의

성별, 연령에 비해 개인의 지방이 과다하게 축적되어 건강을 위협할 수 있다고 의심되는 상태

관련요인

- 일평균 신체활동이 또래의 성별이나 연령의 권장량에 비해 적음
- 단음료 섭취
- 섭식 장애
- 섭식 인지 장애
- 에너지 소비가 섭취보다 낮음
- 과도한 음주
- 음식제공 결여에 관한 두려움
- 잦은 군것질
- 잦은 외식이나 튀긴음식
- 칼슘섭취 부종 아동
- 권장량보다 적은량 섭취
- 1일 2시간 이상 비활동성 행동
- 수면 부족
- 수면 장애
- 5개월 미만 아동에 대한 음식이 주로 고형식

위험 대상자

- 성인: 체질량지수(BMI)가 25kg/㎡에 근접
- 아동: 2세 미만의 아동: 신장에 비해 체중이 95th %에 근접
- 2-18세 아동: BMI가 85th % 또는 25kg/㎡에 근접
- BMI %를 초과한 아동
- BMI %가 높은 아동
- 사회적 불이익자
- 분유나 모유와 분유를 혼합 섭취한 영아
- 상호 관련 인자 유전 가능성
- 섭식 행동 점수에 높은 탈억제 및 제한
- 모성 당뇨
- 모성 흡연
- 모성 비만
- 미숙한 사춘기
- 아동의 빠른 체중 증가
- 생후 1주, 4개월, 1년동안 신생아의 빠른 체중 증가

연관조건

- 유전질환

연하장애
Impaired swallowing

영역 2	영양	과 1	섭취

정의
구강, 인두, 식도 구조나 기능 장애와 관련된 비정상적인 연하기능

정의된 특성

1단계: 구강단계 장애
- 연하검사상 비정상적 구강
- 연하 전 흡인
- 연하 전 기침
- 침을 흘림
- 음식물이 입에서 떨어짐
- 음식물이 입 밖으로 밀려 나옴
- 연하 전 구역질
- 입안의 음식을 깨끗이 못 삼킴
- 입술이 완전히 안 닫힘
- 저작 부족
- 음식물을 뭉치는 혀 기능 부족
- 식사시간이 오래 걸림
- 비강 역류
- 음식 조각을 삼킴
- 구강 측면에 음식물 모임
- 음식물 덩어리가 되기 전 식도로 넘어감
- 음식물 뭉치는 시간이 지연됨
- 약한 빠는 힘으로 유두를 충분히 빨지 못함

2단계: 식도단계 장애
- 연하검사상 비정상적 식도
- 산성호흡
- 이갈기
- 상복부 통증
- 음식 거부
- 속쓰림
- 토혈
- 식사중이나 후에 과도한 머리 신전
- 밤중에 자주 깸
- 밤중에 기침을 함
- 연하곤란이 관찰됨(구강 내 음식물 잔류, 기침, 목에 걸림 등)
- 연하통
- 위 내용물의 역류나 물기 있는 트림
- 반복적인 연하나 되새김질
- 이물감 호소
- 음식섭취 중 설명할 수 없는 안절부절 못함
- 음식량 제한
- 구토
- 베개에 토물 보임

3단계: 인두단계 장애
- 연하검사상 비정상적 인두
- 머리 위치 변화
- 기도 흡인
- 기침
- 구역질
- 연하지연
- 음식 거부
- 거친 목소리
- 부적절한 후두 상승
- 여러 번 나누어 삼킴
- 비강 역류
- 반복적 호흡기 감염
- 원인불명의 발열

관련요인	연관조건
• 섭식행동장애 • 자해 행위	• 이완 장애 • 후천적 해부학적 결함 • 두부 손상 • 뇌성마비 • 유의한 근력감소 • 선천성 심질환 • 식도 역류질환 • 후두 결손 • 후두 기형 • 물리적 폐쇄 • 비강 결함 • 비인강 결함 • 신경학적 문제 • 근신경 장애 • 구인두 장애 • 단백질 – 에너지 영양장애 • 호흡기 조건 • 기관 결손 • 외상 • 상기도 기형

불안정한 혈당수치 위험성
Risk for unstable blood glucose level

영역 2	영양		과 4	대사

정의

혈당 수치가 정상범위를 벗어나 변화할 위험이 있는 상태

정의된 특성

- 성별이나 연령에 비해 부족한 신체활동
- 진단에 대한 수용 부족
- 과도한 스트레스
- 과도한 체중증가
- 과도한 체중감소
- 부적절한 혈당 관리
- 비효율적 투약관리
- 당뇨 치료 지시 불이행
- 당뇨식이 불이행
- 당뇨병 관리에 대한 지식 부족
- 변화가능 요인에 대한 지식 부족
- 당뇨 관리 불이행
- 빠른 성장 시기

위험 대상자

- 정신상태 변화
- 신체적 불건강상태
- 인지적 발달 지연
- 급격한 성장기

연관조건

- 임신

신생아 빌리루빈혈증
Neonatal hyperbilirubimemia

영역 2	영양	과 4	대사

정의
출생 24시간 이후에 발생하는 혈액 내 비활용성 빌리루빈이 15ml/㎗로 축적된 상태

정의된 특성	관련요인
• 비정상적 혈액수치 • 피부 멍 • 노란색 점막 • 노란색 공막 • 노란색 혹은 주황색 피부	• 수유양상 부족 • 태변 배출 지연 • 영아의 부적절한 영양상태

위험 대상자	연관조건
• ABO혈액 비적합 • 생후 7일 이내 • 아메리카 원주민 • 모아혈액형 부적합 • 극동 아시아인 • 모유수유아 • 저체중 신생아 • 모성당뇨 • 고지대 거주민 • 미숙아 • 황달경험 자매/형제 • RH 혈액 부적합 • 출생시 유의미한 타박상	• 세균감염 • 간기능 부전 영아 • 효소결핍 영아 • 내출혈 • 모태 감염 • 패혈증 • 바이러스 감염

신생아 고빌리루빈혈증 위험성
Risk for neonatal hyperbilirubimemia

영역 2	영양	과 4	대사

정의

출생 24시간 이후에 발생하는 혈액 내 비활용성 빌리루빈이 15ml/dℓ로 축적되어 건강을 위협하는 상태

위험 요인

- 수유양상 부족
- 태변 배출 지연
- 신생아 영양부족

위험 대상자

- ABO혈액 비적합
- 생후 7일 이내
- 아메리카 원주민
- 모아혈액형 부적합
- 극동 아시아인
- 모유수유아
- 저체중 신생아
- 모성당뇨
- 고지대 거주민
- 미숙아
- 황달경험 자매/형제
- RH 혈액 부적합
- 출생시 유의미한 타박상

연관조건

- 세균감염
- 간기능 부전 영아
- 효소결핍 영아
- 내출혈
- 모태 감염
- 패혈증
- 바이러스 감염

간 기능 장애 위험성
Risk for impaired liver function

영역 2	영양		과 4	대사

정의

건강을 위협하는 간기능 장애 위험이 있는 상태

위험 요인	연관조건
• 물질 남용	• 간독성 약물 투약(acetaminophen, statins) • HIV 감염 • 바이러스 감염

대사 불균형 위험성
Risk for metabolic imbalance syndrome

영역 2	영양		과 4	대사

정의

건강을 위협할 수도 있는 비만이나 제2형 당뇨로 인한 심질환 발생과 관련된 생화학적 신체적 유해요소 집락이 의심되는 상태

위험 요인

• 비효율적 건강관리 • 비만 • 과체중 • 불안정한 혈당 수치	• 위험한 건강성향 • 비활동성 생활양식 • 과도한 스트레스

위험 대상자	연관조건
• 30세 이상 • 당뇨병 가족력 • 고지혈증 가족력 • 고혈압 가족력 • 비만 가족력	• 과도한 외분비성 또는 내분비성 당류 콜티코이드 > 25g/dl • 미세단백뇨 > 30mg/dl • 다낭성 난소 증후군 • 불안정한 혈압 • 요산 > 7mg/dl

전해질 불균형 위험성
Risk for electronic imbalance

영역 2	영양	과 5	수화

정의

건강을 위협하는 혈중 전해질 수준 변화의 위험이 있는 상태

위험 요인	연관조건
• 설사 • 체액과다 • 체액부족 • 조절 가능 요소들에 대한 지식 부족 • 구토	• 조절 기전 부전 • 내분지 조절 기능 부전 • 신장 기능 부전 • 치료요법

체액불균형 위험성
Risk for imbalanced fluid volume

영역 2	영양	과 5	수화

정의

정맥 내, 간질 내, 세포 내액의 증가나 감소가 빠르게 이동하여 건강을 위협하는 상태

위험 요인	연관조건
• 개발예정	• 성분채집 • 복수 • 화상 • 장폐색 • 췌장염 • 패혈증 • 외상 • 치료요법

체액부족
Deficient fluid volume

영역 2	영양	과 5	수화

정의

혈관내, 간질, 세포내 체액이 감소된 상태로 나트륨의 변화 없이 수분만 소실되어 있는 탈수 상태

정의된 특성

- 의식 변화
- 혈압 저하
- 맥박 증가
- 맥압 감소
- 피부 탄력성 감소
- 혀 탄력성 감소
- 소변량 감소
- 정맥 충혈 감소
- 점막 건조
- 피부 건조
- 헤마토크릿 상승
- 체온 상승
- 맥박 증가
- 소변 농도 증가
- 급격한 체중감소
- 갈증
- 허약

위험 대상자

- 양극단적 연령
- 양극단적 체중
- 체액 요구량 영향요인

관련요인

- 수분 접근성 어려움
- 수분 섭취 부족
- 수분 섭취 요구량 관련 지식 부족

연관조건

- 수분 소실
- 조절기능 부전
- 수분 흡수에 영향하는 일탈
- 수분 섭취에 영향하는 일탈
- 정상적으로 과도한 수분 소실
- 비정상적으로 과도한 수분 소실
- 약물 인자

체액부족 위험성
Risk for deficient fluid volume

영역 2	영양	과 5	수화

정의
정맥 내, 간질 내, 세포 내액이 감소하여 건강을 위협하는 상태

위험 요인
- 수분접근성 어려움
- 수분섭취 부족
- 수분섭취 요구량 관련 지식부족

위험 대상자
- 양극단적 연령
- 양극단적 체중
- 체액요구량 영향요인

연관조건
- 수분소실
- 조절기능 부전
- 수분흡수에 영향하는 일탈
- 수분 섭취에 영향하는 일탈
- 정상적인 과도한 수분소실
- 비정상적인 과도한 수분소실
- 약물 인자

체액과다
Excess fluid volume

영역 2	영양	과 5	수화

정의
수분섭취 과다 또는/혹은 체액정체

정의된 특성

- 우발적인 숨소리
- 전신 부종
- 불안
- 질소혈증
- 혈압 변화
- 정신 상태 변화
- 호흡 양상 변화
- 혈색소 감소
- 헤모글로빈 감소
- 호흡 곤란
- 부종
- 전해질 변화
- 중심정맥압 증가
- 섭취량〉배설량
- 경정맥 팽창
- 핍뇨
- 기좌 호흡
- 늑막액 유출
- 간경정맥 반사 양성
- 폐동맥압 변화
- 요비중 변화
- 제 3심음
- 폐울혈
- 안절부절못함
- 단 기간 내 체중증가

관련요인	연관조건
• 수분 과다 섭취 • 염분 과다 섭취	• 조절기전 부전

영역 3

《 배설/교환 Elimination / exchange 》

과 1: 배뇨 기능 Urinary Function

- 배뇨장애 Impaired urinary **elimination**
- 기능적 요실금 Functional urinary **incontinence**
- 익류성 요실금 Overflow urinary **incontinence**
- 신경인성 요실금 Reflex urinary **incontinence**
- 복압성 요실금 Stress urinary **incontinence**
- 절박성 요실금 Urge urinary **incontinence**
- 절박성 요실금 위험성 Risk for urge urinary **incontinence**
- 요정체 Urinary **retention**

과 2: 위장관 기능 Gastrointestinal function

- 변비 **Constipation**
- 변비 위험성 Risk for **constipation**
- 상상변비 Perceived **constipation**
- 만성 기능성 변비 Chronic **functional constipation**
- 만성 기능성 변비 위험성 Risk for chronic **functional constipation**
- 설사 **Diarrhea**
- 위장관 운동 기능장애 Dysfunctional **gastrointestinal mobility**
- 위장관 운동 기능장애 위험성 Risk for dysfunctional **gastrointestinal mobility**
- 변실금 Bowel **incontinence**

과 3: 피부기능 Integumentary function

해당진단 없음

과 4: 호흡기능 Respiratory function

- 가스교환장애 Impaired gas exchange

배뇨장애
Impaired urinary elimination

영역 3	배설/교환	과 1	배뇨 기능

정의

배뇨기능 장애 상태

정의된 특성	관련요인
• 배뇨곤란 • 빈뇨 • 배뇨지연 • 요실금 • 야뇨 • 요정체 • 긴박뇨	• 다발성 요인

연관조건

• 해부학적 폐쇄
• 감각 운동 장애
• 비뇨기계 감염

기능적 요실금
Functional urinary incontinence

영역 3	배설/교환	과 1	배뇨 기능

정의

화장실 도착 전에 의도하지 않은 배뇨가 되는 상태

정의된 특성	관련요인
• 방광을 완전히 비울 수 있음 • 이른 아침에만 요실금 발생 • 요의를 느낌 • 절박한 배뇨감을 느낀 후 화장실 도착 전에 소변이 나옴 • 화장실 도착전 배뇨	• 환경요인 변화 • 골반 지지구조 약화

연관조건

• 인지 장애 • 시력 장애	• 신경근 장애 • 심리적 요인

익류성 요실금
Overflow urinary incontinence

영역 3	배설/교환	과 1	배뇨 기능

정의
방광의 과잉팽만으로 인한 불수의적 소변 배출

정의된 특성	관련요인
• 방광 팽만 • 다량의 잔뇨 • 소량의 소변이 불수의적으로 나옴 • 야뇨증	• 분변매복

연관조건
• 방광 출구 폐색
• 배뇨근 외부조절근 조절 장애
• 배뇨근 수축력 저하
• 심한 골반 탈출
• 치료요법
• 요도 폐색

신경인성(반사성) 요실금
Reflex urinary incontinence

영역 3	배설/교환	과 1	배뇨 기능

정의
소변이 방광에 채워질 때 예측 가능한 간격으로 불수의적 배뇨가 되는 상태

정의된 특성	관련요인
• 배뇨감을 못 느낌 • 배뇨의 절박감을 느끼지 못함 • 자발적 배뇨 억제력 부족 • 자발적 배뇨 시작 능력 부족 • 뇌교의 배뇨중추 이상 질환으로 방광을 완전히 비우지 못함 • 배뇨 양상을 예측 가능함 • 불수의적인 방광수축으로 절박한 배뇨감 • 방광팽만감	• 천의 배뇨중추 이상의 신경계 손상 • 뇌교의 배뇨중추 이상의 신경계 손상 • 조직손상(방사선치료로 인한 방광염, 방광감염, 또는 골반근치술)

복압성(긴장성) 요실금
Stress urinary incontinence

영역 3	배설/교환	과 1	배뇨 기능

정의

복압상승으로 즉시 불수의적인 배뇨를 하게 되는 상태

정의된 특성	관련요인
• 소량의 불수의적 배뇨 • 배뇨근의 수축 없이 소량의 불수의적 배뇨 관찰 • 방광 과대 팽창 없이 소량의 불수의적 배뇨 관찰	• 골반 근육 약화

연관조건

• 골반근육 퇴행성 변화 • 요관 수축근육 내인성 기능부전	• 복강내 압력 상승

절박성(긴박성) 요실금
Urge urinary incontinence

영역 3	배설/교환	과 1	배뇨 기능

정의

요의를 절박하게 느낀 직후 불수의적 배뇨

정의된 특성	관련요인
• 요실금 방지를 위해 제시간에 화장실에 도착 못함 • 방광경련으로 불수의적 배뇨 • 방광수축으로 불수의적 배뇨 • 긴박뇨 보고	• 위축성 요도염 • 위축성 질염 • 방광 감염 • 방광 용적 감소 • 방광 수축 장애가 동반된 배뇨근 활동 과다 • 방광수축 장애 • 치료 요법

절박성(긴박성) 요실금 위험성
Risk for urge urinary incontinence

영역 3	배설/교환	과 1	배뇨 기능

정의

갑자기 강하고 절박한 배뇨감을 느껴 불수의적 배뇨 위험성이 있는 상태

위험요인

- 음주
- 카페인 섭취
- 분변매복
- 비효율적 배뇨습관
- 불수의적 괄약근 이완

연관조건

- 위축성 요도염
- 위축성 질염
- 방광 감염
- 방광용적 감소
- 방광 수축 장애가 동반된 배뇨근 활동 과다
- 방광수축 장애
- 치료 요법

요정체
Urinary retention

영역 3	배설/교환	과 1	배뇨 기능

정의

배뇨시 불완전한 방광 비움

정의된 특성

- 소변량 없음
- 방광팽만
- 소변 방울로 떨어짐
- 배뇨곤란
- 소량의 빈뇨
- 익류성 요실금
- 잔뇨
- 방광팽만감
- 소량 배뇨

관련요인

- 개발 예정

연관조건

- 요로폐쇄
- 요도 압력 상승
- 반사궁 억제
- 괄약근 경직

변비
Constipation

영역 3	배설/교환	과 2	위장관 기능

정의

대변이 지나치게 단단하고 건조하여 배변이 어렵거나 불완전함을 동반한 정상배변 빈도가 감소한 상태

정의된 특성

- 복부 통증
- 복부촉진시 근육 저항성 통증
- 복부촉진시 근육 저항성이 없는 통증
- 식욕부진
- 노인의 비전형적 증상(정신상태 변화, 요실금, 체온 상승)
- 장음 변화
- 선홍색 혈변
- 배변 양상 변화
- 배변 횟수 감소
- 배변량 감소
- 복부 팽만
- 피로감
- 직장 팽만감
- 직장 압박감
- 전신 피로
- 단단하고 건조한 변
- 두통
- 장음 증가
- 장음 감소
- 배변 못함
- 복강 내압 증가
- 소화 장애
- 물같은 변이 새어나옴
- 배변 시 통증
- 복부 덩어리 촉진
- 직장 덩어리 촉진
- 복부 타진시 둔탁음
- 직장 내압
- 심한 고창증
- 직장 내 부드럽고 끈적이는 변
- 배변 시 긴장감
- 구토

관련요인

- 복부 근육 약화
- 신체 활동 부족
- 정신적 혼돈
- 위장관 활동 감소
- 탈수
- 우울
- 식습관 변화
- 정서적 장애
- 습관적 배변 절제/변의 무시
- 부적절한 식습관
- 부적절한 구강위생
- 부적절한 배변습관
- 섬유질 섭취 부족
- 수분 섭취 부족
- 불규칙한 배변습관
- 하제 남용
- 비만
- 최근 환경 변화

연관조건

- 전해질 불균형
- 치질
- 히르슈프룽 질환(Hirschsprung's disease)
- 부적절한 치열
- 철분제
- 신경손상
- 비만
- 수술 후 폐색
- 임신
- 전립선 비대
- 직장농양
- 직장항문열
- 직작 항문 협착
- 직장탈장
- 직장궤양
- 종양

변비 위험성
Risk for constipation

영역 3	배설/교환	과 2	위장관 기능

정의

배변 횟수가 감소하거나 단단하고 건조한 변을 배설할 위험이 있는 상태

위험요인

- 복부 근육 약화
- 신체 활동 부족
- 정신적 혼돈
- 위장관 활동 감소
- 탈수
- 우울
- 식습관 변화
- 정서 장애
- 부적절한 식습관
- 습관적 배변 절제/변의 무시
- 부적절한 구강위생
- 불규칙한 배변습관
- 섬유질 섭취 부족
- 수분 섭취 부족
- 대변 완화제 남용
- 비만

연관조건

- 전해질 불균형
- 치질
- 히르슈프룽 질환(Hirschsprung's disease)
- 부적절한 치열
- 철분제
- 신경손상
- 수술 후 폐색
- 임신
- 전립선 비대
- 직장농양
- 직장항문열
- 직작 항문 협착
- 직장탈장
- 직장궤양
- 거대결장
- 종양

상상변비
Perceived constipation

영역 3	배설/교환	과 2	위장관 기능

정의
변비를 자가진단하고 매일 장운동을 위해 완화제를 남용하는 상태

정의된 특성	관련요인
• 매일 장운동을 기대함 • 매일 동일한 시간에 배변을 기대함 • 완화제 남용 • 좌약 남용 • 관장 남용	• 문화적 건강신념 • 가족 건강신념 • 사고과정 장애

만성 기능성 변비
Chronic functional constipation

영역 3	배설/교환	과 2	위장관 기능

정의
12개월 이내에 3개월간 불규칙하거나 힘들었던 배변을 함

정의된 특성

성인:

다음의 Rome III 분류체계에서 두 가지 이상의 증상을 보이는 경우

- 덩어리나 단단한 대변 ≥ 25%
- 배변 시 긴장경험 ≥ 25%
- 잔변감 ≥ 25%
- 항문의 직장 폐색/막힘 느낌 ≥ 25%
- 배변을 위해 도수요법 사용 ≥ 25%
- 주 3회 이하 배변

아동 > 4세:

Rome III 아동 분류체계에서 두 가지 이상의 증상을 보이는 경우 ≥ 2개월

- ≤ 주 1회 배변
- ≥ 주 1회 변실금
- 대변 참는 자세
- 통증이 있거나 단단한 장운동
- 직장에 큰 덩어리 촉진
- 변기 막힘을 유발하는 큰 덩어리

일반적

- 복부팽만
- 분변매복
- 도수자극으로 대변 누출
- 목부 덩어리 촉진
- 잠혈반응 양성
- 지속적 긴장
- Bristol Stool Chart에서 1유형 또는 2유형

관련요인

- 음식섭취 감소
- 탈수
- 우울
- 고지방 불균형 식이
- 고단백 불균형식이
- 노인허약 증후군
- 습관적 변의 무시
- 운동 불능
- 음식섭취 부족
- 수분섭취 부족
- 변화 요인에 대한 지식 부족
- 저칼로리 식이
- 비활동적 생활양식

연관조건

- 아밀로이드증
- 항문균열
- 항문협착
- 자율신경증
- 뇌졸중
- 만성 가성 장폐색증
- 만성신부전증
- 직장결장암
- 당뇨
- 추가적 장덩어리
- 치질
- 히르슈프롱질환
- 고칼슘혈증
- 갑상선기능저하증
- 염증성 장질환
- 허혈성 협착
- 다발성경화증
- 근긴장성 이영양증
- 범하수체 기능저하증
- 마비
- 파킨슨질환
- 골반저 기능부전
- 회음손상
- 약물
- 다약제
- 포르피린증
- 염증후 협착
- 임신
- 직장염
- 피부경화
- 느린 대장통과시간
- 척수손상
- 외과적 협착

만성 기능성 변비 위험성
Risk for chronic functional constipation

영역 3	배설/교환	과 2	위장관 기능

정의

12개월 이내에 3개월간 건강을 위협할 정도로 불규칙하거나 힘들었던 배변을 함

관련요인

- 음식섭취 감소
- 탈수
- 우울
- 고지방 불균형 식이
- 고단백 불균형식이
- 노인허약 증후군
- 습관적 변의 무시
- 운동 불능
- 음식섭취 부족
- 수분섭취 부족
- 변화 요인에 대한 지식 부족
- 저칼로리 식이
- 비활동적 생활양식

연관조건

- 아밀로이드증
- 항문균열
- 항문협착
- 자율신경증
- 뇌졸중
- 만성 가성 장폐색증
- 만성신부전증
- 직장결장암
- 당뇨
- 추가적 장덩어리
- 치질
- 히르슈프롱질환
- 고칼슘혈증
- 갑상선기능저하증
- 염증성 장질환
- 허혈성 협착
- 다발성경화증
- 근긴장성 이영양증
- 범하수체 기능저하증
- 마비
- 파킨슨질환
- 골반저 기능부전
- 회음손상
- 약물
- 다약제
- 포르피린증
- 염증 후 협착
- 임신
- 직장염
- 피부경화
- 느린 대장통과시간
- 척수손상
- 외과적 협착

설사
Diarrhea

영역 3	배설/교환	과 2	위장관 기능

정의

무정형의 묽은 변을 배설하는 상태

정의된 특성	관련요인
• 복부 통증 • 긴박 변의 • 경련 • 장음 증가 • 1일 3회 이상 묽은 배변	• 불안 • 스트레스 수준 상승 • 완화제 남용 • 물질 남용 • 약물 부작용 • 술중독 • 오염물질 • 완화제 남용 • 방사선 치료 • 독소 • 여행 • 위관영양 • 감염 • 염증 • 자극 • 흡수장애 • 기생충
위험 대상자	**연관조건**
• 오염물질 노출 • 독성 노출 • 비위생적 조리과정 노출	• 장관 영양 • 위장 감염 • 위장 자극 • 감염 • 흡수 부족 • 기생충 • 치료요법

83

위장관 운동 기능장애
Dysfunctional gastrointestinal mobility

영역 3	배설/교환	과 2	위장관 기능

정의
위장관계 내의 연동운동이 증가, 감소, 비효율적 또는 부족한 상태

정의된 특성
- 복부 경련
- 복부 통증
- 복부 가스 없음
- 빠른 공복
- 담갈색 위 잔여물
- 장음 변화(무음, 감소, 증가)
- 설사
- 배변곤란
- 건조한 배변
- 단단한 대변
- 위 잔여물 증가
- 오심
- 역류
- 구토

관련요인
- 불안
- 식수원 변화
- 식습관 변화
- 부동
- 영양실조
- 비활동적 생활양식
- 스트레스원
- 비위생적 음식 준비

위험 대상자
- 노인
- 오염물질 섭취
- 미숙아

연관조건
- 위장관 순환 감소
- 당뇨
- 장관 영양
- 음식 내성
- 위식도 역류증
- 감염
- 약물
- 치료 요법

위장관 운동 기능장애 위험성
Risk for dysfunctional gastrointestinal mobility

영역 3	배설/교환	과 2	위장관 기능

정의

위장관계 내의 연동운동이 증가, 감소, 비효율적 또는 부족할 위험이 있는 상태

위험요인

- 노화
- 불안
- 식수원 변화
- 식습관 변화

- 부동
- 영양실조
- 비활동적 생활양식
- 비위생적 음식 준비

위험 대상자

- 노인
- 오염물질 섭취
- 미숙아

연관조건

- 위장관 순환 감소
- 당뇨
- 장관 영양
- 음식 내성
- 위식도 역류증
- 감염
- 약물
- 치료 요법

변실금
Bowel incontinence

영역 3	배설/교환	과 2	위장관 기능

정의

불수의적으로 배변을 하는 상태

정의된 특성

- 긴급한 변의
- 지속적인 묽은 배변
- 변의를 인식 못함
- 변실금
- 참을 수 없는 변의
- 직장팽만감은 인지하나 고형배변 못함을 보고
- 직장팽만감 인식 못함
- 배변 요구 인지 못함

관련요인

- 용변 자가 간호 결핍
- 환경요인
- 전반적 근육긴장도 감소
- 부동
- 부적절한 식습관
- 불완전한 장배설
- 하제 남용
- 스트레스

연관조건

- 비정상적 복압 증가
- 비정상적 장압 증가
- 인지 기능 변화
- 만성 설사
- 결장 손상
- 괄약근 기능 장애

- 분변 매복
- 저장 증력 부전
- 하부 운동신경 손상
- 약물
- 괄약근 이상
- 상부 운동신경 손상

가스교환장애
Impaired gas exchange

영역 3	배설/교환	과 4	호흡기능

정의

폐포−모세혈관 막에서 산소와 이산화탄소 교환이 과도하거나 부족한 상태

정의된 특성	관련요인
• 비정상 소견의 동맥혈 가스분석 • 비정상적 동맥 PH • 비정상적 호흡 양상 • 비정상적 피부색 • 혼돈 • 이산화탄소 감소 • 발한 • 호흡곤란 • 기상시 두통 • 고탄산혈증 • 저산소증 • 안절부절못함 • 코를 벌름거림 • 불안정 • 기면 • 빈맥 • 시력장애	• 개발 예정

연관조건

• 폐포−모세혈관 막 변화
• 환기−관류 불균형

영역 4

《 활동/휴식 Activity/rest 》

과 1: 수면/휴식 Sleep/rest

- 불면증 Insomnia
- 수면 박탈 Sleep deprivation
- 수면 향상 가능성 Readiness for enhanced sleep
- 수면 양상 장애 Disturbed sleep pattern

과 2: 활동/운동 Activity/exercise

- 비사용 증후군 위험성 Risk for disuse syndrome
- 침상 체위이동 장애 Impaired bed mobility
- 신체 이동성 장애 Impaired physical mobility
- 휠체어 이동성 장애 Impaired wheelchair mobility
- 앉기 장애 Impaired sitting
- 기립 장애 Impaired standing
- 이동능력 장애 Impaired transfer ability
- 보행 장애 Impaired walking

과 3: 에너지 균형 Energy balance

- 에너지장 불균형 Imbalanced energy field
- 피로 Fatigue
- 배회 Wandering

과 4: 심혈관/호흡기계 반응 Cardiovascular/pulmonary responses

- 활동 지속성 장애 Activity intolerance
- 활동 지속성 장애 위험성 Risk for activity intolerance
- 비효율적 호흡 양상 Ineffective breathing pattern
- 심박출량 감소 Decreased cardiac output
- 심박출량 감소 위험성 Risk for decreased cardiac output
- 자발적 환기 장애 Impaired spontaneous ventilation
- 혈압 불안정 위험성 Risk for unstable blood pressure
- 심장 조직 관류 감소 위험성 Risk for decreased cardiac tissue perfusion

- 비효율적 뇌조직 관류 위험성 Risk for ineffective cerebral **tissue perfusion**
- 비효율적 말초 조직 관류 Ineffective peripheral **tissue perfusion**
- 비효율적 말초조직 관류 위험성 Risk for ineffective peripheral **tissue perfusion**
- 호흡기 제거에 대한 부적응 Dysfunctional **ventilatory weaning response**

과 5: 자가간호 Self-care

- 가정유지 장애 Impaired **home maintenance**
- 목욕 자가간호 결핍 **Bathing self－care** deficit
- 옷 입기 자가간호 결핍 **Dressing self－care** deficit
- 음식섭취 자가간호 결핍 **Feeding self－care** deficit
- 용변 자가간호 결핍 **Toileting self－care** deficit
- 자가간호 향상 가능성 Readiness for enhanced **self－care**
- 자기무시 **Self－neglect**

불면증
Insomnia

영역 4	활동/휴식	과 1	수면/휴식

정의

수면 양과 질 저하로 기능손상 초래

정의된 특성	관련요인
• 감정변화 • 집중력 저하 • 기분변화 • 수면 양상 변화 • 건강상태 저하 • 삶의 질 저하 • 잠들기 어려움 • 잠을 지속하기 어려움 • 수면관련 불만족 • 조기 기상 • 결석, 결근 증가 • 사고발생 증가 • 에너지부족 • 휴식하지 않은 것 같은 수면 양상 • 다음날 일상활동에 장애를 주는 수면 보고	• 음주 • 불안 • 연령, 성별 대비 일 평균 권장 신체 활동 부족 • 우울 • 환경 요인 • 두려움 • 잦은 낮잠 • 부적절한 수면 위생 • 신체적 불편감 • 스트레스

연관조건

• 호르몬 변화
• 약물 요법

수면 박탈			
Sleep deprivation			
영역 4	활동/휴식	**과 1**	수면/휴식

정의

수면 없는 시간의 지속된 기간(상대적으로 의식의 자연적, 주기적인 정지가 지속됨)

정의된 특성

- 급성 혼돈
- 흥분
- 집중력 변화
- 불안
- 무감동
- 전투적임
- 수행 능력 감소
- 낮에 졸림
- 피로
- 안구진탕증
- 환각
- 수전증
- 통증에 대한 민감성 상승
- 흥분
- 비몽사몽
- 무기력
- 불만족
- 지각장애(신체감각이상, 망상, 부유감)
- 안절부절
- 지연반응
- 단기 편집증

관련요인

- 노화로 인한 수면 단계 변화
- 연령, 성별 대비 일 평균 권장 신체 활동 부족
- 환경장애
- 일몰증후군
- 회복 불능 수면 양상
- 과도한 환경 자극
- 지속적 불편감
- 야경증
- 몽유증
- 지속적 생체리듬 부조화
- 지속적 수면위생 부적절

위험 대상자

- 가족성 수면마비

연관조건

- 주기적 사지 운동
- 치매
- 특발성 중추신경계 수면 과다
- 기면증
- 악몽
- 수면무호흡증
- 수면관련 통증성 발기
- 치료 요법

91

수면 향상 가능성
Readiness for enhanced sleep

영역 4	활동/휴식	과 1	수면/휴식

정의

자연적이고 주기적으로 적절한 휴식을 취하는 의식 유지로 바람직한 생활양식을 유지하고 강화할 수 있는 양상

정의된 특성

• 수면 증진 의사 표현

수면 양상 장애
Disturbed sleep pattern

영역 4	활동/휴식	과 1	수면/휴식

정의

수면동안 외적요인으로부터 수면 양과 질이 방해를 받는 상태

정의된 특성	관련요인
• 기능적 수행능력 저하 • 잠들기 어려움 • 수면 유지가 어려움 • 수면 불만족 • 잘 쉬지 못한 느낌을 말함 • 비의도적 수면 각성	• 동거인의 방해 • 환경요인 • 부동 • 사생활 결여 • 회복불능 수면 양상

비사용 증후군 위험성
Risk for disuse syndrome

영역 4	활동/휴식		과 2	활동/운동

정의
치료나 부득이한 사정으로 근골격계를 사용하지 않음으로 인하여 신체기능이 감소할 위험이 있는 상태

위험요인	연관조건
• 통증	• 의식 수준 변화
	• 기계적 부동
	• 마비
	• 처방된 부동

침상 체위이동 장애
Impaired bed mobility

영역 4	활동/휴식		과 2	활동/운동

정의
침상에서 스스로 체위를 변경하는데 제한이 있는 상태

정의된 특성	관련요인
• 긴 좌위에서 앙와위로 체위변경 장애	• 환경 장애
• 복위에서 앙와위로 체위변경 장애	• 기동에 대한 지식 부족
• 좌위에서 앙와위로 체위변경 장애	• 근력 부족
• 스스로 침상 체위변경 장애	• 비만
• 돌아눕기 장애	• 통증
	• 신체조건 악화

연관조건	
• 인지기능변화	• 신경근육 장애
• 근골격 장애	• 약물 요법

요약 4. 활동/휴식 Activity and rest

신체 이동성 장애
Impaired physical mobility

영역 4	활동/휴식	과 2	활동/운동

정의

신체나 한 부위 이상의 사지에 독립적이고 목적 있는 신체 움직임에 제한이 있는 상태

정의된 특성	관련요인
• 걸음걸이 변화 • 제한된 소근육 운동능력 • 제한된 대근육 운동능력 • 제한된 관절가동 범위 • 지연 반응 • 방향전환 곤란 • 불편감 • 다른 움직임에 집중 • 활동 시 호흡곤란 • 움직임으로 진전발생 • 불안정한 자세 • 느린 움직임 • 경련성 움직임 • 부조화된 움직임	• 활동 내구성 감소 • 불안 • 체질량지수가 해당 연령의 75% 범위 초과 • 해당 연령에 적절하게 활동하는 문화적 신념 • 지구력 저하 • 근육조절 능력 감소 • 근육량 감소 • 근육강도 저하 • 환경적 지지 부족(신체적, 사회적) • 신체활동 관련 지식 부족 • 관절강직 • 영양실조 • 통증 • 신체 조건 저하 • 활동 부족

연관조건

• 골격계 통합성 결여 • 인지기능 변화 • 대사 변화 • 경축 • 발달지연	• 근골격 장애 • 신경근육 장애 • 약물 요법 • 처방된 운동 제한 • 감각지각 장애

휠체어 이동성 장애
Impaired wheelchair mobility

영역 4	활동/휴식	과 2	활동/운동

정의

스스로 휠체어를 사용하는데 제한이 있는 상태

정의된 특성	관련요인
• 내리막길에서 휠체어 작동 능력 장애 • 오르막길에서 휠체어 작동 능력 장애 • 제동에 관한 휠체어 작동 능력 장애 • 평지에서 휠체어 작동 능력 장애 • 울퉁불퉁한 곳에서 휠체어 작동 능력 장애 • 내리막길에서 휠체어 전원 작동 능력 장애 • 오르막길에서 휠체어 전원 작동 능력 장애 • 제동에 관한 휠체어 전원 작동 능력 장애 • 평지에서 휠체어 전원 작동 능력 장애 • 울퉁불퉁한 곳에서 휠체어 전원 작동 능력 장애	• 기분변화 • 지구력 감소 • 환경 장애 • 휠체어 지식 부족 • 근력 부족 • 비만 • 통증 • 신체 조건 저하

연관조건

- 인지기능 변화
- 시력 손상
- 근골격 장애
- 신경근육 장애

앉기 장애
Impaired sitting

영역 4	활동/휴식	과 2	활동/운동

정의

둔부와 대퇴로 지지하여 상체를 바르게 하고 쉬는 자세를 유지하는데 제한이 있는 상태

정의된 특성	관련요인
• 울퉁불퉁한 표면에서 한쪽다리, 혹은 양쪽 다리로 균형잡기 장애 • 상체를 균형잡기 장애 • 양쪽 고관절 움직임이나 굽히기 장애 • 양쪽 무릎의 움직임이나 굽히기 장애 • 균형잡힌 상체 유지 장애 • 체중으로 상체 부하 장애	• 지구력부족 • 에너지부족 • 근력부족 • 영양장애 • 통증 • 자가 완화자세

연관조건	
• 인지기능변화 • 대사기능장애 • 신경학적 질환 • 정형외과 수술	• 처방된 자세 • 심리적 질환 • 근육감소증

기립 장애
Impaired standing

영역 4	활동/휴식	과 2	활동/운동

정의
다리부터 머리까지를 똑바로 하는 자세를 유지하는데 제한이 있는 상태

정의된 특성	관련요인
• 울퉁불퉁한 표면에서 하지로 서있기 장애 • 상체를 균형 잡기 장애 • 한쪽 또는 양쪽 고관절 신전 장애 • 한쪽 또는 양쪽 무릎의 신전 장애 • 한쪽 또는 양쪽 고관절 굴곡 장애 • 한쪽 또는 양쪽 무릎의 굴곡 장애 • 균형 잡힌 상체 유지 장애 • 체중으로 상체 부하 장애	• 정서장애 • 지구력부족 • 에너지부족 • 근력부족 • 영양장애 • 통증 • 자가 완화자세

연관조건

- 순환관류질환
- 대사기능장애
- 하지상해
- 신경학적 질환
- 처방된 자세
- 근육감소증
- 수술

이동능력 장애
Impaired transfer ability

영역 4	활동/휴식	과 2	활동/운동

정의

스스로 가까운 거리를 이동하는데 제한이 있는 상태

정의된 특성	관련요인
• 침대에서 의자까지 이동 못함 • 침대에서 일어서지 못함 • 자동차에서 의자까지 이동 못함 • 의자에서 바닥까지 이동 못함 • 의자에서 일어서지 못함 • 바닥에서 일어서지 못함 • 욕조까지, 욕조에서 밖으로 이동 못함 • 샤워할 때 이동 못함 • 변기까지 이동 못함 • 화장실까지 이동 못함 • 편평하지 않은 장소로 이동 못함	• 환경 장애 • 신체조건 악화 • 이송방법 지식 부족 • 근력 감소 • 비만 • 신체상태 악화 • 통증

연관조건

- 인지기능변화
- 시력장애
- 근골격 장애
- 신경근육 장애

보행 장애
Impaired walking

영역 4	활동/휴식	과 2	활동/운동

정의
스스로 걸어서 이동하는데 제한이 있는 상태

정의된 특성	관련요인
• 계단을 오르지 못함 • 보도를 걷지 못함 • 내리막길을 걷지 못함 • 오르막길을 걷지 못함 • 편평하지 않은 곳을 걷지 못함 • 필요한 거리만큼 걷지 못함	• 기분 변화 • 지구력 감소 • 환경장애 • 낙상에 대한 두려움 • 운동전략에 대한 지식 부족 • 근력 부족 • 비만 • 통증 • 신체 상태 악화

연관조건

• 인지기능변화 • 균형장애	• 근골격 장애 • 신경근육 장애

에너지장 불균형
Imbalanced energy field

영역 4	활동/휴식		과 3	에너지 균형

정의
정상적으로 고유의 역동적이고 창의적이며 비선형적인 인간의 에너지 흐름을 방해 받는 상태

정의된 특성	관련요인
• 에너지장 양상 불균형 • 에너지 흐름 단절 • 에너지 흐름 정체 • 에너지장 양상의 부조화 리듬 • 에너지 흐름의 에너지 결핍 • 전체로서의 경험을 얻기 위한 요구 표현 • 과다 에너지 흐름 • 불규칙한 에너지장 양상 • 에너지장 영역의 자석이 당김 • 에너지장 양상의 진동 수 움직임 • 에너지 흐름의 진동 느낌 • 무작위 에너지장 양상 • 빠른 에너지장 양상 • 느린 에너지장 양상 • 강한 에너지장 양상 • 에너지장에서 냉감 구별 • 에너지장에서 열감 구별 • 에너지장에서 따끔거림 • 에너지장에서 어수선함 • 에너지 흐름에서 부조화 리듬감 • 약한 에너지장 양상	• 불안 • 불편감 • 스트레스 과다 • 에너지장이나 흐름을 방해하는 중재 • 통증
위험대상자 • 위기상태자 • 생애주기 전환자	**연관조건** • 질병 • 상해

99

피로
Fatigue

영역 4	활동/휴식	과 3	에너지 균형

정의

지속적인 소진으로 일상적 작업을 위한 신체적, 정신적 능력이 감퇴한 상태

정의된 특성	관련요인
• 집중력 장애 • 성욕감퇴 • 무감동 • 주변 환경에 흥미 감소 • 기면 • 책임을 다하지 못함에 대한 죄의식 • 일상 활동을 수행 못함 • 반복적인 일상을 유지 못함 • 신체적 증상 증가 • 휴식 요구 증가 • 효율적인 역할 수행 • 에너지 부족 • 무기력 • 수면 후에도 기력이 회복되지 않음을 보고 • 피곤함	• 불안 • 우울 • 환경 장애 • 신체 소진 증가 • 영양장애 • 자극없는 생활 양식 • 직업적 요구 • 신체상태 저하 • 수면박탈 • 스트레스원
위험대상자	**연관조건**
• 요구사항 많은 직업자 • 부정적 생활사건 노출자	• 빈혈 • 임신 • 질병

배회 Wandering			
영역 4	활동/휴식	**과 3**	에너지 균형

정의

목적 없이 반복적으로 유해한 환경(경계, 한계, 장애물)에 노출되도록 이동하는 상태

정의된 특성	관련요인
• 지속적 장소 이동 • 가출 행동 • 빈번한 장소 이동 • 안달하는 보행 • 길을 잃음 • 무계획성 이동 • 활동 과다 • 친숙한 환경에서 의미 있는 지점을 찾지 못함 • 출입금지 구역으로 들어감 • 배회로 길을 잃음 • 쉽게 포기할 수 없는 배회 • 뚜렷한 목적지 없이 오랫동안 배회 • 서성거림 • 이동과 비이동을 교대로 보임 • 계속 찾기 위해 이동함 • 자세히 보는 행동 • 찾는 행동 • 돌보는 사람을 따라다님 • 무단침입	• 수면각성 주기 변화 • 귀소 본능 • 환경자극과다 • 신체상태 • 친밀한 환경에서 고립
위험대상자	**연관조건**
• 질병전 행동	• 인지기능 변화 • 피질 위축 • 심리장애 • 진정

101

활동 지속성 장애
Activity intolerance

영역 4	활동/휴식	과 4	심혈관/호흡기계 반응

정의

하기를 원하거나 해야 하는 일상 활동 수행이나 지속에 필요한 생리적, 심리적 에너지가 부족한 상태

정의된 특성	관련요인
• 활동 시 비정상적 혈압 • 활동 시 비정상적 맥박 • 심전도상 변화 • 활동 시 불편감 • 활동 시 호흡곤란 • 피로감 • 허약감	• 산소공급량과 요구량 불균형 • 부동 • 활동 부족 과거력 • 신체조건 저하 • 비활동적 생활 양식
위험대상자	**연관조건**
• 활동 지속성 장애 과거력	• 순환 문제 • 호흡 조건

활동 지속성 장애 위험성
Risk for activity intolerance

영역 4	활동/휴식	과 4	심혈관/호흡기계 반응

정의

하기를 원하거나 해야 하는 일상 활동 수행이나 지속에 필요한 생리적, 심리적 에너지가 부족할 위험이 있는 상태

위험요인	
• 산소 요구량과 공급량 불균형 • 부동 • 활동 지속성 장애 과거력	• 신체 조건 저하 • 비활동적 생활 양식

위험대상자	연관조건
• 활동 지속성 장애 과거력	• 순환 문제 • 호흡 조건

비효율적 호흡 양상
Ineffective breathing pattern

영역 4	활동/휴식	과 4	심혈관/호흡기계 반응

정의
흡기와 호기로 적절한 환기가 이루어지지 못하는 상태

정의된 특성	관련요인
• 비정상적 호흡 양상 • 흉곽 팽창 변화 • 서호흡 • 흡기시 압력 감소 • 호기시 압력 감소 • 폐활량 감소 • 호흡곤란 • 흉곽 전후경 증가 • 코를 벌름거림 • 기좌호흡 • 호기 연장 • 입술을 오므리고 호흡 • 과호흡 • 호흡 보조근 사용 • 무릎을 구부리고 상체를 앞으로 기울인 자세(three – point position)	• 피로 • 과다환기 • 비만 • 통증 • 호흡근 피로

연관조건

• 골격 기형	• 신경근육 부전
• 흉벽 기형	• 신경계 미숙
• 과소환기	• 신경근육 기능장애
• 근골격계 장애	• 척수손상

103

심박출량 감소
Decreased cardiac output

영역 4	활동/휴식	과 4	심혈관/호흡기계 반응

정의

심장에서 박출되는 혈액이 신체의 대사요구량을 충족시키지 못하는 상태

정의된 특성

심박수/리듬 변화
- 서맥
- 심전도 변화
- 심계항진
- 빈맥

전부하 변화
- 중심정맥압(CVP) 감소
- 폐동맥압(PAWP) 감소
- 부종
- 피로
- 심잡음
- 중심정맥압 증가
- 폐동맥압 증가
- 경정맥 팽창
- 체중증가

후부하 변화
- 피부색 변화
- 혈압 변화
- 차고 축축한 피부
- 말초맥박 감소
- 폐혈관저항(PVR) 감소
- 전신혈관저항(SVR) 감소
- 호흡곤란
- 폐혈관저항 증가
- 전신혈관저항 증가
- 모세혈관 재충혈 지연
- 핍뇨

수축력 변화
- 우발성호흡음
- 기침
- 심장지수 감소
- 심박출량 감소
- 좌심실 1회 심박출 지수(LVSWI) 감소
- 1회 심박출지수(SVI) 감소
- 기좌호흡
- 발작성 야간 호흡곤란
- 제3심음(S3) 청진
- 제4심음(S4) 청진

행동/정서
- 불안
- 안절부절못함

관련요인	연관조건
• 개발예정	• 후부하 변화 • 수축력 변화 • 심박수 변화 • 전부하 변화 • 리듬변화 • 1회 심박출량 변화

심박출량 감소 위험성
Risk for decreased cardiac output

영역 4	활동/휴식	과 4	심혈관/호흡기계 반응

정의

심장에서 박출되는 혈액이 신체의 대사요구량을 충족시키지 못하는 상태가 될 위험성

관련요인	연관조건
• 개발예정	• 후부하 변화 • 수축력 변화 • 심박수 변화 • 전부하 변화 • 리듬변화 • 1회 심박출량 변화

자발적 환기 장애
Impaired spontaneous ventilation

영역 4	활동/휴식	과 4	심혈관/호흡기계 반응

정의

생명을 유지하는데 필요한 자발적 호흡이 어려운 상태

정의된 특성	관련요인
• 안절부절 함 • 혈중 산소포화도 감소 • 조정능력 감소 • 혈중 산소분압 감소 • 1회 호흡량 감소 • 호흡곤란 • 부속근 사용 증가 • 심박동수 증가 • 대사율 증가 • 혈중 이산화탄소 분압 증가 • 불안, 두려움 호소	• 호흡근 피로

연관조건

• 대사성 요인

혈압 불안정 위험성
Risk for unstable blood pressure

영역 4	활동/휴식	과 4	심혈관/호흡기계 반응

정의

동맥혈관의 변화가 건강을 위협할 위험이 있는 상태

관련요인

• 불연속적 약물 투여
• 기립성 체위

연관조건

- 코카인 부작용
- 비스테로이드성 약물 부작용
- 스테로이드 부작용
- 부정맥
- 쿠싱증후군
- 전해질불균형
- 체액정체
- 체액이동
- 호르몬변화
- 고삼투성 용액

- 부갑성선 기능항진
- 갑성선 기능항진
- 갑상선 기능저하
- 두개내압 상승
- 항부정맥제재의 빠른 흡수 및 분포
- 이뇨제재의 빠른 흡수 및 분포
- 혈관수축제재의 빠른 흡수 및 분포
- 교감신경제재 반응
- 항우울제 사용

심장 조직 관류 감소 위험성
Risk for decreased cardiac tissue perfusion

영역 4	활동/휴식	과 4	심혈관/호흡기계 반응

정의

심장순환 감소로 건강을 위협할 위험이 있는 상태

위험요인	위험 대상자
• 조절 가능한 위험 요인에 대한 지식 부족 • 약물 남용	• 심질환 가족력

연관조건

- 심장압전
- 심장수술
- 관상동맥 경련
- 당뇨병
- 관상동맥질환 가족력
- 고지혈증

- 고혈압
- 저혈류증
- 저산소혈증
- 저산소증
- C-활동성 단백질 상승
- 약물 요법

비효율적 뇌조직 관류 위험성
Risk for ineffective cerebral tissue perfusion

영역 4	활동/휴식	과 4	심혈관/호흡기계 반응

정의

뇌조직 순환 감소로 건강을 위협할 위험이 있는 상태

위험요인	위험 대상자
• 약물 남용	• 최근 심근경색

연관조건

- 부분 트롬보플라스틴 시간(PTT) 비정상
- 프로트롬빈 시간(PT) 비정상
- 좌심실 운동 불능
- 대동맥 죽상경화증
- 동맥 박리
- 심방세동
- 심방 점액종
- 뇌종양
- 경동맥 협착
- 뇌동맥류
- 응고장애(겸상적혈구 빈혈증)
- 심근이완증
- 혈관 내 응고
- 색전증
- 두부외상
- 고콜레스테롤증
- 고혈압
- 감염성 심내막염
- 기계적 인공 판막
- 승모판 협착증
- 뇌 신생물
- 최근 심근경색
- 동기능부전 증후군
- 물질남용
- 혈전 용해 치료
- 치료 관련 부작용(체외순환기, 투약)

비효율적 말초 조직 관류
Ineffective peripheral tissue perfusion

영역 4	활동/휴식	과 4	심혈관/호흡기계 반응

정의
말초혈액 순환 감소로 건강을 위협할 수 있는 상태

정의된 특성
- 맥박소실
- 운동기능 변화
- 피부 특성 변화
- 발목상완지수(ABI)<0.90
- 모세혈관 충혈 속도>3초
- 하지상승 1분 후 하지의 피부색이 회복 안됨
- 말초혈압 변화
- 파행, 절름거림
- 6분 보행 검사 시 통증 없는 거리 감소
- 말초 맥박 감소
- 말단 상처 치유 지연
- 6분 보행 검사 시 도달 총거리 감소
- 부종
- 사지 통증
- 대퇴 잡음
- 간헐적 파행증
- 손을 들어 올릴 때 손바닥 색깔 변화

관련요인
- 과도한 염분 섭취
- 질병 진행과정에 대한 지식 부족
- 악화요인에 대한 지식 부족
- 비활동적 생활양식
- 흡연

연관조건
- 당뇨병
- 고혈압
- 혈관내 시술
- 외상

비효율적 말초 조직 관류 위험성
Risk for ineffective peripheral tissue perfusion

영역 4	활동/휴식	과 4	심혈관/호흡기계 반응

정의

말초혈액 순환 감소로 건강을 위협할 위험이 있는 상태

위험요인	연관조건
• 과도한 수분 섭취 • 악화요인에 대한 지식 부족 • 질병과정에 대한 지식부족 • 비활동성 생활양식 • 흡연	• 당뇨병 • 혈관 내 시술 • 고혈압 • 외상

호흡기 제거에 대한 부적응
Dysfunctional ventilatory weaning response

영역 4	활동/휴식	과 4	심혈관/호흡기계 반응

정의

인공호흡기에 대한 의지수준을 낮출 경우 적응 능력이 없어서 호흡기 제거과정이 방해받거나 지연되는 상태

정의된 특성

경증

- 호흡 시 불편감
- 피로
- 기계 고장 가능성에 대해 질문
- 온감
- 호흡에 대한 관심집중
- 기준보다 호흡수 소량 증가
- 산소 요구 증가에 대한 느낌 표현
- 안절부절못함

중등도

- 비정상적 피부색
- 불안
- 청진상 공기 유입 감소
- 발한
- 지나치게 활동 집중
- 협조 못함
- 창백

- 불안
- 경미한 청색증
- 기준보다 혈압 상승(<20mmHg)
- 기준보다 경미한 심박동수 증가(<20회/분)
- 호흡 부속근 경미한 사용
- 기준보다 호흡수 증가
- 안구 확대, 눈이 커짐

중증

- 피부색 비정상
- 호흡 첨가음
- 초조
- 인공호흡기와 부조화
- 의식수준 저하
- 기도 분비물 청진
- 기준보다 동맥혈가스농도 악화
- 빠른 호흡

- 기준보다 혈압상승(≥20mmHg)
- 기준보다 심박동수 증가(≥20회/분)
- 역행성 복식호흡
- 심한 발한
- 얕은 호흡
- 기준보다 유의한 호흡률 증가
- 호흡 부속근 유의한 사용

관련요인

신체적

- 수면 양상 장애
- 부적절한 영양
- 비효율적 기도 청결
- 통증

- 의료진에 대한 신뢰 부족
- 자존감 저하
- 무력감
- 호흡기 제거에 대한 위험 인식

심리적

- 불안
- 동기부족
- 두려움
- 절망감
- 호흡기 제거 과정에 대한 지식 부족

환경적

- 부적절한 환경
- 실패한 호흡기 제거 경험
- 부적절한 사회적 지지
- 조절되지 않은 에너지 요구

연관조건

- 4일 이상 인공호흡기 의존 과거력
- 부적절한 인공호흡기 비의존 시간 간격

가정유지 장애
Impaired home maintenance

영역 4	활동/휴식	과 5	자가간호

정의

안전하게 성장 촉진 할 수 있는 환경을 독자적으로 유지할 수 없는 상태

정의된 특성	관련요인
• 안전한 환경유지 어려움 • 과도한 가족에 대한 책임 • 가정 유지 능력 장애 • 부족한 의상 • 필요한 조리도구 부족 • 가정 유지를 위한 도구 부족 • 부족한 침구 • 반복적 불결 • 반복적 비위생 감염 • 가정유지 도움 요구 • 불결한 주위 환경	• 부적절한 역할 모델 • 부적절한 가족 조직 • 부적절한 가족계획 • 이용가능한 자원에 익숙하지 않음 • 이웃 자원에 대한 지식 부족 • 부적절한 지지체계
위험 대상자	**연관조건**
• 경제 위기	• 인지 기능 변화

목욕 자가간호 결핍
Bathing self-care deficit

영역 4	활동/휴식	과 5	자가간호

정의
스스로 목욕을 수행하거나 완료하지 못하는 상태

정의된 특성
- 욕실에 가지 못함
- 몸을 말리지 못함
- 목욕용품을 준비하지 못함
- 목욕물을 받지 못함
- 목욕물 양을 조절하지 못함
- 몸을 씻지 못함

관련요인
- 불안
- 동기부족
- 환경적 장애
- 통증
- 허약감

연관조건
- 인지 기능 변화
- 신체부분 인지 못함
- 공간인지력 결여
- 골격근 장애
- 신경근육 장애
- 지각장애

옷 입기 자가간호 결핍
Dressing self-care deficit

영역 4	활동/휴식	과 5	자가간호

정의

스스로 옷 입기를 수행하거나 완료하지 못하는 상태

정의된 특성

- 만족스러운 외모를 유지하지 못함
- 옷을 꺼내지 못함
- 옷을 조이지 못함
- 옷을 가져오지 못함
- 옷을 고르지 못함
- 옷 입는 능력 장애
- 신발 신는 능력 장애
- 양말 신는 능력 장애
- 옷 벗는 능력 장애
- 신발 벗는 능력 장애
- 양말 벗는 능력 장애
- 양말을 벗지 못함
- 하체에 옷을 입지 못함
- 상체에 옷을 입지 못함
- 하지에 옷을 입지 못함
- 옷을 벗지 못함
- 보조기구를 사용하지 못함
- 지퍼를 사용하지 못함

관련요인

- 불안
- 동기부족
- 불편감
- 환경적 장애
- 피로
- 허약감

연관조건

- 인지 기능 변화
- 근골격 장애
- 신경근육 장애
- 지각장애

114

음식섭취 자가간호 결핍
Feeding self-care deficit

영역 4	활동/휴식	과 5	자가간호

정의

음식을 먹는 행위를 수행하거나 완료하지 못하는 상태

정의된 특성	관련요인
• 입으로 음식을 가져오지 못함 • 음식을 씹지 못함 • 식사를 마치지 못함 • 수저로 음식을 뜨지 못함 • 수저 사용을 못함 • 사회적으로 수용된 방법으로 음식을 섭취하지 못함 • 안전하게 음식을 섭취하지 못함 • 음식을 충분히 섭취하지 못함 • 음식을 씹지 못함 • 뚜껑을 열지 못함 • 컵이나 잔을 들지 못함 • 음식준비를 못함 • 음식을 삼키지 못함 • 보조기구를 사용하지 못함	• 불안 • 동기부족 • 불편감 • 환경적 장애 • 피로 • 통증 • 허약감

연관조건

• 인지 기능 변화	• 신경근육 장애
• 근골격 장애	• 지각장애

용변 자가간호 결핍
Toileting self-care deficit

영역 4	활동/휴식	과 5	자가간호

정의

스스로 화장실을 사용하거나 뒤처리 하는 행위를 수행하거나 완료하지 못하는 상태

정의된 특성	관련요인
• 용변 후 적절한 위생을 수행하지 못함 • 변기나 이동 변기에 물을 흘려보내지 못함 • 변기나 이동 변기로 가지 못함 • 용변을 위해 옷을 벗거나 입지 못함 • 변기나 이동 변기에서 일어서지 못함 • 변기나 이동 변기에 앉지 못함	• 불안 • 동기부족 • 환경적 장애 • 피로 • 이동능력 장애 • 운동장애 • 통증 • 허약감

연관조건

• 인지 기능 변화
• 근골격 장애
• 신경근육 장애
• 지각장애

자가간호 향상 가능성
Readiness for enhanced self-care

영역 4	활동/휴식	과 5	자가간호

정의

건강 관련 목표를 충족하는데 도움이 되고 강화할 수 있는 행동을 스스로 수행하는 양상

정의된 특성

• 독자적인 건강 유지 강화 요구 표현
• 독자적인 생활 유지 강화 요구 표현
• 독자적인 자기계발 유지 강화 요구 표현
• 독자적인 안녕 유지 강화 요구 표현
• 자가간호 전략에 대한 지식 강화 요구 표현
• 자가간호 강화에 대한 요구 표현

자기무시
Self-neglect

영역 4	활동/휴식	과 5	자가간호

정의

한 가지 이상의 자가간호 활동을 포함하는 문화적으로 적합한 행위가 사회적으로 수용된 건강과 안녕 기준을 유지하지 못하는 상태

정의된 특성

- 부적절한 환경위생
- 부적절한 개인위생
- 건강행위 미수행

관련요인

- 행정처리 능력 부족
- 시설에 대한 두려움
- 조절 유지 불능
- 생활습관 선택
- 물질 남용

연관조건

- 인지 기능 변화
- 캡그래스 증후군(Capgras syndrome)
- 전두엽 기능부전
- 기능장애
- 학습장애
- 꾀병
- 정신적 질병
- 정신질환

영역 5

《 지각/인지 Perception / Cognition 》

과 1: 집중 Attention

- 편측성 지각 장애 **Unilateral neglect**

과 2: 지남력 Orientation

해당진단 없음

과 3: 감각/지각 Sensation/Perception

해당진단 없음

과 4: 인지 Cognition

- 급성혼동 Acute confusion
- 급성혼동 위험성 Risk for acute **confusion**
- 만성혼동 Chronic **confusion**
- 불안정한 감정 조절 Labile **emotional control**
- 비효율적 충동 조절 Ineffective **impulse control**
- 지식부족 Deficient **knowledge**
- 지식 향상 가능성 Readiness for enhanced **knowledge**
- 기억장애 Impaired **memory**

과 5: 의사소통 Communication

- 의사소통 향상 가능성 Readiness for enhanced **communication**
- 언어소통 장애 Impaired verbal **communication**

편측성 지각 장애
Unilateral neglect

영역 5	지각/인지	과 1	집중

정의

감각장애나 운동장애를 보이고, 한쪽 신체 부위에 지나친 관심을 보이며 다른 한쪽은 무시하는 경향을 보이는 상태. 왼쪽 지각이상이 오른쪽 지각이상보다 더 심하고 지속적임.

정의된 특성

- 환측 사지에 안전행동 변화
- 환측 자극시 지속적 반응 보이지 않음
- 비 환측으로 소리를 대치함
- 환측 그림이 비틀어짐
- 환측 선을 지울 수 없음
- 환측 옷 입기 못함
- 환측 음식물 섭취 못함
- 환측 몸 단장 못함
- 공간자극 인지해도 환측으로 눈 움직이지 못함
- 공간자극 인지해도 환측으로 머리 돌리지 못함
- 공간자극 인지해도 환측 팔을 움직이지 못함
- 공간자극 인지해도 환측으로 몸을 움직이지 못함
- 환측에서 다가오는 사람을 인지하지 못함
- 환측 시야 결손
- 정상부위 자극과 활동에 안구초점이 지나치게 치우침
- 선 지우기, 선 이등분하기. 초점대상 지우기 등의 검사 수행 능력 장애
- 뇌졸중으로 좌측마비
- 정상부위 자극과 활동에 머리움직임이 지나치게 치우침
- 정상부위 자극과 활동에 몸 움직임이 지나치게 치우침
- 환측부위에 대한 그림을 그리지 않음
- 표현에 대한 지각 장애
- 독서 할 때 같은 길이의 다른 단어로 읽음
- 통증지각을 정상부위 쪽으로 이동함
- 공간에 대한 편측 지각이상
- 종이에 글쓰기 할 때 절반만 사용함

관련요인	연관조건
• 개발예정	• 두부 손상

119

급성혼동
Acute confusion

영역 5	지각/인지	과 4	인지

정의

가역적인 의식수준, 주의력, 인지장애, 지각 장애가 3개월 미만 단기간 발생한 상태

정의된 특성	관련요인
• 초조함 • 인지변화 • 의식수준 변화 • 정신운동성 활동 변화 • 환각 • 목표지향적 행동 동기 결여 • 목적성 행동 동기 결여 • 목표지향적 행동 개시 동기 결여 • 목적성 행동 개시 동기 결여 • 지각장애 • 안절부절함	• 수면 – 각성 주기 변화 • 탈수 • 기동성 장애 • 부적절한 억제대 사용 • 영양실조 • 통증 • 감각이상 • 약물 남용 • 요정체
위험 대상자	**연관조건**
• 60세 이상 • 뇌졸중 과거력 • 남성	• 인지기능 변화 • 망상 • 치매 • 대사기능 장애 • 감염 • 약물 복용

급성 혼동 위험성
Risk for acute confusion

영역 5	지각/인지	과 4	인지

정의

가역적인 의식수준, 주의력, 인지장애, 지각 장애가 일시적으로 갑자기 발생할 위험이 있는 상태

위험요소

- 수면-각성 주기 변화
- 탈수
- 기동성 저하
- 부적절한 억제대 사용
- 영양 실조
- 통증
- 감각소실
- 물질남용
- 요정체

위험 대상자

- 60세 이상 연령
- 뇌졸중 과거력
- 남성

연관조건

- 인지기능 변화
- 망상
- 치매
- 대사기능 장애
- 감염
- 약물 복용

121

만성혼동
Chronic confusion

영역 5	지각/인지	과 4	인지

정의

지각과 인지능력이 비가역적이며 장기적으로 퇴행하고, 환경자극을 판단하는 능력과 사고능력 저하, 기억력, 지남력, 행동장애가 있는 상태

정의된 특성	관련요인
• 주변환경에 대한 적절성 • 기억력 이외에 최소한 한가지 이상 변화 • 행동 변화 • 장기손상에 대한 임상근거 • 장기기억 변화 • 인격변화 • 단기기억 변화 • 사회적 기능 변화 • 매일 한가지 이상 수행능력 장애 • 비가역적 인지 장애 • 장기적 인지 기능 장애 • 지속적 인지기능 장애	• 뇌졸중 • 치매

불안정한 감정 조절
Labile emotional control

영역 5	지각/인지	과 4	인지

정의
통제할 수 없는 과도하고 불수의적인 표현

정의된 특성	관련요인
• 눈맞춤 못함 • 울음 • 얼굴표정 사용 어려움 • 감정표현 어색 • 슬픈감정없이 과도한 울기 • 행복감 없이 과도하게 웃기 • 원인 요인과 일치하지 않는 과도한 감정 표현 • 불수의적 울음 • 불수의적 웃음 • 통제 불능 울음 • 통제 불능 웃음 • 퇴직 • 사회생활 도피	• 자존감 변화 • 감정장애 • 피로감 • 증상조절관련 지식 부족 • 질병관련 지식부족 • 근력 부족 • 사회적 스트레스 • 스트레스원 • 물질남용

연관조건
- 두부손상
- 기능장애
- 기분장애
- 근골격 장애
- 약물제재
- 신체장애
- 정신질환

비효율적 충동 조절
Ineffective impulse control

영역 5	지각/인지	과 4	인지

정의

자신의 반응이 자신이나 타인에게 미치는 영향을 개의치 않고 내·외적 환경 자극에 우발적
이고 성급한 반응을 보이는 양상

정의된 특성	관련요인
• 생각 없는 행동 • 상대방 불편 관계없이 사적인 질문함 • 저축, 경제활동 능력 없음 • 안절부절 못함 • 도박증 • 부적절한 자신의 개인 정보 공개 • 낯선 사람에게 친근감 보임 • 감각자극 추구 • 복잡한 이성관계 • 충동적 성격 • 폭력성	• 절망감 • 기분장애 • 흡연 • 물질남용

연관조건

• 인지기능 변화 • 발달장애	• 기질적 뇌손상 • 인격장애

지식부족
Deficient knowledge

영역 5	지각/인지		과 4	인지

정의

특정 주제에 대한 정보가 없거나 부족한 상태

정의된 특성	관련요인
• 지시사항에 대한 부적절한 수행 • 검사에 대한 부적절한 수행 • 부적절한 행동 • 지식 부족	• 정보 부족 • 학습흥미 부족 • 자원관련 지식 부족 • 타인의 잘못된 정보 제공

연관조건

- 인지기능 변화
- 기억 변화

지식 향상 가능성
Readiness for Enhanced Knowledge

영역 5	지각/인지		과 4	인지

정의

특정 주제에 대한 정보 습득이 건강 관련 목표가 달성될 수 있을 만큼 충분하고 강화될 수 있음

정의된 특성

- 학습강화 요구 표현

기억장애
Impaired memory

영역 5	지각/인지	과 4	인지

정의

정보나 행동을 회상하거나 기억하지 못하는 상태가 지속됨

정의된 특성

- 계획된 시간에 해야 할 일을 잊음
- 지속적 기억 장애
- 새로운 기술을 학습 못함
- 새로운 정보를 학습 못함
- 과거에 학습한 기술을 수행 못함
- 사건을 기억 못함
- 사실 정보를 기억 못함
- 수행 행동을 기억 못함
- 새로운 정보를 계속 기억 못함
- 새로운 기술을 계속 기억 못함
- 독자적 일상활동 수행 능력 유지

관련요인

- 수분 불균형

연관조건

- 빈혈
- 두부손상
- 심박출량 감소
- 전해질 불균형
- 저산소증
- 경증 인지장애
- 신경학적 장애
- 파킨슨 질환

의사소통 향상 가능성
Readiness for enhanced communication

영역 5	지각/인지	과 5	의사소통

정의

자신의 요구나 삶의 목적을 충분히 강화하도록 타인과 정보나 생각을 교환하는 양상

정의된 특성

- 의사소통을 향상시키고 싶어함을 표현함

언어소통 장애
Impaired verbal communication

영역 5	지각/인지	과 5	의사소통

정의

수용, 과정, 전달과/또는 기호체계 사용 능력의 감소, 지연, 결여된 상태

정의된 특성

- 눈을 마주치지 않음
- 말을 못함
- 생각을 언어로 표현하지 못함
- 문장을 구사하지 못함
- 단어를 구사하지 못함
- 일상적인 대화를 이해하기 어려움
- 일상적인 대화를 유지하기 어려움
- 선택적 집중 어려움
- 신체 표현 사용이 어려움
- 표정 사용이 어려움
- 의사소통 유지가 어려움
- 말하기 어려움
- 사람에 대한 지남력 상실
- 공간에 대한 지남력 상실
- 시간에 대한 지남력 상실
- 말을 하지 않음
- 호흡곤란
- 말을 따라하지 못함
- 돌봄제공자의 언어를 사용할 수 없음
- 몸짓을 사용하지 못함
- 표정을 사용하지 못함
- 불분명한 발음
- 부분 시각장애
- 느리게 말함
- 말하기 어려움
- 말을 더듬음
- 완전 시각장애
- 발성 곤란
- 대화거부

관련요인

- 자아개념 변화
- 문화차이
- 정서 방해
- 정보부족
- 자극부족
- 상황적 자존감 저하
- 취약함

위험 대상자

- 유의미한 타인 부재

연관조건

- 발달변화
- 지각변화
- 중추신경계 손상
- 구인두 결손
- 환경적 장애
- 신체적 조건
- 정신질환
- 치료 요법

영역 6

《 자아인식 Self-Perception 》

과 1: 자아개념 Self-Concept

- 절망감 Hopelessness
- 희망 향상 가능성 Readiness for enhanced hope
- 인간 존엄성 손상 위험성 Risk for compromised human dignity
- 자아정체성 장애 Disturbed personal identity
- 자아정체성 장애 위험성 Risk for disturbed personal identity
- 자아개념 향상 가능성 Readiness for enhanced self-concept

과 2: 자존감 Self-Esteem

- 만성적 자존감 저하 Chronic low self-esteem
- 만성적 자존감 저하 위험성 Risk for chronic low self-esteem
- 상황적 자존감 저하 Situational low self-esteem
- 상황적 자존감 저하 위험성 Risk for situational low self-esteem

과 3: 신체상 Body Image

- 신체상 장애 Disturbed body image

절망감
Hopelessness

영역 6	자아인식	과 1	자아개념

정의

자신을 위한 에너지를 사용할 수 없고, 대안이나 선택이 제한되거나 없다고 느끼는 주관적인 상태

정의된 특성	관련요인
• 수면양상 변화 • 감정결핍 • 식욕감퇴 • 주도성 결여 • 자극에 대한 반응 감소 • 말이 줄어듦 • 언어적 단서 저하 • 간호에 참여 부족 • 수동성 • 눈맞춤 저하 • 상대방 말에 미진한 반응 • 수면양상 장애 • 말하는 사람을 쳐다보지 않음	• 만성 스트레스 • 신에 대한 믿음 상실 • 초월적 가치에 대한 믿음 상실 • 장기간 활동제한 • 사회적 고립
위험 대상자	**연관조건**
• 포기한 과거력	• 신체기능 악화

희망 향상 가능성
Readiness for enhanced hope

영역 6	자아인식	과 1	자아개념

정의

자신을 위한 에너지에 대한 기대와 요구의 양상이 강화될 수 있는 상태

정의된 특성

- 성취 가능한 목표 설정을 가능하게 하고자 하는 요구 표현
- 가능성에 대한 믿음을 증진시키고 싶은 요구 표현
- 기대와 목표를 일치시키고 싶은 요구 표현
- 다른 사람과 관계를 맺고자하는 요구 표현
- 희망향상 가능성에 대한 요구 표현
- 목표달성을 위한 문제해결에 대한 요구 표현
- 삶의 의미 향상을 위한 요구 표현
- 영성 향상 요구 표현

인간 존엄성 손상 위험성
Risk for compromised human dignity

영역 6	자아인식	과 1	자아개념

정의

존경과 명예를 상실했다고 지각할 위험성

위험요인

- 문화적 부조화
- 개인적 비밀 노출
- 신체적 노출
- 의사결정에 불충분한 참여
- 신체기능 조절 상실
- 지각된 비인간적 대우
- 지각된 모욕
- 지각된 의료인인 침범
- 지각된 사생활 침범
- 오명
- 알 수 없는 의학 용어 사용

자아정체성 장애
Disturbed personal identity

영역 6	자아인식	과 1	자아개념

정의

자신의 실체를 통합적이고 완전하게 지각하지 못하는 상태

정의된 특성

- 신체상장애
- 문화적 가치 혼동
- 목표 불확실성
- 이념적 가치 혼돈
- 자신에 대한 망상
- 공허함
- 어색함
- 좌절감
- 성정체성 혼동
- 내·외적 자극 구별 못함
- 비일관적 행동
- 비효율적 대처
- 비효율적 대인관계
- 비효율적 역할수행

관련요인

- 사회적 역할 변화
- 숭배집단 세뇌
- 문화적 분리
- 차별
- 가족 기능 장애
- 조증
- 지각된 편견
- 성장단계

위험 대상자

- 발달단계 전환
- 상황적 위기
- 유독물질 노출

연관조건

- 해리장애
- 기질적 뇌질환
- 약물복용
- 정신질환

자아정체성 장애 위험성
Risk for disturbed personal identity

영역 6	자아인식	과 1	자아개념

정의

자신의 실체를 통합적이고 완전하게 지각하지 못할 위험성

위험요소

- 사회적 역할 변화
- 숭배집단 세뇌
- 문화적 분리
- 차별
- 가족 기능 장애
- 낮은 자존감
- 조증
- 지각된 편견
- 성장단계

위험 대상자

- 발달단계 전화
- 유독물질 노출
- 상황 위기

연관조건

- 해리장애
- 기질적 뇌질환
- 약물복용
- 정신질환

자아개념 향상 가능성
Readiness for enhanced self-concept

영역 6	자아인식	과 1	자아개념

정의

자신에 대한 생각이나 지각유형으로 안녕을 위해 충분하며 강화할 수 있는 것

정의된 특성

- 한계 수용
- 강점 수용
- 언행 일치
- 능력에 자신감 표현
- 신체상에 만족감 표현
- 역할수행 요구 표현
- 자아개념 향상 요구 표현
- 자아정체성에 만족함 표현
- 가치에 만족함 표현
- 자아에 대한 사고에 만족함 표현

만성적 자존감 저하
Chronic low self-esteem

영역 6	자아인식	과 2	자존감

정의
자신과 자신의 능력에 대한 부정적 평가와 느낌이 최소 3개월간 지속되는 상태

정의된 특성
- 타인 의견에 지나치게 의존적임
- 자신에게 지나치게 부정적으로 평가함
- 지나치게 안심을 추구함
- 죄의식
- 새로운 일 시도를 주저함
- 우유부단함
- 결단력 결여 행동
- 지나치게 동의함
- 수동적임
- 눈맞춤 저하
- 자신에 대한 긍정적 평가를 부정함
- 반복적인 생활사건 실패
- 수치심
- 상황을 다루는 능력을 과소평가

관련요인
- 문화적 부적절
- 정서적 소속감 부적절
- 집단의 일원으로서의 부적절
- 상실감에 비효율적 적응
- 타인에게 존중받지 못함을 지각
- 타인에게 인정받지 못함
- 영적 부조화

위험 대상자
- 상처받는 상황에 노출
- 실패 반복
- 부정적 강화 반복

연관조건
- 정신질환

만성적 자존감 저하 위험성
Risk for chronic low self-esteem

영역 6	자아인식	과 2	자존감

정의

자신과 자신의 능력에 대한 부정적 평가와 느낌이 장기적으로 지속될 위험성

위험요인

- 문화적 부적절
- 정서적 소속감 부적절
- 집단의 일원으로서 부적절
- 상실감에 비효율적 적응

- 타인에게 존중받지 못함을 지각
- 타인에게 인정받지 못함
- 영적 부조화

위험 대상자	연관조건
• 상처받는 상황에 노출 • 실패 반복 • 부정적 강화 반복	• 정신질환

상황적 자존감 저하
Situational Low Self-Esteem

영역 6	자아인식	과 2	자존감

정의

현재 상황에 대한 반응으로 자신의 가치에 대한 부정적 인식을 발달시킴

정의된 특성	관련요인
• 무력감 • 우유부단한 행동 • 자기주장 없는 행동 • 목적 없음 • 자신에 대한 부정적 생각을 말로 표현 • 자신의 가치에 대한 상황적 도전 • 자신이 상황을 해결할 수 없다고 평가	• 신체상 장애 • 사회적 역할 변화 • 가치에 부합되지 않는 행위 • 환경에 대한 통제 감소 • 부적절한 인식 • 무력감 양상 • 비현실적 자기기대

위험 대상자	연관조건
• 발달단계 전환 • 실패경험 • 학대경험 • 상실경험 • 방치경험 • 거절경험 • 일상적 실패 유형	• 기능장애 • 신체적 질병

상황적 자존감 저하 위험성
Risk for situational low self-esteem

영역 6	자아인식	과 2	자존감

정의

자신이나 자신의 능력에 대한 부정적 평가와 느낌을 일시적으로 가질 위험성

위험요인

- 신체상 장애
- 사회적 역할 변화
- 가치에 부합되지 않는 행위
- 환경에 대한 통제 감소
- 부적절한 인식
- 무력감 양상
- 비현실적 자기기대

위험 대상자	연관조건
• 발달단계 전환 • 실패경험 • 학대경험 • 상실경험 • 방치경험 • 거절경험 • 일상적 실패 유형	• 기능장애 • 신체적질병

신체상 장애
Disturbed body image

영역 6	자아인식	과 3	신체상

정의

자신의 신체에 대한 지각에 혼란이 초래된 상태

정의된 특성

- 신체 부분 상실
- 신체 기능 변화
- 신체 구조 변화
- 자신의 신체변화에 대한 관점 변화
- 자신의 신체를 주시 변화
- 자신의 신체를 피하는 행동
- 자신의 신체 접촉을 피함
- 자신의 신체를 인지하는 행동
- 자신의 신체를 관찰하는 행동
- 신체와 환경공간 판단 능력 변화
- 일상생활 변화
- 사회적 참여변화
- 신체경계를 확장함
- 타인의 반응에 대한 두려움
- 과거의 외모에 집착함
- 과거의 강점에 집착함
- 성취를 강조함
- 신체부위를 숨김
- 신체에 부정적 감정
- 신체 변화에 비언어적 반응
- 신체 변화인지에 비언어적 반응
- 신체부위 과다노출
- 자신의 외모변화를 지각하는 표현
- 신체 부위를 명명하여 인격화시킴
- 변화에 집착함
- 상실에 집착함
- 변화 거부
- 신체 부분 기능 부전에 상처 받음

관련요인

- 자아인식 변화
- 문화적 불일치
- 영적 불일치

위험 대상자

- 발달단계 전환

연관조건

- 신체 기능 변화
- 인지적 변화
- 질병
- 심리사회적 기능 손상
- 손상
- 수술
- 외상
- 치료 요법

영역 7

《 역할관계 Role Relationships 》

과 1: 돌봄 역할 Caregiving roles

- 돌봄제공자 역할 부담감 Caregiver **role strain**
- 돌봄제공자 역할 부담감 위험성 Risk for caregiver **role strain**
- 부모 역할 장애 Impaired **parenting**
- 부모 역할 장애 위험성 Risk for impaired **parenting**
- 부모 역할 향상 가능성 Readiness for enhanced **parenting**

과 2: 가족관계 Family Relationship

- 애착장애 위험성 Risk for impaired **attachment**
- 가족과정 기능 장애 Dysfunctional **family processes**
- 가족과정 중단 Interrupted **family processes**
- 가족과정 향상 가능성 Readiness for enhanced **family processes**

과 3: 역할수행 Role Performance

- 비효율적 관계 Ineffective **relationship**
- 비효율적 관계 위험성 Risk for ineffective **relationship**
- 관계 향상 가능성 Readiness for enhanced **relationship**
- 부모역할 갈등 Parental **role conflict**
- 비효율적 역할 수행 Ineffective **role performance**
- 사회적 상호작용 장애 Impaired **social interaction**

돌봄제공자 역할 부담감
Caregiver role strain

영역 7	역할관계	과 1	돌봄 역할

정의

가족이나 의미있는 대상자에 대한 책임, 기대 또는 행동을 수행하기 어려운 상태

정의된 특성

돌봄제공 활동

- 돌봄제공자가 돌봄을 제공하지 못할 때의 대상자를 염려함
- 추후 돌봄 제공에 대한 돌봄제공자의 능력을 염려함
- 돌봄 받는 대상자의 추후 건강을 염려함
- 대상자의 요양원/병원 입원가능성을 염려함
- 요구되는 활동을 끝내기가 어려움
- 요구되는 활동 수행이 어려움
- 돌봄활동에서의 역기능적 변화
- 일상적인 돌봄에 집중함

돌봄제공자 건강상태: 정서적

- 수면양상장애
- 분노
- 우울증
- 좌절감
- 인내력부족
- 정서불안
- 신경질
- 비효율적 대처 양상
- 휴식부족
- 신체화 증상
- 스트레스원

돌봄제공자 건강상태: 신체적

- 피로
- 소화기질환
- 두통
- 고혈압
- 발적
- 체중변화

돌봄제공자 건강상태: 사회경제적

- 여가활동 변화
- 생산성 감소
- 승진거부
- 사회적 고립

돌봄제공자 – 대상자관계

- 대상자의 질병진행과정 관찰이 힘들다고 표현
- 대상자와 관계 변화에 대한 슬픔 표현
- 대상자와 관계 변화에 대한 불확실성 표현

가족과정

- 가족에 대한 염려 표현
- 가족 갈등

138

관련요인

대상자

• 대화를 방해하는 조건
• 의료성
• 유의미한 요구가 있는 상태로 퇴원
• 돌봄요구도 증가
• 문제행동
• 물질남용
• 예측 불가능한 질병과정
• 불안정한 질병상태

돌봄제공자

• 신체적 문제
• 물질남용
• 자신에 대한 비현실적 기대
• 모순된 역할책임
• 비효율적 대체 전략
• 돌봄제공자 무경력
• 감정 회복력 부족
• 에너지 부족
• 타인의 기대 충족시키지 못함
• 자신의 기대 충족 못함
• 지역사회 자원에 대한 지식부족
• 사생활 부족
• 격리
• 돌봄제공자 역할을 할 수 있는 발달단계에
  비도달
• 스트레스원

돌봄제공자 – 대상자관계

• 학대하는 관계
• 상호의존성
• 비효율적 관계 양상
• 학대 존재
• 대상자에 대한 돌봄제공자의 비현실적 기대
• 폭력

돌봄 행동

• 24시간 돌보는 책임
• 활동 특성 변화
• 복잡한 일
• 과도한 돌봄 활동
• 중요한 돌봄 요구를 지닌 가족의 퇴원
• 돌봄 제공에 부적절한 신체 환경
• 도움 부족
• 돌봄 장비 부족
• 돌봄제공자 휴식 부족
• 시간 부족
• 예측 불가능한 돌봄상황

가족과정

• 가족고립
• 비효율적 가족 적응
• 가족기능 부전 양상
• 가족 기능부전 과거력
• 경계적 가족대응 과거력

사회경제적

• 소외감
• 도움사정 어려움
• 지역사회 자원사정 어려움
• 지지사정 어려움
• 지역사회 자원 부족
• 사회적지지 부족
• 이동수단 부족
• 사회적 고립

위험대상자

• 돌봄대상자의 대화를 방해하는 조건
• 대상자의 발달지연
• 돌봄제공자의 발달 지연
• 폭력에 노출
• 여성 돌봄 제공자
• 경제적 위기
• 돌봄제공가 · 배우자
• 조산

연관조건

돌봄 대상자
- 인지기능 변화
- 만성질환
- 선천성 장애
- 심한질병
- 정신질환
- 심리질환

돌봄제공자
- 인지기능변화
- 건강장애
- 심리질환

돌봄제공자 역할 부담감 위험성
Risk for caregiver role strain

영역 7	역할관계	과 1	돌봄 역할

정의

가족돌봄제공 역할 수행을 하는데 부담을 경험하게 될 위험이 있는 상태

위험요인

대상자
- 대화를 방해하는 조건
- 의료성
- 유의미한 요구가 있는 상태로 퇴원
- 돌봄요구도 증가
- 문제행동
- 물질남용
- 예측 불가능한 질병과정
- 불안정한 질병상태

돌봄제공자
- 신체적 문제
- 물질남용
- 자신에 대한 비현실적 기대
- 모순된 역할책임
- 비효율적 대체 전략
- 돌봄제공자 무경력
- 감정 회복력 부족

돌봄 행동
- 24시간 돌보는 책임
- 활동 특성 변화
- 복잡한 일
- 과도한 돌봄 활동
- 중요한 돌봄 요구를 지닌 가족의 퇴원
- 돌봄 제공에 부적절한 신체 환경
- 도움 부족
- 돌봄 장비 부족
- 돌봄제공자 휴식 부족
- 시간 부족
- 예측 불가능한 돌봄상황

가족과정
- 가족고립
- 비효율적 가족 적응
- 가족기능 부전 양상
- 가족 기능부전 과거력

- 에너지 부족
- 타인의 기대 충족시키지 못함
- 자신의 기대 충족 못함
- 지역사회 자원에 대한 지식부족
- 사생활 부족
- 격리
- 돌봄제공자 역할을 할 수 있는 발달단계에 비도달
- 스트레스원

돌봄제공자 - 대상자관계
- 학대하는 관계
- 상호의존성
- 비효율적 관계 양상
- 학대 존재
- 대상자에 대한 돌봄제공자의 비현실적 기대
- 폭력

- 경계적 가족대응 과거력

사회경제적
- 소외감
- 도움사정 어려움
- 지역사회 자원사정 어려움
- 지지사정 어려움
- 지역사회 자원 부족
- 사회적지지 부족
- 이동수단 부족
- 사회적 고립

위험대상자
- 돌봄대상자의 대화를 방해하는 조건
- 대상자의 발달지연
- 돌봄제공자의 발달 지연
- 폭력에 노출
- 여성 돌봄 제공자
- 경제적 위기
- 돌봄제공가 · 배우자
- 조산

연관조건
- 돌봄 대상자
- 인지기능 변화
- 마녕질환
- 선천성 장애
- 심한질병
- 정신질환
- 심리질환

영역 7. | 역할관계 Role Relationships

부모 역할 장애
Impaired parenting

영역 7	역할관계	과 1	돌봄 역할

정의
부모가 자녀의 성장발달을 위한 최적의 환경을 만들거나, 유지, 회복하지 못하는 상태

정의된 특성

영아 또는 아동
- 행동장애
- 인지발달 지연
- 분리불안 감소
- 발육부전
- 잦은 사고
- 잦은 질병
- 학대 경험
- 외상 경험
- 사회성 부족
- 애정결핍
- 학습부진
- 가출

부모
- 양육포기
- 안전하지 않은 가정환경
- 아동 양육능력 감소
- 거의 안아주지 않음
- 부모 – 자녀 상호작용 부족
- 아동에 대한 좌절
- 적대감
- 부적절한 자녀건강 유지
- 부적절한 돌봄 기술
- 부적절한 양육 융통성
- 부적절한 자극(시각, 촉각, 청각)
- 일관성 없는 행동
- 일관성 없는 양육
- 융통성 없는 양육
- 자녀의 요구를 충족시킬 수 없음을 말함
- 역할에 대한 부적절성을 말함
- 자녀에 대해 부정적으로 말함
- 아버지와 자녀의 상호작용 부족
- 처벌
- 자녀를 거부함

관련요인

영아 또는 아동

- 지속적인 부모와의 분리
- 부모의 기대에 개성이 강한 갈등

부모

- 수면양상 변화
- 부부갈등
- 우울
- 안전한 가정환경 제공 실패
- 아버지의 양육 비참여
- 자신보다 아동의 요구를 우선하지 못함
- 아동 돌봄 시간 부족
- 비효율적 의사소통 기술
- 비효율적 대처전략
- 자원접근 부족
- 가족 응집력 부족
- 아동 발달 관련 지식 부족
- 아동 건강 유지 관련 지식 부족

- 양육기술에 관한 지식 부족
- 부모역할 모델 부족
- 산전관리 부족
- 문제해결 능력 부족
- 자원부족
- 영아의 단서에 관한 반응 부족
- 사회적 지지부족
- 이동수단 부족
- 부모역할 가치 부족
- 후기 산전 관리
- 낮은 자존감
- 어머니의의 양육 비참여
- 회복 안 되는 수면 양상
- 체벌선호
- 역할긴장
- 수면박탈
- 사회적 격리
- 스트레스원
- 비현실적 기대

위험 대상자

영아 또는 아동

- 발달지연
- 까다로운 기질
- 원하는 성별의 자녀와 다름
- 미숙아

부모

- 가족단위 변화
- 짧은 임신 주기
- 난산
- 경제적 혜택 못받음
- 다수의 임신
- 학대한 경험
- 학대 받은 경험

- 정신질환 과거력
- 물질 남용 과거력
- 인지적 부모향상 가능성 부족
- 법적 어려움
- 낮은 학력수준
- 다태아
- 이사
- 편부모
- 실직
- 비계획 임신
- 원하지 않은 임신
- 어려운 일
- 젊은 부모

연관조건

영아 또는 아동
- 지각능력 변화
- 행동 장애
- 만성질환
- 장애조건

부모
- 인지기능변화
- 장애조건
- 신체적 질병

부모 역할 장애 위험성
Risk for impaired parenting

영역 7	역할관계	과 1	돌봄 역할

정의

부모가 자녀의 성장발달을 위한 최적의 환경을 만들거나, 유지, 회복하지 못할 위험이 있는 상태

위험 요인

영아 또는 아동
- 지속적인 부모와의 분리
- 부모의 기대에 개성이 강한 갈등

부모
- 수면양상 변화
- 부부갈등
- 우울
- 안전한 가정환경 제공 실패
- 아버지의 양육 비참여
- 자신보다 아동의 요구를 우선하지 못함
- 아동 돌봄 시간 부족
- 비효율적 의사소통 기술
- 비효율적 대처전략
- 자원접근 부족
- 가족 응집력 부족
- 아동 발달 관련 지식 부족
- 아동 건강 유지 관련 지식 부족
- 양육기술에 관한 지식 부족

- 부모역할 모델 부족
- 산전관리 부족
- 문제해결 능력 부족
- 자원부족
- 영아의 단서에 관한 반응 부족
- 사회적 지지부족
- 이동수단 부족
- 부모역할 가치 부족
- 후기 산전 관리
- 낮은 자존감
- 어머니의의 양육 비참여
- 회복 안 되는 수면 양상
- 체벌선호
- 역할긴장
- 수면박탈
- 사회적 격리
- 스트레스원
- 비현실적 기대

위험 대상자

영아 또는 아동

- 발달지연
- 까다로운 기질
- 원하는 성별의 자녀와 다름
- 미숙아

부모

- 가족단위 변화
- 짧은 임신 주기
- 난산
- 경제적 혜택 못받음
- 다수의 임신
- 학대한 경험
- 학대 받음 경험
- 정신질환 과거력
- 물질 남용 과거력
- 인지적 부모향상 가능성 부족
- 법적 어려움
- 낮은 학력수준
- 다태아

- 이사
- 편부모
- 실직
- 비계획 임신
- 원하지 않은 임신
- 어려운 일
- 젊은 부모

연관조건

영아 또는 아동

- 지각능력 변화
- 행동 장애
- 만성질환
- 장애조건

부모

- 인지기능변화
- 장애조건
- 신체적 질병

애착장애 위험성
Risk for impaired attachment

영역 7	역할관계	과 2	가족관계

정의

부모/의미 있는 사람과 어린이/유아 사이에 보호적이고 양육하는 상호관계가 붕괴될 위험성

위험 요인

- 불안
- 부모와 효과적으로 접촉을 시작할 수 없는 질병이 있는 자녀
- 비조직적인 영아의 행위
- 부모가 개인적 요구를 충족시키지 못함

- 프라이버시 결여
- 비조직적인 영아행동에서 비롯된 부모갈등
- 부모-자녀 분리
- 신체장애
- 물질남용

가족과정 기능 장애
Dysfunctional family processes

영역 7	역할관계	과 2	가족관계

정의

가족의 정신·사회적, 영적, 생리적 기능이 만성적으로 붕괴되어 갈등, 문제에 대한 부정, 변화에 대한 저항, 비효율적 문제 해결, 일련의 자기영속 위기를 일으키는 상태

정의된 특성

행위

- 동요
- 집중력 변화
- 비난
- 약속불이행
- 혼란
- 복잡한 슬픔
- 갈등회피
- 의사소통 장애
- 통제적 의사소통
- 비판
- 신체접촉 감소
- 문제부정
- 의존성
- 즐겁게 지내지 못함
- 친밀감 유지 곤란
- 생의주기 전환 곤란
- 아동의 학습장애
- 물질사용 양상 유지(술)
- 갈등 고조
- 발달과제 성취 실패
- 가혹한 자기평가
- 미성숙
- 폭넓은 감정 수용이 어려움
- 도움을 받아들일 수 없음
- 변화에 적응 못함
- 상처받은 경험을 건설적으로 수용하지 못함
- 폭넓은 감정 표현을 못함
- 가족구성원의 정서적 요구를 충족시킬 수 없음
- 가족구성원의 안전 요구를 충족시킬 수 없음
- 가족구성원의 영적 요구를 충족시킬 수 없음
- 도움을 적절히 수용하지 못함
- 부적절한 분노 표현
- 비효율적 의사소통 기술
- 물질남용에 대한 부적절한 이해
- 비효율적인 문제해결 기술
- 신뢰감 부족
- 거짓말 함
- 조작
- 니코틴중독
- 목표달성보다 긴장완화 중시
- 역설적 의사소통 양상
- 권력싸움
- 합리화
- 도움 요청을 거부함
- 인정을 구함
- 동의를 구함
- 자기비난
- 사회적 고립
- 특정한 시기에 물질남용에 집중함
- 스트레스 관련 신체질환
- 물질남용
- 불신 행동
- 자녀의 언어적 학대
- 부모의 언어적 학대
- 배우자의 언어적 학대

감정
- 포기
- 분노
- 불안
- 타인과 다름
- 혼동
- 우울
- 불만족
- 긴장
- 당황
- 정서적 고립
- 다른 사람에 의한 감정조절
- 실패
- 두려움
- 타인과 다른 느낌
- 오해 감정
- 미해결 감정
- 좌절감
- 죄의식
- 절망감
- 적대감
- 상처받음
- 불안전
- 계속되는 분노
- 외로움
- 상실감
- 정체감 결여
- 자존감 저하
- 불신감
- 변덕
- 무력감
- 거부
- 감정의 억압
- 수치심
- 물질의존 행위에 대한 책임감
- 긴장감
- 불행감
- 취약감
- 무가치함

역할 및 관계
- 역할기능 변화
- 만성 가족 문제
- 폐쇄적 의사소통
- 부부갈등
- 가족 관계 약화
- 상호성장과 성숙을 위한 가족구성원의 능력 감소
- 가족 전통 중단
- 가족 역할 중단
- 가족 역동 중단
- 가족 부정
- 비일관적인 부모역할
- 배우자와 비효율적 의사소통
- 친밀성 부족
- 결속력 부족
- 가족구성원의 자율성 무시
- 가족구성원의 개별성 무시
- 관계에 필요한 기술 부족
- 가족구성원의 의무태만
- 거부양상
- 가족간 삼각관계

관련요인
- 중독성 인격
- 비효율적 대처 전략
- 문제해결 기술 부족
- 물질남용

가족과정 중단
Interrupted family processes

영역 7	역할관계	과 2	가족관계

정의
가족 구성원의 안녕을 지지하는 가족 기능의 연속성 파괴

정의된 특성	관련요인
• 정서적 반응을 위한 이용능력 변화 • 가족내 갈등 해결 표현 변화 • 가족 만족도 변화 • 친밀감 변화 • 문제해결 참여 변화 • 의사소통 양상 변화 • 신체증상 호소 변화 • 스트레스 해소 행위 변화 • 지역사회 자원 갈등에 대한 표현 변화 • 지역사회 자원으로부터 고립의 표현 • 의사결정 참여 변화 • 관계 양상 변화 • 이용가능한 정서적 지지 감소 • 상호지지 감소 • 비효율적 업무 완성 • 권력관계 변화 • 전통 변화	• 지역사회와 상호작용 변화 • 가족의 사회적 위치 변화 • 가족구성원의 주도권 이동
위험 대상자	**연관조건**
• 가족경제변화 • 가족의 사회적 상태변화 • 발달위기 • 발달전환 • 상황전환 • 상황적 위기	• 가족구성원의 건강상태 변화

가족과정 향상 가능성
Readiness for enhanced family processes

영역 7	역할관계	과 2	가족관계

정의

가족구성원의 안녕을 지지하기에 충분하고 강화시킬 수 있는 가족 기능 양상

정의된 특성

- 자율성과 결속력간의 관계 향상 요구 표현
- 의사소통 양상 향상 요구 표현
- 일상 활동을 지지하는 가족 에너지 수준 향상 요구 표현
- 변화에 대한 가족 적응 향상 요구 표현
- 가족 역동성 향상 요구 표현
- 가족 복원 향상 요구 표현
- 가족 구성원의 성장 향상 요구 표현
- 지역사회 상호의존성 향상 요구 표현
- 가족결속력 향상 요구 표현
- 가족 구성원의 존경심 향상 요구 표현
- 가족 구성원의 안전 향상 요구 표현

비효율적 관계
Ineffective relationship

영역 7	역할관계	과 3	역할수행

정의

상대방의 요구를 충족시키지 못하는 상호 동반관계 양상

정의된 특성

- 가족생활 주기 단계에 적절한 발달 목표 지연
- 동반자를 중요한 사람으로 인정하지 않음
- 상호간 정서적 요구 충족에 불만족
- 상호간 생각 공유에 불만족
- 상호간 정보 공유에 불만족
- 상호간 신체적 요구 충족에 불만족
- 상호간 기능불충분에 이해 못함
- 상호간 자율성에 균형을 이루지 못함
- 상호간 협조에 균형을 이루지 못함
- 상호간에 존중을 하지 않음
- 일상 활동에 서로 지지하지 않음
- 동반자를 지지자로 생각 안함
- 만족스러운 의사소통을 하지 못함

관련요인

- 비효율적 의사소통 감소
- 스트레스원
- 물질 남용
- 비현실적 기대감

149

위험 대상자	연관조건
• 발달위기 • 가정폭력 과거력 • 동반자 한명의 감금	• 동반자 한명의 인지 변화

비효율적 관계 위험성
Risk for ineffective relationship

영역 7	역할관계	과 3	역할수행

정의
상대방의 요구를 충족시키지 못하는 상호 동반관계의 위험 양상

위험요인
• 비효율적 의사소통 감소 • 스트레스원	• 물질 남용 • 비현실적 기대감

위험 대상자	연관조건
• 발달위기 • 가정폭력 과거력 • 동반자 한명의 감금	• 동반자 한명의 인지 변화

관계 향상 가능성
Readiness for enhanced relationship

영역 7	역할관계	과 3	역할수행

정의
상호간의 요구를 충족시키고 강화시킬 수 있는 상호 동반자 양상

정의된 특성

- 상호간 자율성 향상 요구 표현
- 상호간 협조 향상 요구 표현
- 상호간 의사소통 향상 요구 표현
- 상호간 정서적 요구 향상을 표현
- 상호간 상호존중 요구를 표현

- 상호간 보완관계에 대한 만족감 향상 표현
- 상호간 사상공유에 만족함 향상을 표현
- 상호간 신체적 요구에 만족함 향상을 표현
- 상호 기능부족에 대한 이해 향상을 표현

부모역할 갈등
Parental role conflict

영역 7	역할관계	과 3	역할수행

정의
위기에 처한 부모가 역할 혼동과 갈등을 경험하는 상태

정의된 특성

- 불안
- 부모역할 변화에 대한 관심을 보고함
- 가족에 대한 관심을 보고함
- 일상적 돌봄 수행을 주저함
- 두려움

- 좌절감
- 죄책감
- 자녀의 요구 충족에 부적절한 인식
- 자녀에 대한 의사결정 조절 능력을 상실함에 대한 인식
- 일상적인 돌봄을 꺼림

관련요인

- 가정간호로 인한 가족생활의 붕괴
- 침습적 치료 위험성
- 제한 치료 위험성

위험 대상자

- 결혼상태 변화
- 특별요구를 가진 자녀의 가정
- 비전통적인 환경에서 생활

비효율적 역할 수행
Ineffective role performance

영역 7	역할관계	과 3	역할수행

정의

환경, 규범, 기대 등에 부합되지 않는 행동이나 자기표현 양상

정의된 특성

- 역할 인식 변화
- 불안
- 역할 재개 능력 변화
- 타인의 역할 인지 변화
- 자신의 역할 인지 변화
- 일반적 책임감 양상 변화
- 우울
- 차별대우
- 가정폭력
- 괴로움
- 부적절한 발달 기대
- 변화에 대한 부적절한 적응
- 자신감 결여
- 비효율적 대처 전략
- 역할 수행 시 외적인 지지부족
- 역할 요구에 대한 지식 부족
- 동기부족
- 역할 수행을 위한 기회 부족
- 부적절한 자가관리
- 부적절한 기술
- 비관주의
- 무력감
- 역할 양면성
- 역할 갈등
- 역할 혼돈
- 역할 부정
- 역할불만족
- 역할긴장
- 체계갈등
- 불확실성

관련요인

- 신체상 변화
- 갈등
- 우울
- 가정폭력
- 피로감
- 부적절한 역할모델
- 건강관리 체계에 부적절한 연계
- 지원부족
- 보상부족
- 역할준비 부족
- 역할 사회화 부족
- 지지체계부족
- 낮은 자존감
- 통증
- 스트레스원
- 물질오용
- 비현실적 역할 기대

위험대상자	연관조건
• 발달단계에 부적절한 역할 기대 • 경제적 소외자 • 높은 업무 요구도 • 낮은 경제 수준 • 저연령	• 신경학적 손상 • 인격장애 • 신체질병 • 정신질환

사회적 상호작용 장애
Impaired social interaction

영역 7	역할관계	과 3	역할수행

정의

사회적 교류가 부족, 과도 또는 비효율적 상태

정의된 특성	관련요인
• 사회적 상황에서 불편감 • 사회적 참여에 불만족 • 타인과 상호작용 어려움 • 가족 내 상호작용 변화를 보고 • 사회적 기능 장애	• 의사소통 장애 • 자아개념 장애 • 사고과정 장애 • 환경 장애 • 기동성 제한 • 상호성 향상 방법 지식 부족 • 상호성 향상 기술 부족 • 사회문화적 부조화
위험대상자	**연관조건**
• 의미 있는 사람의 부재	• 치료적 격리

영역 8

《성 Sexuality》

과 1: 성정체감 Sexual identity

해당진단 없음

과 2: 성기능 Sexual function

- 성기능 장애 **Sexual dysfunction**
- 비효율적 성적 양상 Ineffective **sexuality pattern**

과 3: 생식 Reproduction

- 비효율적 출산과정 Ineffective **childbearing process**
- 비효율적 출산과정 위험성 Risk for ineffective **childbearing process**
- 출산과정 향상 가능성 Readiness for enhanced **childbearing process**
- 모아관계 형성 장애 위험성 Risk for disturbed **maternal-fetal dyad**

성기능 장애
Sexual dysfunction

영역 8	성	과 2	성기능

정의

성적 반응 동안 성기능이 변화하여 불만족하고, 성적 충족이 안 되거나 부적절하다고 경험하는 상태

정의된 특성	관련요인
• 성적 활동 변화 • 성적 자극 변화 • 성적 만족 변화 • 타인에 대한 관심 변화 • 자신에 대한 관심 변화 • 성 역할 변화 • 성적 요구 감소 • 지각된 성적 제한 • 요구에 대한 확인 추구 • 원치 않는 성적 변화	• 사생활 결여 • 역할 모델 부재 • 성적 기능에 대한 지식 부족 • 성적 기능에 대한 잘못된 정보 • 학대 과거력 • 심리·사회적 학대 • 가치갈등 • 취약성
위험 대상자	**연관조건**
• 의미있는 타인 부재	• 신체 기능 변화 • 신체 구조 변화

비효율적 성적 양상
Ineffective sexuality pattern

영역 8	성	과 2	성기능

정의

자신의 성에 관련하여 걱정이나 관심을 표현하는 상태

정의된 특성	관련요인
• 의미있는 사람과 관계 변화 • 성적 활동 변화 • 성 행위 변화 • 성역할 변화 • 성적 활동의 어려움 • 성 행위의 어려움 • 가치갈등	• 성가치관 갈등 • 다양한 성적 선호도 갈등 • 임신에 대한 두려움 • 성병에 대한 두려움 • 의미있는 사람과의 관계 장애 • 역할모델 부재 • 성관련 대안에 대한 지식 부족 • 성관련 대안에 대한 기술 부족 • 사생활 결여

위험 대상자

• 의미있는 사람의 부재

비효율적 출산과정
Ineffective childbearing process

영역 8	성	과 3	성기능

정의

환경적 내용, 규범, 기대에 부응하지 않은 임신, 출산, 신생아 돌봄과정

정의된 특성

임신 중
- 부적절한 산전 간호
- 부적절한 산전 생활 양식
- 부적절한 신생아용품 준비
- 부적절한 가정환경 준비
- 임신중 불유쾌한 증상 비효율적 관리
- 지지체계 접근 부족
- 태아 비존중
- 비현실적 출산계획

진통과 출산 중
- 진통과 출산과정에 적절히 대처하지 못함
- 부적절한 산전생활습관

- 진통시작에 부적절한 반응
- 적절한 지지체계 접근 못함
- 신생아에 대한 애착행위 부족

출산 후
- 부적절한 신생아 돌봄 기술
- 부적절한 산후생활습관
- 부적절한 수유기법
- 부적절한 유방간호
- 지지체계 부족
- 신생아에 대한 애착행위 부족
- 신생아에게 안전한 환경을 제공하지 못함

관련요인

- 가정 폭력
- 부적절한 모성 영양
- 비정기적 산전관리
- 부모역할에 대한 인지적 가능성 부족
- 출산과정에 대한 지식부족
- 부모역할 모델 부족
- 산전관리 부족
- 지지체계 부족

- 어머니의 자신감 부족
- 어머니의 무력감
- 어머니의 심리적 고통
- 산전관리 부족
- 물질남용
- 비현실적 출산계획
- 불안전한 환경

위험 대상자

- 비계획 임신
- 원치 않은 임신

비효율적 출산과정 위험성
Risk for ineffective childbearing process

영역 8	성	과 3	성기능

정의

환경적 내용, 규범, 기대에 부응하지 않은 임신, 출산, 신생아 돌봄과정에 대한 위험이 있는 상태

위험요인

- 가정 폭력
- 부적절한 모성 영양
- 비정기적 산전관리
- 부모역할에 대한 인지적 가능성 부족
- 출산과정에 대한 지식부족
- 부모역할 모델 부족
- 산전관리 부족
- 지지체계 부족
- 어머니의 자신감 부족
- 어머니의 무력감
- 어머니의 심리적 고통
- 산전관리 부족
- 물질남용
- 비현실적 출산계획
- 불안전한 환경

위험 대상자

- 비계획 임신
- 원치 않은 임신

출산과정 향상 가능성
Readiness for enhanced childbearing process

영역 8	성		과 3	성기능

정의

건강한 임신과 출산, 신생아 돌봄과정을 유지, 강화를 준비하는 양상

정의된 특성

임신 중

- 출산과정 지식 향상 요구 표현
- 불유쾌한 임신증상 관리 향상 요구 표현
- 산전 생활습관 향상 요구 표현
- 신생아 준비 향상 요구 표현

진통과 출산 중

- 진통기에 적절한 생활 양식 향상 요구 표현
- 진통과 분만기에 능동적 활동 향상 요구 표현

출산 후

- 신생아에 대한 애착행위 향상 요구 표현
- 기본적인 신생아 돌봄 기술 향상 요구 표현
- 수유기법 향상 요구 표현
- 유방간호 향상 요구 표현
- 신생아에게 안전한 환경 제공
- 적절한 산후생활습관 향상 요구 표현
- 적절한 지지체계 향상 요구표현

모아관계 형성 장애 위험성
Risk for disturbed maternal-fetal dyad

영역 8	성		과 3	생식

정의

질병이 있거나 임신 관련 상태로 인하여 모아의 공생관계를 방해할 수 있는 위험이 있는 상태

위험요인

- 부적절한 산전관리
- 학대
- 물질 남용

연관조건

- 당대사 작용 변화
- 태아 산소 운반 장애
- 임신 합병증
- 치료 요법

영역 9

《 대응/스트레스 내성 Coping/Stress Tolerance 》

과 1: 외상 후 반응 Post-Trauma responses

- 복합적 이민전환 위험성 Risk for complicated **immigration transition**
- 외상 후 증후군 Post–trauma syndrome
- 외상 후 증후군 위험성 Risk for post–trauma syndrome
- 강간 상해 증후군 Rape–trauma syndrome
- 환경변화 스트레스 증후군 Relocation stress syndrome
- 환경변화 스트레스 증후군 위험성 Risk for relocation stress syndrome

과 2: 대응반응 Coping Responses

- 비효율적 활동 계획 Ineffective **activity planning**
- 비효율적 활동 계획 위험성 Risk for ineffective **activity planning**
- 불안 Anxiety
- 방어적 대응 Defensive **coping**
- 비효율적 대응 Ineffective **coping**
- 대응 향상 가능성 Readiness for enhanced **coping**
- 지역사회의 비효율적 대응 Ineffective community **coping**
- 지역사회 대응 향상 가능성 Readiness for enhanced community **coping**
- 가족의 비효율적 대응 Compromised family **coping**
- 가족 대응 불능 Disabled family **coping**
- 가족 대응 향상 가능성 Readiness for enhanced family **coping**
- 죽음불안 **Death anxiety**
- 비효율적 부정 Ineffective denial
- 두려움 **Fear**
- 슬픔 **Grieving**
- 복합적 슬픔 Complicated **grieving**
- 복합적 슬픔 위험성 Risk for complicated **grieving**
- 기분조절장애 Impaired **mood regulation**
- 무력감 **Powerlessness**
- 무력감 위험성 Risk for **powerlessness**
- 힘 향상 가능성 Readiness for enhanced **power**

- 적응력 장애 Impaired **resilience**
- 적응력 장애 위험성 Risk for impaired **resilience**
- 적응력 향상 가능성 Readiness for enhanced **resilience**
- 만성 비탄 Chronic **sorrow**
- 과잉 스트레스 **Stress** overload

과 3: 신경 · 행동적 스트레스 Neurobehavioral stress

- 급성 약물 중단 증후군 **Acute substannce withdrawl syndrome**
- 급성 약물 중단 증후군 위험성 Risk for **Acute substannce withdrawl syndrome**
- 자율신경 반사장애 **Autonomic dysreflexia**
- 자율신경 반사장애 위험성 Risk for **autonomic dysreflexia**
- 두개 내압 적응력 감소 Decreases intracranial **adaptive capacity**
- 신생아 약물중단 증후군 **Neonatal abstinence syndrome**
- 영아의 비조직적 행위 Disorganized infant **behavior**
- 영아의 비조직적 행위 위험성 Risk for disorganized infant **behavior**
- 영아의 조직적 행위 향상 가능성 Readiness for enhanced **organized** infant **behavior**

복합적 이민전환 위험성
Risk for complicated immigration transition

영역 9	대응/스트레스 내성	과 1	외상 후 반응

정의

이민전환에 대한 연속적인 불만족이나 문화적 장벽에 대한 부정적 감정(외로움, 두려움, 불안)을 경험하여 건강을 위협할 정도로 취약함

위험 요인	위험 대상자
• 저학력으로 가능한 일 • 이민국에서의 문화적 장벽 • 비위생적 집 • 이민국에서 자원접근에 대한 지식 부족 • 이민국에서 사회적 지지 부족 • 이민국에서 언어적 장벽 • 관련 없는 사람들과의 동거 • 과밀주택 • 차별 • 이민국에서 문화적응 관련 부모-자식 갈등 • 집주인의 학대	• 강제 이민 • 부적절한 훈련을 받는 위험한 작업 조건 • 불법체류 • 노동력 착취 • 경제상태 불안정 • 고국의 가족들과 분리 • 고국의 친구들과 분리 • 이민기대감에 대한 불만족

외상 후 증후군
Post-trauma syndrome

영역 9	대응/스트레스 내성	과 1	외상 후 반응

정의

외상이나 극복하기 힘든 사건에 대한 부적응 반응이 지속적인 상태

정의된 특성

- 공격성
- 소외감
- 정서적 감정변화
- 분노
- 불안
- 회피
- 강박 행위
- 부정
- 우울
- 분리
- 주의집중 장애
- 야뇨증
- 과잉반응
- 두려움
- 과거회상
- 위장장애
- 슬픔
- 죄책감
- 두통
- 절망감
- 공포
- 경계심 증가
- 꿈에 빠져 듦
- 생각에 빠져 듦
- 악몽
- 심계항진
- 공황발작
- 심인성 기억상실
- 격분
- 무감각
- 강박행위
- 수치심
- 물질남용

관련요인

- 강한자아 감소
- 요구충족에 도움 안되는 환경
- 과도한 책임감
- 사회적 지지 부족
- 충격적 사건에 대한 지각
- 자해 행위
- 생존자 역할

위험 대상자

- 가정파괴
- 집에서 떨어져 지냄
- 충격적 사건 지속
- 일반적 경험 범위 이상의 사건
- 재해에 노출
- 감염병에 노출
- 다수가 사망하는 비극적 사건
- 전쟁에 노출
- 학대 과거력
- 전쟁 포로 과거력
- 범죄 희생 과거력
- 고문 과거력
- 인간대상 서비스 직업
- 심각한 사건
- 사랑하는 사람에 대한 상해
- 사랑하는 사람에 대한 심각한 위협
- 절단 목격
- 잔혹한 죽음 목격

외상 후 증후군 위험성
Risk for post-trauma syndrome

영역 9	대응/스트레스 내성	과1	외상 후 반응

정의
외상이나 극복하기 힘든 사건에 대한 부적응 반응이 지속적으로 나타날 우려가 있는 상태

관련요인	위험 대상자
• 자아 감소 • 요구충족에 도움 안되는 환경 • 과도한 책임감 • 사회적 지지 부족 • 직업(경찰, 소방관, 구조요원, 교도관, 응급실 요원, 정신건강관리 요원 등) • 충격적 사건에 대한 지각 • 자해 행위 • 생존자 역할	• 가정파괴 • 집에서 떨어져 지냄 • 충격적 사건 지속 • 일반적 경험 범위 이상의 사건 • 재해에 노출 • 감염병에 노출 • 다수가 사망하는 비극적 사건 • 전쟁에 노출 • 학대 과거력 • 전쟁 포로 과거력 • 범죄 희생 과거력 • 고문 과거력 • 인간대상 서비스 직업 • 심각한 사건 • 사랑하는 사람에 대한 상해 • 사랑하는 사람에 대한 심각한 위협 • 절단 목격 • 잔혹한 죽음 목격

강간 상해 증후군
Rape-trauma syndrome

영역 9	대응/스트레스 내성	과 1	외상 후 반응

정의

피해자의 의지나 동의 없이 발생한 강제적, 폭력적 성폭행에 대한 지속적인 부적응 반응

정의된 특성

- 공격성
- 안절부절못함
- 수면양상 변화
- 분노
- 불안
- 관계변화
- 혼동
- 부정
- 의존성
- 우울
- 지남력상실
- 해리장애
- 동요
- 두려움
- 죄책감
- 무력감
- 자살시도 과거력
- 굴욕
- 경계심 증가
- 의사결정 장애
- 낮은 자존감
- 기분변화
- 근육경련
- 근육긴장
- 악몽
- 편집증
- 지각된 취약성

- 공포증
- 외상
- 무력감
- 자기비난
- 성기능 장애
- 수치심
- 쇼크
- 물질남용
- 복수심

관련요인

- 개발 예정

위험 대상자

- 강간

환경변화 스트레스 증후군
Relocation stress syndrome

영역 9	대응/스트레스 내성	과 1	외상 후 반응

정의

환경변화에 따른 생리적, 심리사회적 장애를 경험하는 상태

정의된 특성	관련요인
• 이질감 • 고독함 • 수면양상 변화 • 분노 • 불안 • 환경 변화 • 의존성 • 우울 • 두려움 • 좌절감 • 건강악화 • 신체적 증상 악화 • 요구에 대한 언어적 표현 증가 • 안전하지 못함 • 외로움 • 정체성 상실 • 자아가치 상실 • 낮은 자존간 • 염세적 • 근심 • 이동하기 싫음을 표현함 • 위축	• 비효율적 대처 전략 • 이주전 상담 부족 • 지지체계 부족 • 언어장벽 • 다른 환경으로 이전 • 무력감 • 유의한 환경변화 • 사회적 격리 • 예측 불가능한 경험

위험 대상자	연관조건
• 상실 경험	• 건강악화 • 정신능력 부족 • 정신사회적 기능 손상

환경변화 스트레스 증후군 위험성
Risk for relocation stress syndrome

영역 9	대응/스트레스 내성	과 1	외상 후 반응

정의
환경변화에 따른 생리적, 심리사회적 장애를 경험할 위험이 있는 상태

위험요인
- 비효율적 대처 전략
- 이주전 상담 부족
- 지지체계 부족
- 언어장벽
- 다른 환경으로 이전
- 무력감
- 유의한 환경변화
- 사회적 격리
- 예측 불가능한 경험

위험 대상자	연관조건
• 상실 경험	• 건강악화 • 정신능력 부족 • 정신사회적 기능 손상

비효율적 활동 계획
Ineffective activity planning

영역 9	대응/스트레스 내성	과 2	대응반응

정의

특정한 상황에 맞는 일련의 행동을 준비할 능력이 부족한 상태

정의된 특성

- 계획성 부족
- 맡은 업무에 대한 과도한 불안
- 맡은 업무에 대한 두려움
- 조직 기술 부족
- 자원부족
- 실패 행위 양상
- 일을 미루는 양상
- 선택한 활동의 목표를 달성하지 못함
- 맡은 업무에 대한 근심 보고

관련요인

- 제시된 해결방법에 방어적 도피 행위
- 향락생활
- 정보처리능력 저하
- 사회적 지지체계 부족
- 일을 미루는 양상
- 사건에 대한 비현실적 지각
- 개인 능력에 대한 비현실적 지각

비효율적 활동 계획 위험성
Risk for ineffective activity planning

영역 9	대응/스트레스 내성	과 2	대응반응

정의

특정한 상황에 맞는 일련의 행동을 준비할 능력 부족이 우려되는 상태

위험요인

- 제시된 해결방법에 방어적 도피 행위
- 향락생활
- 정보처리능력 저하
- 사회적 지지체계 부족
- 일을 미루는 양상
- 사건에 대한 비현실적 지각
- 개인 능력에 대한 비현실적 지각

불안
Anxiety

영역 9	대응/스트레스 내성	과 2	대응반응

정의

자율신경반응을 동반하는 막연한 불편감 또는 두려움으로써(근원은 불특정하거나 불확실한 것임), 예상되는 위험에 의해 야기되는 걱정스러운 느낌. 위험을 경고하는 신호이며 개인이 위협에 대응할 방법을 취할 수 있게 함

정의된 특성

행위적
- 생산성 감소
- 목적 없는 움직임
- 만지작거림
- 대상을 관심 없이 힐끔 쳐다 봄
- 예민함
- 불면증
- 눈 마주치기를 피함
- 안절부절못함
- 경계함
- 생활사건의 변화에 대해 말함

정서적
- 고통
- 염려
- 고뇌
- 두려움
- 부적절한 느낌
- 무력감
- 신중함 증가
- 초조함
- 신경과민
- 과도흥분
- 말이 빨라짐
- 후회스러움
- 자기중심적
- 불확실성

생리적
- 안면긴장
- 수전증
- 발한 증가
- 긴장 증가
- 비틀거림
- 목소리가 떨림

교감신경계
- 식욕부진
- 심혈관계 흥분
- 설사
- 구강건조
- 안면홍조
- 심박 수 증가
- 혈압 상승
- 맥박 수 증가
- 반사 증가
- 호흡 증가
- 동공 확대
- 호흡곤란
- 표재성 혈관 수축
- 경련
- 허약감

부교감신경계

- 복통
- 혈압 하강
- 맥박 수 감소
- 설사
- 기절
- 피로
- 오심
- 수면장애
- 사지 욱신거림
- 빈뇨
- 배뇨곤란
- 긴박뇨

인지적

- 신체 증상 인식
- 사고단절
- 혼동
- 지각영역 감소
- 집중곤란
- 학습능력 감소
- 문제해결 능력 감소
- 불특정한 결과에 대한 두려움
- 망각
- 주의력 장애
- 집착
- 묵상
- 타인을 비난하는 경향

관련요인	위험 대상자
<ul><li>삶의 목표에 대한 갈등</li><li>접촉성 전염</li><li>접촉성 전이</li><li>스트레스원</li><li>물질남용</li><li>죽음에 대한 위협</li><li>현재상태에 대한 위협</li><li>충족되지 않은 요구</li><li>가치에 대한 갈등</li></ul>	<ul><li>독성 노출</li><li>불안 가족력</li><li>유전</li><li>주요변화</li><li>성숙위기</li><li>상황위기</li></ul>

방어적 대응
Defensive coping

영역 9	대응/스트레스 내성	과 2	대응반응

정의

긍정적 자기주시가 위협받았다고 지각될 경우 자신을 방어하기 위한 보호반응으로 자신에 대한 평가를 왜곡하여 긍정적으로 반복해서 받아들이는 상태

정의된 특성	관련요인
• 현실 검증 변화	• 자아인식과 가치체계 갈등
• 문제를 부정	• 실패에 대한 두려움
• 약점을 부정	• 굴욕에 대한 두려움
• 관계 형성 곤란	• 반발에 대한 두려움
• 관계 유지 곤란	• 원기부족
• 과장함	• 타인에 대해 신뢰 부족
• 냉소	• 극복력 부족
• 사소한 것에 과민함	• 자신감 부족
• 비평에 과민반응	• 지지체계 부족
• 치료지시 불이행	• 불확실성
• 치료 참여 부족	• 자신에 대한 비현실적 기대
• 비난 투사	
• 책임 투사	
• 실패 합리화	
• 현실왜곡	
• 타인에 대한 조소	
• 타인에 대한 우월한 태도	

비효율적 대응
Ineffective coping

영역 9	대응/스트레스 내성	과 2	대응반응

정의

스트레스원에 대하여 정확한 평가 능력이 없고, 부적절한 반응을 하며 유용한 자원을 활용할 능력이 없는 상태

정의된 특성	관련요인
• 집중력 변화 • 수면양상 변화 • 의사소통 양상 변화 • 타인에게 파괴적 행동 • 자신에게 파괴적 행동 • 정보조직화에 어려움 • 피로 • 높은 유병률 • 도움을 요청하지 못함 • 정보 참여 어려움 • 상황 적응 어려움 • 기본요구 충족 어려움 • 역할기대 충족 어려움 • 비효율적 대응 전략 • 사회적 지지 체계 부족 • 목표중심 행동 부족 • 문제해결 부족 • 위험을 무릅씀 • 물질 남용	• 극도로 위협 • 적응에너지 보존 능력 없음 • 위협에 대한 부적절한 평가 • 상황을 다루는 능력 부적절 • 스트레스 요인에 대비할 기회 부적절 • 자원 부적절 • 긴장 완화 양상 장애 • 통제감 부족 • 사회적 지지 부족

위험 대상자

• 성숙위기
• 상황위기

대응 향상 가능성 Readiness for enhanced coping			
영역 9	대응/스트레스 내성	과 2	대응반응

정의

안녕상태 유지와 강화에 충분한 요구를 다루기 위한 인지·행동적 노력 양상

정의된 특성

- 가능한 환경 변화 인식
- 스트레스원을 관리 지식 향상 요구 표현
- 스트레스 관리 향상 요구 표현
- 사회적 지지 향상 요구 표현
- 정서 중심 전략 향상 요구 표현
- 문제 중심 전략 향상 요구 표현
- 영적 자원을 활용 향상 요구 표현

지역사회의 비효율적 대응 Ineffective community coping			
영역 9	대응/스트레스 내성	과 2	대응반응

정의

적응과 문제 해결을 위한 지역사회 활동이 지역사회의 요구를 만족시키지 못하는 양상

정의된 특성	관련요인
<ul><li>지역사회가 스스로의 요구를 충족시키지 못함</li><li>지역사회 참여 부족</li><li>높은 유병률</li><li>지역사회의 과도한 갈등</li><li>과도한 스트레스원</li><li>지역사회 무력감 보고</li><li>지역사회 취약성 보고</li></ul>	<ul><li>문제해결을 위한 자원 부적절</li><li>지역사회 자원 부족</li><li>지역사회 체계 부재</li></ul>

위험 대상자

- 재난 노출
- 재난 과거력

지역사회 대응 향상 가능성
Readiness for enhanced community coping

영역 9	대응/스트레스 내성	과 2	대응반응

정의

적응이나 문제해결을 위한 지역사회의 활동이나 요구를 강화할 수 있는 양상

정의된 특성

- 지역사회 오락프로그램 이용가능성 표현
- 지역사회 이완프로그램 이용가능성 표현
- 지역사회 구성원간의 긍정적인 의사소통 의사 표현
- 지역사회와 광대역 지역사회간의 긍정적 의사소통 표현
- 예측된 스트레스원을 위한 지역사회의 적극적인 계획
- 스트레스원 관리 향상 의사 표현
- 지역사회가 스트레스 관리 책임이 있음을 표현
- 당면한 문제에 지역사회의 적극적인 문제해결 표현

가족의 비효율적 대응
Compromised family coping

영역 9	대응/스트레스 내성	과 2	대응반응

정의

보통 일차적 지지자(가족, 의미 있는 사람, 친구)가 건강문제와 관련하여 관리 및 업무 수행에 필요한 안위, 보조, 격려가 필요한 대상자에게 불충분하고 비효율적이고, 비효율적인 지지를 하는 상태

정의된 특성	관련요인
• 의미 있는 사람의 도움행위에 불만족한 결과 • 의미 있는 사람의 지지행위에 불만족한 결과 • 대상자는 건강문제에 대한 의미 있는 사람의 반응을 염려함 • 의미 있는 사람과 대상자 간의 제한적 의사소통 • 의미 있는 사람이 대상자에게 어울리지 않는 보호적 행위를 보임 • 의미 있는 사람이 대상자의 자율성 요구에 어울리지 않는 보호적 행위를 보임 • 의미 있는 사람이 효과적인 지지행위를 방해하는 부적절한 이해를 보고함 • 의미 있는 사람이 효과적인 지지행위를 방해하는 부적절한 지식 기반을 보고함 • 의미 있는 사람이 대상자의 요구에 대한 선입관을 보고함 • 의미 있는 사람이 대상자에게서 떠남	• 의미 있는 사람에게 영향하는 공존 상황 • 의미 있는 사람의 지지 능력 소진 • 가족 붕괴 • 일차적 요원이 이용할 수 있는 정보 부족 • 상호지지 부족 • 일차적 요원의 대상자 지지 부족 • 일차적 요원의 정보 이해 • 일차적 요원의 잘못된 정보 수집 • 일차적 요원의 잘못된 정보 이해 • 의미 있는 사람이 가족·이외의 문제에 몰입

위험 대상자

- 일시적 가족 역할 변화
- 의미 있는 사람이 직면 가능한 발달 위기
- 의미 있는 사람들의 지지 능력을 소진시키는 장기적인 질환
- 의미 있는 사람이 직면하는 상황적 위기

가족 대응 불능
Disabled family coping

영역 9	대응/스트레스 내성	과 2	대응반응

정의

일차적 지지자(가족, 의미 있는 사람, 가까운 친구)가 자신과 대상자의 건강문제와 관련된 필수적인 적응 과제를 효과적으로 수행하지 못하는 상태

정의된 특성	관련요인
<ul><li>포기</li><li>대상자의 질병 증상 수용</li><li>공격성</li><li>동요</li><li>수행</li><li>대상자의 의존성</li><li>우울</li><li>도주</li><li>대상자의 요구 경시</li><li>대상자의 건강문제 왜곡</li><li>안녕을 저해하는 가족 행동</li><li>적대감</li><li>자신을 위해 의미 있는 생활을 재구성하지 못함</li><li>개인주의 장애</li><li>인내심 부족</li><li>대상자의 요구를 무시함</li><li>다른 가족 구성원들과 관계를 소홀히 함</li><li>치료를 게을리함</li><li>대상자의 요구와 관계없이 일상 수행 함</li><li>대상자에 대한 지속적인 과잉보호</li><li>정신 신체적 경향</li><li>거부</li></ul>	<ul><li>가족 간의 양가감정</li><li>의미 있는 사람의 장기간 표현되지 않은 감정</li><li>의미 있는 사람과 대상자간의 대응 방식 불일치</li><li>의미 있는 사람들의 대응 방식 불일치</li><li>치료에 대한 가족 저항을 임의로 처리</li></ul>

가족 대응 향상 가능성
Readiness for enhanced family coping

영역 9	대응/스트레스 내성	과 2	대응반응

정의

일차적 지지자(가족, 의미 있는 사람, 가까운 친구)가 자신 및 대상자의 건강과 성장을 위하여 대상자의 건강문제와 관련된 적응과업을 효과적으로 관리하는 상태

정의된 특성

- 위기에 대한 성장인식 · 요구를 표현함
- 최적의 안녕을 경험하고자 하는 요구를 표현함
- 유사한 상황을 경험한 사람과 접촉하려는 관심을 표현함
- 의미 있는 사람이 삶의 질을 향상시키기 위해 표현함
- 의미 있는 사람이 건강증진을 위해 표현함

죽음불안
Death anxiety

영역 9	대응/스트레스 내성	과 2	대응반응

정의

자신의 존재에 대한 실제적 또는 가상의 위협을 지각하여 불편감과 걱정을 경험하는 상태

정의된 특성

- 보호자의 과로를 걱정함
- 심한 슬픔
- 말기질환으로 진전될 것을 두려워함
- 임종 시 정신적 능력 상실을 두려워함
- 임종관련 통증을 두려워 함
- 조기 사망을 두려워함
- 임종 지연에 대해 두려워 함
- 임종 시 통증을 두려워함
- 임종 과정을 두려워 함
- 죽음과 관련된 부정적인 사고
- 무력감
- 자신의 죽음으로 인한 의미 있는 사람을 걱정함

관련요인

- 기대되는 전신마취 부작용
- 타인에게 기대되는 죽음의 영향
- 기대되는 통증
- 기대되는 고통
- 죽음을 주제로 논의함
- 자신의 사망 거부
- 죽음 관련 관찰
- 죽음에 근접함을 지각함
- 절대자의 존재를 만나는 것에 대한 불확실성
- 절대자의 존재에 대한 불확실성
- 불확실한 예후

위험대상자	연관조건
• 죽음을 주제로 토론 • 죽음 과정 경험 • 임박한 죽음 경험 • 죽음관련 관찰	• 말기 질환

비효율적 부정
Ineffective denial

영역 9	대응/스트레스 내성	과 2	대응반응

정의

건강 상실에 대한 불안이나 두려움을 감소시키기 위해 사건의 의미나 지식을 의식적 또는 무의식적으로 부정하는 상태

정의된 특성	관련요인
• 진찰받기를 미룸 • 죽음의 공포를 거부함 • 숙환의 공포를 거부함 • 몸 상태를 두려움으로 돌림 • 증상의 근원을 다른 신체 부위로 돌림 • 질병으로 인한 생활양상의 변화를 인정하지 않음 • 개인적 위험을 지각하지 않음 • 개인적 증상을 지각하지 않음 • 부적절한 정서 • 증상을 축소함 • 진찰받기를 거부함 • 고통스러운 사건을 말하면서 무시하는 말을 함 • 고통스러운 사건을 말하면서 무시하는 모습을 보임 • 자가치료법을 사용함	• 불안 • 과도한 스트레스 • 죽음에 대한 두려움 • 자율성 상실에 대한 두려움 • 분리에 대한 두려움 • 효율적인 대응기전 이용 능력 결여 • 정서적 지지 부족 • 상황에 대한 조절능력 부족 • 강한 감정에 부적절한 대응 위협 • 불유쾌한 현실 위협

두려움
Fear

영역 9	대응/스트레스 내성	과 2	대응반응

정의
위험하다고 의식적으로 지각하는 위협에 반응하는 상태

정의된 특성

- 걱정
- 자기확신 감소
- 흥분
- 놀람
- 무서워함
- 두려움
- 긴장 증가
- 공황상태
- 공포감
- 위급함
- 혈압상승
- 근육긴장
- 오심
- 창백
- 동공확대
- 고토

인지적
- 학습능력 감소
- 문제해결 능력 감소
- 생산성 감소
- 두려움 대상 확인
- 자극을 위협적인 것으로 생각

행위적
- 공격 행위
- 회피 행위
- 두려움 원인에 초점화
- 충동성
- 각성 증가

생리적
- 식욕감퇴
- 신체반응 변화
- 설사
- 구강건조
- 호흡곤란
- 피로감
- 발한 증가

관련요인

- 언어장벽
- 위협에 대한 학습된 반응
- 공포 자극 반응
- 지지체계로부터 분리
- 낯선 환경적 경험

슬픔
Grieving

영역 9	대응/스트레스 내성	과 2	대응반응

정의

개인, 가족, 지역사회가 일상적생활에 실제적, 예측적, 혹은 지각된 정서적, 신체적, 영적, 사회적, 지적 반응과 행동을 포함하는 정상적인 복합 과정

정의된 특성	관련요인
• 활동 수준 변화 • 꿈 양상 변화 • 면역 기능 변화 • 신경내분비 기능 변화 • 수면 양상 변화 • 분노 • 비난 • 절망 • 실망 • 비조직화 • 분열 • 상실의미를 발견함 • 상실감에 대한 죄책감 • 고인과 관계를 유지함 • 통증 • 공황 행위 • 개인적 성장 • 심리적 장애	• 개발예정

위험대상자

- 의미 있는 대상의 상실 예측
- 의미 있는 사람의 상실 예측
- 의미 있는 사람의 죽음
- 의미 있는 대상의 상실

복합적 슬픔
Complicated grieving

영역 9	대응/스트레스 내성	과 2	대응반응

정의

의미 있는 사람의 사망 후 발생되는 장애로, 일반적 기대 양상과 다르게 기능 장애가 나타나는 실패한 사별에 동반되는 장애의 경험

정의된 특성	관련요인
• 분노 • 불안 • 슬픔 회피 • 삶의 역할 기능 감소 • 우울 • 불신감 • 고인에 대한 고뇌감 • 과도한 스트레스 • 고인이 경험한 신체 증상 경험 • 피로 • 몽롱함 • 다른 사람과 분리된 느낌 • 공허감 • 충격의 느낌 • 멍한 느낌 • 안녕감 저하 • 고인을 그리워 함 • 낮은 수준의 친교 • 죽음을 받아드릴 수 없음 • 지속적인 고통 • 묵상 • 고인을 찾음 • 자기비난 • 분리장애 • 외상장애	• 정서적 불안정 • 사회적 지지 결여

위험대상자

• 의미 있는 타인의 죽음

복합적 슬픔 위험성
Risk for complicated grieving

영역 9	대응/스트레스 내성	과 2	대응반응

정의

의미 있는 사람의 사망 후 발생되는 장애로, 일반적 기대 양상과 달리 기능 장애가 나타나는 실패한 사별에 동반되는 장애를 경험할 위험이 있는 상태

위험요인	위험대상자
• 정서적 불안정 • 사회적 지지 결여	• 의미 있는 타인의 죽음

기분조절장애
Impaired mood regulation

영역 9	대응/스트레스 내성	과 2	대응반응

정의

감정이나 정서 변화가 특징적인 정신상태로 중등도에서 심한 정도까지 정서적, 인지적, 신체적, 생리적 증상이 함께 나타나는 상애

정의된 특성	관련요인
• 언어행동 변화 • 억제력 상실 • 불쾌함 • 과도한 죄책감 • 과도한 자아인식 • 사고 비약 • 절망감 • 집중장애 • 자존감 영향받음 • 불안정 • 정신운동 불안 • 정신운동 지연 • 슬픈 정서 • 철회	• 수면 양상 변화 • 불안 • 식욕변화 • 경계심 과다 • 사회적 기능 손항 • 통증 • 반복적인 죽음관련 생각 • 반복적인 자살 관련 생각 • 사회격리 • 물질남용 • 체중변화

연관조건

- 만성질환
- 기능손상

- 정신증

무력감
Powerlessness

영역 9	대응/스트레스 내성	과 2	대응반응

정의

자신은 상황 통제력이 부족하고, 결과에 유의한 영향을 줄 수 없다고 지각하는 상태

정의된 특성	관련요인
• 소외감 • 의존성 • 우울 • 역할 수행을 의심함 • 이전의 과제나 활동을 수행하지 못하는 것에 대한 좌절 • 돌봄에 참여하지 않음 • 통제력 부족 • 수치심	• 건강관리 환경이 제대로 기능 안됨 • 대인관계 불만족 • 우울 • 돌봄제공자 역할 • 비효율적 대응전략 • 상황관리 지식 부족 • 사회적 지지 부족 • 낮은 자존감 • 통증 • 사회적 소외 • 낙인
위험대상자	**연관조건**
• 경제적 불이익자	• 복잡한 치료 요법 • 질병 • 진행성 질환 • 예측불가능한 질병궤도

무력감 위험성
Risk for powerlessness

영역 9	대응/스트레스 내성	과 2	대응반응

정의

자신은 상황 통제력이 부족하고, 결과에 유의한 영향을 줄 수 없다고 지각할 위험성이 있는 상태

위험요인

- 건강관리 환경이 제대로 기능 안됨
- 대인관계 불만족
- 우울
- 돌봄제공자 역할
- 비효율적 대응전략
- 상황관리 지식 부족
- 사회적 지지 부족
- 낮은 자존감
- 통증
- 사회적 소외
- 낙인

위험대상자

- 경제적 불이익자

연관조건

- 복잡한 치료 요법
- 질병
- 진행성 질환
- 예측불가능한 질병궤도

힘 향상 가능성
Readiness for enhanced power

영역 9	대응/스트레스 내성	과 2	대응반응

정의

안녕을 위한 충분한 변화에 의도적으로 참여하는 양상으로 강화할 수 있음

정의된 특성

- 가능한 변화 인식 가능성을 표현함
- 변화를 위한 행동을 자유로이 할 가능성을 표현함
- 변화를 하기 위한 선택을 할 가능성을 표현함
- 변화를 위해 노력할 가능성을 표현함
- 변화 참여를 위한 지식 향상 가능성을 표현함
- 일상 활동을 위한 선택에 참여할 가능성을 표현함
- 건강을 위한 선택에 참여할 가능성을 표현함
- 힘 향상 가능성을 표현함

적응력 장애
Impaired resilience

영역 9	대응/스트레스 내성	과 2	대응반응

정의
부정적 상황이나 위기에 대하여 긍정적인 반응양상을 유지하는 능력 감소

정의된 특성

- 학문 활동에 대한 흥미 감소
- 직업 활동에 대한 흥미 감소
- 우울
- 죄의식
- 건강상태 저하
- 비효율적 대응전략
- 비효율적 통합성
- 비효율적 통제감
- 낮은 자존감
- 새로운 고민 증가
- 수치심
- 사회적 격리

관련요인

- 지역사회 폭력
- 가족 내 종교 갈등
- 가족 내 역할 갈등
- 가족역동 방해
- 가족기능 기능 부전
- 자원 부적절
- 비일관적 양육방식
- 비효율적 가족 적응
- 충졸조절 부족
- 자원부족
- 사회적지지 부족
- 다양한 반대 상황 공존
- 지각된 취약성
- 물질남용

위험 대상자

- 생존위기 만성화
- 부적응 기회 증가 인구학적 특성
- 경제적 불이익자
- 소수인종
- 폭력노출
- 여성
- 대가족
- 낮은 지적 수준
- 낮은 여성교육 수준
- 새로운 위기
- 부모의 정신질환

연관조건

- 정신질환

적응력 장애 위험성
Risk for impaired resilience

영역 9	대응/스트레스 내성	과 2	대응반응

정의

부정적 상황이나 위기에 대하여 긍정적인 반응양상을 유지하는 능력 감소로 건강을 위협할 수 있는 위험성이 있는 상태

관련요인

- 지역사회 폭력
- 가족 내 종교 갈등
- 가족 내 역할 갈등
- 가족역동 방해
- 가족기능 기능 부전
- 자원 부적절
- 비일관적 양육방식
- 비효율적 가족 적응
- 충졸조절 부족
- 자원부족
- 사회적지지 부족
- 다양한 반대 상황 공존
- 지각된 취약성
- 물질남용

위험 대상자

- 생존위기 만성화
- 부적응 기회 증가 인구학적 특성
- 경제적 불이익자
- 소수인종
- 폭력노출
- 여성
- 대가족
- 낮은 지적 수준
- 낮은 여성교육 수준
- 새로운 위기
- 부모의 정신질환

연관조건

- 정신질환

적응력 향상 가능성
Readiness for enhanced resilience

영역 9	대응/스트레스 내성	과 2	대응반응

정의

부정적 상황이나 위기에 대하여 인간의 잠재력을 최대한 강화시킬 수 있는 긍정적인 반응양상

정의된 특성

- 접근 가능한 자원 향상 요구 표현
- 의사소통기술 향상 요구 표현
- 안전한 환경 향상 요구 표현
- 목표설정 향상 요구 표현
- 활동참여 향상 요구 표현
- 활동 시 자신의 책임감 향상 요구 표현
- 긍정적 관점 향상 요구 표현
- 타인과의 관계 향상 요구 표현
- 극복력 향상 요구 표현
- 자존감 향상 요구 표현
- 통제감 향상 요구 표현
- 지지체계 향상 요구 표현
- 갈등관리전략 향상 요구 표현
- 적응기술 향상 요구 표현
- 자원 향상 요구 표현

만성 비탄
Chronic sorrow

영역 9	대응/스트레스 내성	과 2	대응반응

정의

반복적이고 점차 심해지는 슬픔으로(만성질환이나 장애가 있는 부모, 돌봄제공자, 개인으로 인하여) 질병이나 장애 과정 동안 지속적인 상실에 반응하여 발생하는 상태

정의된 특성

- 안녕감 방해 느낌
- 부정적 느낌을 극복하기 어려움
- 슬픔

관련요인

- 장애관리 위기
- 질병관리 위기
- 중요시점 상실
- 기회 상실

위험 대상자

- 사랑하는 사람의 죽음
- 발달 단계와 관련된 위기
- 끊임없는 돌봄 제공

연관조건

- 만성장애
- 만성질환

과잉 스트레스
Stress overload

영역 9	대응/스트레스 내성	과 2	대응반응

정의

행동을 필요로 하는 과도한 양과 형태의 요구

정의된 특성	관련요인
• 과도한 스트레스 • 압박감 • 의사결정 부족 • 기능 부족 • 분노감 상승 • 인내력 부족 • 스트레스로 인한 부정적 영향 • 긴장감	• 부적절한 자원 • 반복적인 스트레스원 • 스트레스원

급성 약물 중단 증후군
Acute substannce withdrawl syndrome

영역 9	대응/스트레스 내성	과 3	신경·행동적 스트레스

정의

중독성 약물을 갑자기 중단하여 다양한 원인으로 나타나는 심각한 후유증

정의된 특성	위험요인
• 급성 혼돈 • 불안 • 수면양상 장애 • 오심 • 전해질 불균형 위험성 • 상해위험성	• 술이나 다른 중독 물질에 대한 의존성 증가 • 장기간 중독성 물질 사용 • 영양부족 • 갑자기 중독성 물질 중단

위험대상자	연관조건
• 금단증상 과거력 • 노인	• 정신질환 동반 • 심각한 신체질환 동반

급성 약물 중단 증후군 위험성
Risk for Acute substannce withdrawl syndrome

영역 9	대응/스트레스 내성	과 3	신경·행동적 스트레스

정의

중독성 약물을 갑자기 중단하여 다양한 원인으로 나타나는 심각한 후유증이 나타날 수 있는 취약성이 있는 상태

위험요인

- 술이나 다른 중독 물질에 대한 의존성 증가
- 장기간 중독성 물질 사용
- 영양부족
- 갑자기 중독성 물질 중단

위험대상자	연관조건
• 금단증상 과거력 • 노인	• 정신질환 동반 • 심각한 신체질환 동반

자율신경 반사장애
Autonomic dysreflexia

영역 9	대응/스트레스 내성	과 3	대응반응

정의

제 7 흉추(T7) 이상의 척수손상 후 유해 자극에 대한 교감신경 반응이 억제되지 않아 생명을 위협하는 상태

정의된 특성

- 흐린 시야
- 서맥
- 흉통
- 오한
- 결막 충혈
- 발한(손상부위 위)
- 두통(특정 신경 분포 영역에 국한되지 않고 머리의 다른 부분에 광범위한 통증)
- 호너 증후군
- 금속성 맛 느낌
- 비충혈
- 창백(손상부위 아래)
- 감각 이상
- 발작성 고혈압
- 입모근 반사
- 붉은 피부 반점(손상부위 위)
- 빈맥

189

관련요인

위장 자극

- 변비
- 통변 곤란
- 도수자극
- 관장
- 분변 매복
- 좌약

피부 자극

- 피부자극
- 피부발진

근골격–신경 자극

- 손상 수준 아래 자극
- 손상 수준 아래 통증자극
- 뼈 돌출부위 압박
- 생식기 부위 압박

- 정상범위 운동
- 경련

조절–상황 자극

- 조이는 의류
- 외부온도 변화
- 자세

생식기–비뇨기 자극

- 방광팽만
- 방관경련
- 도구
- 성교

기타

- 질병과정에 대한 보호자의 지식 부족
- 질병과정에 대한 지식 부족

위험대상자

- 사정
- 극단적 환경 온도

- 생리

연관조건

- 방광팽만
- 방광염
- 심부 혈전성 정맥염
- 배뇨근 괄약근 비협동
- 부고환염
- 식도역류질환
- 골절
- 담석
- 위궤양
- 위장관 병변
- 치질
- 이영양성 뼈
- 분만기

- 난소낭종
- 약물제제
- 임신
- 폐색전
- 신장결석
- 물질 금단
- 화상
- 외과적 과정
- 요도염
- 도뇨관
- 요도감염
- 상처

자율신경 반사장애 위험성
Risk for autonomic dysreflexia

영역 9	대응/스트레스 내성	과 3	대응반응

정의

제 6 흉추(T7) 이상(제 7흉추와 제8 흉추에 손상 있는 경우 발생함)의 척수쇼크 후 유해 자극에 대한 교감신경 반응이 억제되지 않아 생명을 위협할 위험이 있는 상태

위험요인

위장 자극
- 장 팽만
- 변비
- 통변 곤란
- 도수자극
- 관장
- 분변 매복
- 좌약

피부 자극
- 피부자극
- 피부발진
- 화상
- 상처

근골격–신경 자극
- 손상 수준 아래 자극
- 손상 수준 아래 통증자극
- 뼈 돌출부위 압박
- 생식기 부위 압박
- 정상범위 운동
- 경련

조절–상황 자극
- 조이는 의류
- 외부온도 변화
- 자세

생식기–비뇨기 자극
- 방광팽만
- 방관경련
- 도구
- 성교

기타
- 질병과정에 대한 보호자의 지식 부족
- 질병과정에 대한 지식 부족

위험대상자

- 사정
- 극단적 환경 온도
- 생리

연관조건

- 방광팽만
- 방광염
- 심부 혈전성 정맥염
- 배뇨근 괄약근 비협동
- 부고환염
- 식도역류질환
- 골절
- 담석
- 위궤양
- 위장관 병변
- 치질
- 이영양성 뼈
- 분만기
- 난소낭종
- 약물제제
- 임신
- 폐색전
- 신장결석
- 물질 금단
- 화상
- 외과적 과정
- 요도염
- 도뇨관
- 요도감염
- 상처

두개 내압 적응력 감소
Decreases intracranial adaptive capacity

영역 9	대응/스트레스 내성	과 3	신경·행동적 스트레스

정의

두 개내 용량 증가시 정상적인 적응을 할 수 있는 두개내 체액 역학기전이 손상되어 유해/무해한 자극에 대하여 두개내압(ICP)이 불규칙적이고 불균형적으로 증가되는 상태

정의된 특성

- 기준 ICP≥10mmHg
- 자극에 대한 ICP 불균형적 상승
- 상승된 P2 ICP 파형
- 두개내압이 외적 자극에 대해 5분 이상 10 mmHg를 초과하여 지속됨
- 용적압 반응검사시 변화(용적-압 비율 2, 압-용적 지수<10)
- 넓은 진폭의 ICP 파형

관련요인

- 개발예정

연관조건

- 뇌손상
- 뇌관류압 하강(≤50~60mmHg)
- 10~15mmHg의 두개내압 지속적 상승
- 두 개내 고혈압을 동반한 전신성 저혈압

신생아 약물중단 증후군
Neonatal abstinence syndrome

영역 9	대응/스트레스 내성	과 3	신경 · 행동적 스트레스

정의
자궁 내 약물에 중독적 노출이나 출산 후 통증관리를 위한 계속적인 약물 투여로 신생아에게서 금단증상을 관찰할 수 있는 상태

정의된 특성	관련요인
• 설사 • 비조직적 영아행동 • 수면양상 장애 • 안위 부족 • 비효율적 영아수유 양상 • 신경 · 행동적 스트레스 • 질식 위험성 • 체온 불균형 위험성 • 애착장애 위험성 • 피부통합성 장애 위험성 • 상해 위험성	• 개발예정

위험대상자
• 중증질환이나 수술 후 통증 조절을 위해 의원성 물질에 노출
• 산모의 물질사용에 의한 자궁 내 물질 노출

영아의 비조직적 행위
Disorganized infant behavior

영역 9	대응/스트레스 내성	과 3	신경 · 행동적 스트레스

정의
주변 환경에 대한 영아의 생리학적, 신경 행동적 반응이 통합을 이루지 못하는 상태

정의된 특성

주의-상호관계 체계

- 감각 자극에 대한 비정상 반응(달래기 어려움, 각성상태 지속이 어려움)

운동계

- 반사장애
- 과도한 놀람 반응
- 안절부절 못함
- 손가락이 벌어짐
- 주먹을 쥠
- 얼굴을 손으로 가림
- 사지 과신전
- 운동긴장도 손상
- 진전
- 뒤틀림
- 통합되지 않은 운동

생리적

- 피부색 비정상
- 부정맥
- 서맥
- 식이 과민증
- 산소포화도 감소
- 빈맥
- 일시 중단 신호

조절문제

- 억제할 수 없는 놀람 반응
- 불안정

상황-조직 체계

- 능동적 각성
- 눈을 감고 뇌전도(EEG)상 알파파형 확산
- 자극적인 울음
- 조용한 각성
- 동요상태

관련요인

- 단서에 대한 돌봄제공자의 오역
- 환경적 과다자극
- 영아의 영양실조
- 돌봄제공자의 행위적 단서에 대한 지식 부족
- 섭취내성장애
- 부적절한 물리적 환경
- 환경 감각 자극 부족
- 통증
- 감각 박탈
- 과도한 감각 자극

위험대상자

- 낮은 수태 연령
- 조산
- 기형유발 독성물질

연관조건

- 선천성 질환
- 유전성 질환
- 영아 질병
- 신경기능 미성숙
- 영아 운동 기능 장애
- 침습적 시술
- 영아 구강 손상

영아의 비조직적 행위 위험성
Risk for disorganized infant behavior

영역 9	대응/스트레스 내성	과 3	신경 · 행동적 스트레스

정의

신체적, 행위적 기능 체계를 통합하고 조정하는 능력의 변화 위험성(자율신경, 운동, 상황조직, 자가조절, 주의 – 상호작용 체계)

위험요인

- 단서에 대한 돌봄제공자의 오역
- 환경적 과다자극
- 영아의 영양실조
- 돌봄제공자의 행위적 단서에 대한 지식 부족
- 섭취내성장애
- 부적절한 물리적 환경
- 환경 감각 자극 부족
- 통증
- 감각 박탈
- 과도한 감각 자극

위험대상자

- 낮은 수태 연령
- 조산
- 기형유발 독성물질

연관조건

- 선천성 질환
- 유전성 질환
- 영아 질병
- 신경기능 미성숙
- 영아 운동 기능 장애
- 침습적 시술
- 영아 구강 손상

영아의 조직적 행위 향상 가능성
Readiness for enhanced organized infant behavior

영역 9	대응/스트레스 내성	과 3	신경 · 행동적 스트레스

정의

영아의 생리적, 행위적 조정 양상 보다 높은 수준으로 증진될 가능성이 있는 상태

정의된 특성

- 부모가 단서 인식 향상 요구 표현
- 부모가 환경 조건 향상 요구 표현
- 부모가 영아의 자기 조절 행동 인식 향상 요구 표현

영역 10

《 삶의 원리 Life principle 》

과 1: 가치 Value

해당진단 없음

과 2: 신념 Beliefs

- 영적 안녕증진 가능성 Readiness for enhanced **spiritual well-being**

과 3: 가치/신념/행동 일치성 Value/Belief/Action Congruence

- 의사결정 향상 가능성 Readiness for enhanced **decision-making**
- 의사결정 갈등 **Decisional conflict**
- 자주적 의사결정 장애 Impaired **emancipated decision-making**
- 자주적 의사결정 장애 위험성 Risk for impaired **emancipated decision-making**
- 자주적 의사결정 향상 준비성 Readiness for enhanced **emancipated decision-making**
- 도덕적 고뇌 **Moral distress**
- 손상된 신앙심 Impaired **religiosity**
- 신앙심 손상 위험성 Risk for impaired **religiosity**
- 신앙심 향상 가능성 Readiness for enhanced **religiosity**
- 영적 고뇌 **Spiritual distress**
- 영적고뇌 위험성 Risk for **spiritual distress**

영적 안녕증진 가능성
Readiness for enhanced spiritual well-being

영역 10	삶의 원리	과 2	신념

정의

자신, 타인, 예술, 음악, 문학, 자연, 또는 자신보다 우월한 절대자와의 관계에서 삶의 목적과 의미를 통합하고 경험하는 양상

정의된 특성

자신과 연결

- 수용 향상에 대한 요구를 표현함
- 대응 향상에 대한 요구를 표현함
- 용기 향상에 대한 요구를 표현함
- 희망 향상에 대한 요구를 표현함
- 즐거움 향상에 대한 요구를 표현함
- 사랑 향상에 대한 요구를 표현함
- 삶의 의미 향상에 대한 요구를 표현함
- 명상 실천 향상에 대한 요구를 표현함
- 삶의 목적 향상에 대한 요구를 표현함
- 만족할만한 삶의 철학 향상에 대한 요구를 표현함
- 자기용서 향상에 대한 요구를 표현함
- 평안감 향상에 대한 요구를 표현함
- 대응 향상에 대한 요구를 표현함

타인과 연결

- 타인에게 용서를 구하는 요구를 표현함
- 의미 있는 사람들과 상호작용을 요구를 표현함
- 종교지도자와 상호작용을 요구를 표현함
- 타인에게 봉사하기 원하는 요구를 표현함

예술, 음악, 문학, 자연과 연결

- 창의적 에너지 향상 요구를 표현함
- 종교서적을 읽음 향상 요구를 표현함
- 야외활동 향상 요구를 표현함

자신보다 우월한 절대자와 연결

- 신비한 경험 향상 요구를 표현함
- 종교 활동 참여 향상 요구를 표현함
- 기도 향상 요구를 표현함
- 존경심 향상 요구를 표현함

의사결정 향상 가능성
Readiness for enhanced decision-making

영역 10	삶의 원리	과 3	가치/신념/행동 일치성

정의

장·단기 건강관련 목표를 달성하고 강화하기에 충분한 활동과정을 선택하는 양상

정의된 특성

- 사회문화적 목표와 의사결정의 일치를 향상시키고 싶어 하는 요구를 표현함
- 사회문화적 가치와 의사결정의 일치를 향상시키고 싶어 하는 요구를 표현함
- 의사결정의 일치를 향상시키고 싶어 하는 요구를 표현함
- 개인적 가치와 의사결정의 일치를 향상시키고 싶어 하는 요구를 표현함
- 의사결정을 향상시키고 싶어 하는 요구를 표현함
- 의사결정에 대한 손익분석을 향상시키고 싶어 하는 요구를 표현함
- 의사결정 선택의 이해를 향상시키고 싶어 하는 요구를 표현함
- 선택의 의미에 대한 이해를 향상시키고 싶어 하는 요구를 표현함
- 의사결정에 신뢰할 수 있는 근거 사용을 향상시키고 싶어 하는 요구를 표현함

의사결정 갈등
Decisional conflict

영역 10	삶의 원리	과 3	가치/신념/행동 일치성

정의

위험, 상실, 가치관과 신념에 대한 도전에 직면하여 어떤 행동을 선택할지 모르는 불확실성

정의된 특성

- 지연된 의사결정
- 결정 동안 고통
- 신체적 고통 증상
- 신체적 긴장 증상
- 결정하는 동안 도덕적 원리에 의문을 가짐
- 결정하는 동안 도덕적 규정에 의문을 가짐
- 결정하는 동안 도덕적 가치에 의문을 가짐
- 결정하는 동안 개인적 신념에 의문을 가짐
- 결정하는 동안 개인적 가치에 의문을 가짐
- 선택 행동의 원하지 않는 결과를 인식함
- 자신에게 집중함
- 선택에 대한 불확실성
- 대안선택을 망설임

관련요인

- 도덕적 의무 관련 갈등
- 정보 자원 갈등
- 의사결정 경험 부족
- 지지체계 부족
- 의사결정 방해

- 도덕적 원리는 행동과 상호불일치를 지지함
- 도덕적 규정은 행동과 상호불일치를 지지함
- 도덕적 가치는 행동과 상호불일치를 지지함
- 불명확한 개인적 신뢰
- 불명확한 개인적 가치

자주적 의사결정 장애
Impaired emancipated decision-making

영역 10	삶의 원리	과 3	가치/신념/행동 일치성

정의

개인적 지식이나 사회적 규범을 고려하지 않거나 유연한 환경에서 결정이 이루어지지 않음으로 인하여 의사결정 불만족을 초래하는 건강관리 요원의 결정 과정

정의된 특성

- 선택한 건강관리 방법 지연
- 다른 사람의 의견 청취 시 고통
- 최선의 결정에 대한 타인의 생각에 과도한 관심
- 결정에 대한 타인의 생각에 과도한 두려움
- 자신의 의견 설명에 제약을 느낌
- 현재의 생활양식에 대한 최선의 건강관리 방법을 선택 못함
- 현재의 생활양식에 적절한 방법을 기술하지 못함
- 타인 앞에서 건강관리 방법을 설명하는데 제한을 받음

관련요인

- 이용가능한 모든 건강관리 방법에 대한 낮은 이해력
- 건강관리 방법에 대한 적절한 언어적 인지 부족
- 건강관리 방법에 대한 토론 시간 부적절
- 건강관리 방법의 개방적 토론에 대한 신뢰 부족
- 건강관리 방법 관련 정보 부족
- 건강관리 방법의 개방적 토론에 대한 사생활 부족
- 의사결정에 대한 자신감 부족

위험대상자

- 의사결정 경험 제한
- 전통적인 위계질서 가족
- 전통적인 위계질서 건강관리 체계

자주적 의사결정 장애 위험성
Risk for impaired emancipated decision-making

영역 10	삶의 원리	과 3	가치/신념/행동 일치성

정의

개인적 지식이나 사회적 규범을 고려하지 않거나 유연한 환경에서 결정이 이루어지지 않음으로 인하여 의사결정 불만족을 초래하는 건강관리 요원의 결정 과정이 취약한 상태

위험요인

- 이용가능한 모든 건강관리 방법에 대한 낮은 이해력
- 건강관리 방법에 대한 적절한 언어적 인지 부족
- 건강관리 방법에 대한 토론 시간 부적절
- 건강관리 방법의 개방적 토론에 대한 신뢰 부족
- 건강관리 방법 관련 정보 부족
- 건강관리 방법의 개방적 토론에 대한 사생활 부족
- 의사결정에 대한 자신감 부족

위험대상자

- 의사결정 경험 제한
- 전통적인 위계질서 가족
- 전통적인 위계질서 건강관리 체계

자주적 의사결정 향상 준비성
Readiness for enhanced emancipated decision-making

영역 10	삶의 원리	과 3	가치/신념/행동 일치성

정의

개인적 지식이나 사회적 규범을 고려하여 건강관리 요원의 선택 과정이 강화될 수 있는 상태

정의된 특성

- 현재의 생활양식에 대한 최선의 건강관리 방법을 선택할 수 있는 능력 향상을 표현함
- 적절한 건강관리 방법을 선택할 수 있는 능력 향상을 표현함
- 이용가능한 모든 건강관리 방법을 이해하는 능력 향상을 표현함
- 자신의 의견을 긴장하지 않고 말할 수 있는 능력 향상을 표현함
- 타인 앞에서 건강관리 방법을 선택에 대해 편안하게 말하는 능력 향상을 표현함
- 의사결정에서 자신감 향상 요구를 표현함
- 건강관리 방법에 대해 개방적으로 토론하는 자신감 향상을 표현함
- 의사결정 향상 요구를 표현함
- 건강관리 방법에 토론하기 위한 사생활 보호 향상 요구를 표현함

도덕적 고뇌
Moral distress

영역 10	삶의 원리	과 3	가치/신념/행동 일치성

정의

개인이 선택한 윤리적/도덕적인 의사결정/행동을 수행할 수 없는 무능력에 대한 반응

정의된 특성

- 자신의 도덕적 선택을 수행하는데 어려움

관련요인

- 의사결정자들의 갈등
- 윤리적 의사결정을 안내하는 정보에 대한 갈등
- 도덕적 의사결정을 안내하는 정보에 대한 갈등
- 문화적 갈등
- 생의 말기 의사결정의 어려움
- 치료결정의 어려움
- 의사결정을 위한 시간 압박

위험대상자

- 자율성 상실
- 의사결정자와의 물리적 거리

손상된 신앙심
Impaired religiosity

영역 10	삶의 원리	과 3	가치/신념/행동 일치성

정의
특정 종교의 전통 예식에 참여하거나 신앙을 실천하는 행동 능력의 손상

정의된 특성	관련요인
• 이전의 믿음 양상에 다시 연결하고 싶은 요구 • 이전 문화에 다시 연결하고 싶은 요구 • 이전의 신앙 습관에 다시 연결하고 싶은 요구 • 정해진 종교의식을 따르기가 어려움 • 믿음 공동체와 분리되는 것에 대한 고통 • 종교적 믿음 양상을 질문함 • 종교적 신앙 습관을 질문함	• 불안 • 종교 활동 수행에 문화적 장벽 • 우울 • 종교 활동 수행에 환경적 장벽 • 죽음의 공포 • 비효율적 돌봄 • 비효율적 대처전략 • 불안전 • 사회적지지 부족 • 사회문화적 교류 부족 • 교통수단 부족 • 통증 • 영적 고통
위험대상자	**연관조건**
• 노화 • 말기 생의 위기 • 종교적 조작 과거력 • 입원 • 삶의 전환 • 개인적 위기 • 영적 위기	• 질병

신앙심 손상 위험성
Risk for impaired religiosity

영역 10	삶의 원리	과 3	가치/신념/행동 일치성

정의

특정 종교의 전통 예식에 참여하거나 신앙을 실천하는 행동 능력이 손상될 위험성

관련요인

- 교통수단 부족
- 통증
- 불안
- 우울
- 죽음의 공포
- 비효율적 돌봄
- 비효율적 대처전략
- 불안전
- 사회적지지 부족
- 종교 활동 수행에 문화적 장벽
- 종교 활동 수행에 환경적 장벽
- 사회문화적 교류 부족
- 영적 고통

위험대상자

- 노화
- 말기 생의 위기
- 종교적 조작 과거력
- 입원
- 삶의 전환
- 개인적 위기
- 영적 위기

연관조건

- 질병

신앙심 향상 가능성
Readiness for enhanced religiosity

영역 10	삶의 원리	과 3	가치/신념/행동 일치성

정의

특정 종교의 전통 예식에 참여하거나 신앙심 실천이 안녕감을 충족시키고 강화할 수 있는 양상

정의된 특성

- 과거에 사용한 신념 양상 증진 요구를 표현함
- 종교지도자와 관계향상 요구를 표현함
- 용서에 대한 향상 요구를 표현함
- 종교경험 참여 향상 요구를 표현함
- 종교활동 참여 향상 요구를 표현함
- 과거에 사용한 종교적 관습 향상 요구를 표현함
- 종교적 선택 향상 요구를 표현함
- 종교적 자료 사용 향상 요구를 표현함

영적 고뇌
Spiritual distress

영역 10	삶의 원리	과 3	가치/신념/행동 일치성

정의

자기 자신, 타인, 예술, 음악, 문학, 자연, 자신보다 우월한 절대자와의 연결을 통해 삶의 목적과 의미를 통합하고 경험하는 능력 손상

정의된 특성

자신과 연결

- 분노
- 평온감 부족
- 미해결 느낌
- 죄책감
- 수용 부족
- 비효율적 대응
- 용기 부족
- 삶의 의미 부족

타인과 연결

- 소외감
- 의미 있는 사람들과의 상호작용을 거부함
- 종교지도자와의 상호작용을 거부함
- 지지체계로부터의 분리감을 표현함

예술, 음악, 문학, 자연과 연결

- 이전의 창의력을 표현할 수 없음
- 종교서적을 읽는 것에 흥미가 없음
- 자연에 흥미가 없음

자신보다 우월한 절대자와의 연결

- 자신보다 강력한 절대자에 대한 분노 표현
- 버림받은 느낌을 표현함
- 절망감을 표현함
- 내적성철 무능력
- 초월성 경험 무능력
- 종교 활동 참여 무능력
- 기도 무능력
- 고통을 지각함
- 종교지도자 만나기를 원함
- 급격한 영적활동 변화

관련요인

- 불안
- 사랑 경험 관련 장벽
- 종교예식 변화
- 영적 활동 변화
- 문화적 갈등
- 환경변화
- 용서불가능
- 타인에 대한 의존성 증가
- 비효율적 관계
- 외로움
- 자존감 저하
- 통증
- 종료되지 않은 일이 있음을 지각
- 자기소외
- 지지체계에서 분리
- 사회적 소외
- 사회문화적 박탈
- 스트레스원
- 물질남용

위험 대상자	연관조건
• 노화 • 자녀출산 • 유의미한 사람 사망 • 죽음에 노출 • 생애 전환기 • 상실 • 자연재해에 노출 • 인종갈등 • 나쁜 소식 들음 • 예기치 못한 생활사건	• 죽음에 적극적임 • 만성질환 • 질병 • 임박한 죽음 • 신체부위 상실 • 신체부위 기능 상실 • 신체적 질환 • 치료요법

영적고뇌 위험성
Risk for spiritual distress

영역 10	삶의 원리	과 3	가치/신념/행동 일치성

정의

자기 자신, 타인, 예술, 음악, 문학, 자연, 자신보다 우월한 절대자와의 연결을 통해 삶의 목적과 의미를 통합하고 경험하는 능력이 손상될 위험이 있는 상태

위험요인

- 불안
- 사랑 경험 관련 장벽
- 종교예식 변화
- 영적 활동 변화
- 문화적 갈등
- 환경변화
- 용서불가능
- 타인에 대한 의존성 증가
- 비효율적 관계
- 외로움
- 자존감 저하
- 통증
- 종료되지 않은 일이 있음을 지각
- 자기소외
- 지지체계에서 분리
- 사회적 소외
- 사회문화적 박탈
- 스트레스원
- 물질남용

영역 10. 삶의 원리 Life Principle

위험 대상자	연관조건
• 노화	• 죽음에 적극적임
• 자녀출산	• 만성질환
• 유의미한 사람 사망	• 질병
• 죽음에 노출	• 임박한 죽음
• 생애 전환기	• 신체부위 상실
• 상실	• 신체부위 기능 상실
• 자연재해에 노출	• 신체적 질환
• 인종갈등	• 치료요법
• 나쁜 소식 들음	
• 예기치 못한 생활사건	

영역 11

《안전/보호 Safety/Protection》

과 1: 감염 Infection

- 감염 위험성 Risk for **infection**
- 수술부위 감염 위험성 Risk for **surgical site infection**

과 2: 신체적 손상 Physical injury

- 비효율적 기도 청결 Ineffective **airway clearance**
- 기도흡인 위험성 Risk for **aspiration**
- 출혈 위험성 Risk for **bleeding**
- 치아상태 불량 Impaired **dentition**
- 안구 건조 위험성 Risk for **dry eye**
- 구강 건조 위험성 Risk for **dry mouth**
- 낙상 위험성 Risk for **falls**
- 각막손상 위험성 Risk corneal **injury**
- 신체손상 위험성 Risk for **injury**
- 요도손상 위험성 Risk for urinary tract **injury**
- 수술 중 체위 관련 손상 위험성 Risk for **perioperative positioning injury**
- 열 손상 위험성 Risk for **thermal injury**
- 구강점막 통합성 손상 Impaired oral **mucous membrane integrity**
- 구강점막 통합성 손상 위험성 Risk for impaired oral **mucous membrane integrity**
- 말초신경혈관 기능 장애 위험성 Risk for peripheral **neurovascular dysfunction**
- 신체적 외상 위험성 Risk for **physical trauma**
- 혈관 외상 위험성 Risk for vascular **trauma**
- 욕창 위험성 Risk for **pressure ulcer**
- 쇼크 위험성 Risk for **shock**
- 피부 통합성 장애 Impaired **skin integrity**
- 피부 통합성 장애 위험성 Risk for impaired **skin integrity**
- 영아 돌연사 위험성 Risk for **sudden** infant **death**
- 질식 위험성 Risk for **suffocation**
- 수술 후 회복 지연 Delayed **surgical recovery**
- 수술 후 회복 지연 위험성 Risk for delayed **surgical recovery**
- 조직 통합성 장애 Impaired **tissue integrity**
- 조직 통합성 장애 위험성 Risk for impaired **tissue integrity**
- 정맥 혈전 색전증 위험성 Risk for **venous thromboembolism**

과 3: 폭력 Violence

- 여성 생식기 손상 위험성 Risk for **female genital mutilation**
- 타인지향 폭력 위험성 Risk for **other – directed violence**
- 본인지향 폭력 위험성 Risk for **self – directed violence**
- 자해 **Self – mutilation**
- 자해 위험성 Risk for **self – mutilation**
- 자살 위험성 Risk for **suicide**

과 4: 환경적 위험 Environmental hazards

- 오염 **Contamination**
- 오염 위험성 Risk for **contamination**
- 직업 상해 위험성 Risk for **occupational injury**
- 중독 위험성 Risk for **poisoning**

과 5: 방어과정 Defensive processes

- 요오드 조영제 부작용 위험성 Risk for **adverse reaction to iodinated contrast media**
- 알레르기 반응 위험성 Risk for **allergy reaction**
- 라텍스 알레르기 반응 **Latex allergy response**
- 라텍스 알레르기 반응 위험성 Risk for **latex allergy response**

과 6: 체온조절 Thermoregulation

- 고체온 **Hyperthermia**
- 저체온 **Hypothermia**
- 저체온 위험성 Risk for **hypothermia**
- 수술 중 저체온 위험성 Risk for **perioperative hypothermia**
- 비효율적 체온조절 Ineffective **thermoregulation**
- 비효율적 체온조절 위험성 Risk for ineffective **thermoregulation**

감염 위험성
Risk for infection

영역 11	안전/보호	과 1	감염

정의

건강을 위협할 만큼 수술부위에 병원균의 침입이 우려되는 취약한 상태

위험요인

- 연동운동 변화
- 피부통합성 변화
- 부적절한 백신접종
- 병인물질에 노출을 피하는 지식 부족
- 영양실조
- 비만
- 흡연
- 체액정체

위험대상자

- 질병에 노출

연관조건

- 분비액의 pH 변화
- 만성질환
- 섬모운동 감소
- 헤모글로빈 감소
- 면역억제
- 침습적 절차
- 백혈구 감소증
- 양막 조기 파열
- 양막 파열 지연
- 억제된 염증반응

영역 11.

안전/보호 Safety and Protection

수술부위 감염 위험성
Risk for surgical site infection

영역 11	안전/보호	과 1	감염

정의
건강을 위협할 정도로 수술부위에 병원균의 침입이 우려되는 취약한 상태가 될 위험성

위험요인	위험대상자
• 알콜중독 • 비만 • 흡연	• 낮은 수술실 온도 • 수술과정 중 인력에 과도한 노출 • 환경적 병인물질에 노출 증가 • 미국 마취의사협회 기준으로 낮은 신체건강상태지수 • 수술부위 오염

연관조건

- 동반질환
- 당뇨
- 수술기간
- 고혈압
- 면역억제
- 부적절한 예방 항생제
- 비효율적 예방 항생제

- 다른 수술부위 감염
- 침습적 절차
- 외상 후 골관절염
- 류마티스설관절염
- 마취 종류
- 수술 과정 종류
- 삽입물이나 보철물 사용

비효율적 기도 청결
Ineffective airway clearance

영역 11	안전/보호	과 2	신체적 손상

정의

기도의 개방성을 유지하기 위한 호흡기 분비물이나 폐쇄요인을 제거하지 못하는 상태

정의된 특성

- 기침을 못함
- 비정상적 호흡음
- 호흡 양상 변화
- 호흡수 변화
- 청색증
- 목소리가 안 나옴

- 호흡음 감소
- 호흡곤란
- 과도한 객담
- 비효율적 기침
- 기좌호흡
- 안절부절못함
- 눈이 커짐

관련요인

- 점액과다
- 간접흡연
- 기도 내 이물질
- 분비물 정체
- 간접흡연
- 흡연

연관조건

- 기도경련
- 기도 알레르기
- 천식
- 만성폐쇄성 폐질환
- 기관지벽의 과도증식
- 감염
- 신경근 기능부전
- 인공기도 삽관

기도흡인 위험성
Risk for aspiration

영역 11	안전/보호	과 2	신체적 손상

정의

위장 분비물, 구강인두 분비물, 고형물질이나 액체성분이 기관지 통로 안으로 들어갈 위험이 있는 상태

위험요인

- 상체를 올리지 못하는 상태
- 위장운동 감소
- 비효율적 기침
- 수정 가능 요인에 대한 지식 부족

연관조건

- 의식수준 저하
- 위 내용물 배출 시간 지연
- 구역질 반사 감소
- 위장관 영양
- 안면 수술
- 안면 외상
- 연하곤란
- 하부 식도괄약근 기능 저하
- 위내 잔여물 증가
- 위내압 상승
- 경부 수술
- 경부 외상
- 구강 수술
- 구강 외상
- 기관내 튜브 삽관
- 치료요법
- 턱의 보철물

출혈 위험성
Risk for bleeding

영역 11	안전/보호	과 2	신체적 손상

정의

건강을 저해할 수 있을 만큼 혈액량이 감소될 위험성

위험요인

- 출혈 예방조치 지식 부족

위험 대상자

- 낙상 과거력

연관조건

- 동맥류
- 포경수술
- 산재성 혈관 응고 장애
- 간 기능 장애(간경화, 간염)
- 선천성 혈액응고질환
- 산후 합병증
- 임신관련 부작용
- 외상
- 치료 요법

치아상태 불량
Impaired dentition

영역 11	안전/보호	과 2	신체적 손상

정의

치아의 발달/이 나기 양상이나 구조적 통합성이 손상된 상태

정의된 특성

- 치아 결손
- 치아 우식증
- 치관 우식증
- 법랑질 부식
- 치아 법랑질 변색
- 과도한 치석
- 과도한 플라그
- 얼굴 표정 비대칭
- 구취
- 연령에 적절하지 않게 이가 남
- 치아손실
- 부정교합
- 유치 조기발치
- 치근 우식증
- 치아 골절
- 치열 불량
- 치통

관련요인

- 자가간호 장애
- 전문적 돌봄의 접근성 제한
- 과도한 플로르화물 섭취
- 과도한 마모성 청결제 사용
- 치아 착색제 습관적 사용
- 비효율적 구강 위생
- 치아 건강 관련 지식부족
- 영양부족

위험 대상자

- 경제적 불이익자
- 유전적 소인

연관조건

- 이갈기
- 만성구토
- 구강온도 민감성
- 약물

안구 건조 위험성
Risk for Dry Eye

영역 11	안전/보호	과 2	신체적 손상

정의

안구를 젖게 하는 눈물 양과 질의 감소로 인해 각막과 결막의 불편감이나 손상을 초래할 위험성

위험요인

- 에어컨
- 공기오염
- 과도한 바람
- 카페인
- 조정가능 요인에 대한 지식 부족
- 낮은 습도
- 지속적 독서
- 흡연
- 햇볕에 노출
- 비타민 A 결핍

위험 대상자

- 노인
- 렌즈 착용
- 여성
- 알레르기 과거력

연관조건

- 자가면역 질환
- 호르몬 변화
- 인공호흡기 치료
- 감각반사나 운동반사 결손을 동반한 신경학적 병변
- 치료요법

구강 건조 위험성
Risk for dry mouth

영역 11	안전/보호	과 2	신체적 손상

정의

위장 분비물, 구강인두 분비물, 고형물질이나 액체성분이 기관지 통로 안으로 들어갈 위험이 있는 상태

위험요인	연관조건
• 탈수 • 우울 • 과도한 스트레스 • 흥분 • 흡연	• 항암치료 • 수분제한 • 구강섭취 불능 • 산소치료 • 약물 • 임신 • 머리에서 목 부위까지 방사선 치료 • 전신질환

낙상 위험성
Risk for falls

영역 11	안전/보호	과 3	신체적 손상

정의

신체적 손상을 유발할 수 있는 낙상 위험성이 증가된 상태

위험요인

아동

- 계단에 통로 없음
- 창문 보호 장치 부족
- 부모의 감시 소홀
- 자동차 안전벨트 미착용

환경적

- 어수선한 환경
- 불안전한 기후 조건
- 욕실 내 미끄럼 방지 물품 부족
- 어두운 실내 조명
- 낯선 공간
- 억제대
- 고정되지 않은 깔개

생리적

- 혈당 변화
- 하지 근력 감소
- 설사
- 보행장애
- 목 신전 시 실신
- 목 회전 시 실신
- 신체활동 장애
- 실금
- 불면
- 긴박뇨

기타

- 음주
- 조정가능 요인에 대한 지식 부족

위험 대상자

- 65세 이상
- 2세 이하
- 낙상 과거력
- 독거
- 1세 미만 남아

연관조건

- 급성질환
- 인지기능변화
- 빈혈
- 관절염
- 발문제
- 청력장애
- 균형장애
- 시야손상
- 하지의족
- 신생물
- 신경병증
- 기립성 저혈압
- 약물
- 수술 후 회복기
- 자가수용성 감각 손상
- 보조기구 사용
- 혈관질환

각막손상 위험성
Risk corneal injury

영역 11	안전/보호	과 2	신체적 손상

정의

각막 표층이나 심부 층에 건강을 위협할 수도 있는 감염부위나 염증 부위가 있는 취약한 상태

위험요인	위험대상자
• 안구 노출 • 조정 가능한 요인에 대한 지식 부족	• 장기 입원

연관조건

- 분당 5회 이내 깜박거림
- Glasgow Coma Scale 6점 이하
- 기관내 삽관
- 인공 호흡기
- 산소치료
- 눈 부위 부종
- 약물
- 기관절개

신체손상 위험성
Risk for injury

영역 11	안전/보호	과 2	신체적 손상

정의
개인의 적응기전과 방어기전이 환경과 상호작용의 결과로 손상을 받을 위험성

위험요인

- 영양원 부패
- 병인물질 노출
- 독성 화학물 노출
- 지역사회 면역 수준
- 수정 가능 요인에 대한 지식 부족
- 영양실조
- 병원감염 인자
- 물지적 방어벽
- 불안전한 이동수단

위험대상자

- 극단적 연령
- 1차 방어기전 손상

연관조건

- 비정상적 혈액수치
- 인지기능 변화
- 정신운동 기능 변화
- 감각변화
- 자가면역 기능장애
- 생화학적 기능장애
- 반응 기능장애
- 감각 통합기능장애
- 조직 저산소증

영역 11.

안전/보호 Safety and Protection

217

요도손상 위험성
Risk for urinary tract injury

영역 11	안전/보호	과 2	신체적 손상

정의

도뇨관 사용으로 요관 구조의 손상이 일어나 건강을 위협할 수 있는 위험성이 있는 상태

위험요인	위험대상자
• 혼돈 • 환자나 돌봄제공자의 도뇨관 관리 관련 지식 부족 • 비만	• 양극단적 연령

연관조건

- 골반기관의 해부학적 변화
- 도뇨관을 안전하게 유지할 수 없는 조건
- 배뇨근과 괄약근의 협력 장애
- 인식 장애
- 아텍스 알레르기
- 장기간 도뇨관 사용
- 수질 손상
- 많은 도뇨관 적용
- 도뇨관 풍선 주입액 30≥㎖
- 넓은 직경 도뇨관 사용

수술 중 체위 관련 손상 위험성
Risk for perioperative positioning injury

영역 11	안전/보호	과 2	신체적 손상

정의

침습적/외과적 절차 중 사용되는 장비나 자세로 인하여 우연히 해부학적, 신체적 변화가 생길 위험성

위험요인	연관조건
• 부동	• 지남력 장애 • 부종 • 쇠약 • 근육약화 • 비만 • 마취로 인한 감각/지각 장애

열 손상 위험성
Risk for thermal injury

영역 11	안전/보호	과 2	신체적 손상

정의

극단적인 온도로 인하여 피부나 점막이 손상될 위험성

위험요인

- 피로
- 보호의류 부족
- 부적절한 감독
- 경시
- 돌봄제공자의 안전예방 조치에 대한 지식 부족
- 안전 예방조치에 대한 지식 부족
- 흡연
- 안전하지 않은 환경

위험 대상자

- 극단적 연령
- 극단적 환경

연관조건

- 알코올 중독
- 약물 중독
- 인지기능 변화
- 신경근 손상
- 신경 장애
- 치료요법

영역 11.
안전/보호 Safety and Protection

구강점막 통합성 손상
Impaired oral mucous membrane integrity

영역 11	안전/보호	과 2	신체적 손상

정의

구강 내 연조직이나 입술이 파열된 상태

정의된 특성

- 입에서 안 좋은 맛 느낌
- 출혈
- 구순염
- 푸른색 덩어리(혈관종)
- 설태
- 미각 감소
- 섭취곤란
- 편도선 비후
- 병인물질 노출
- 갈라진 혀
- 치은 증식
- 치은 창백
- 4㎜ 이상의 함몰
- 치은 위축
- 구취
- 충혈
- 연하곤란
- 과다증식
- 구강점막이 벗겨짐
- 구강 불편감
- 구강부종
- 구강균열
- 구강병소
- 창백한 점막
- 구강 결절
- 구강통증
- 구강궤양
- 구강구진
- 종양
- 화농성 구강 – 비강 배액
- 화농성 구강 – 비강 삼출물
- 위축된 혀
- 해면성 반점
- 구내염
- 백태
- 치태
- 응고된 백색 삼출물
- 구강건조

관련요인

- 음주
- 구강간호 장애
- 구강에 대한 자가간호 장애
- 화학적 자극제
- 타액 분비 감소
- 탈수
- 부적절한 영양
- 구강간호 부족
- 적절한 구강간호에 대한 지식부족
- 영양부족
- 구강호흡
- 흡연
- 스트레스원

위험 대상자

- 경제적 불이익자

연관조건

- 알레르기
- 인지기능 변화
- 자가면역질환
- 보통염색체질환
- 화학요법
- 구순열
- 구개열
- 여성호르몬 수준 감소
- 혈소판 감소
- 면역결핍
- 면역억제
- 감염
- 구강 지지구조 손실
- 물리적 요인
- 24시간 이상 금식
- 구강 외상
- 방사선 치료
- 수술
- 쇼그렌 증후군
- 외상
- 치료요법

구강점막 통합성 손상 위험성
Risk for impaired oral mucous membrane integrity

영역 11	안전/보호	과 2	신체적 손상

정의

위장 분비물, 구강인두 분비물, 고형물질이나 액체성분이 기관지 통로 안으로 들어갈 위험이 있는 상태

위험요인

- 음주
- 구강간호 장애
- 구강에 대한 자가간호 장애
- 화학적 자극제
- 타액 분비 감소
- 탈수
- 부적절한 영양
- 구강간호 부족
- 적절한 구강간호에 대한 지식부족
- 영양부족
- 구강호흡
- 흡연
- 스트레스원

위험 대상자

- 경제적 불이익자

221

연관조건

- 알레르기
- 인지기능 변화
- 자가면역질환
- 보통염색체질환
- 화학요법
- 구순열
- 구개열
- 여성호르몬 수준 감소
- 혈소판 감소
- 면역결핍
- 면역억제
- 감염
- 구강 지지구조 손실
- 물리적 요인
- 24시간 이상 금식
- 구강 외상
- 방사선 치료
- 수술
- 쇼그렌 증후군
- 외상
- 치료요법

말초신경혈관 기능 장애 위험성
Risk for peripheral neurovascular dysfunction

영역 11	안전/보호	과 2	신체적 손상

정의

사지의 순환, 감각, 운동장애가 발생할 위험성

위험요인	연관조건
• 개발예정	• 화상 • 골절 • 부동 • 물리적 압박 • 정형외과 수술 • 외상 • 혈관폐색

신체적 외상 위험성
Risk for physical trauma

영역 11	안전/보호	과 3	신체적 손상

정의

즉시 주의를 기울여야하는 갑자기 발생하고 심각한 신체적 손상이 발생할 수 있는 취약한 위험성이 있는 상태

위험요인

외인적

- 도움 벨 부재
- 계단 안전장치 부재
- 안전 창문 부재
- 무기 접근성
- 뜨거운 물로 목욕
- 높은 침대
- 자동차 앞 자석에 아동 착석
- 가전제품 결함
- 가스류의 점화 지연
- 도움 벨 기능부전
- 위험한 전기장치
- 부식된 제품에 노출
- 위험한 기계에 노출
- 독성 화학물에 노출
- 가연성 물질
- 스토브 위의 기름때
- 처마밑 고드름
- 계단난간 부적절
- 부적절하게 저장된 가연성 물질
- 부적절하게 저장된 부식성 물질
- 욕실에 미끄럼방지 용품 부족
- 조명 부족
- 발열원에 대한 보호부족
- 안전모 오용
- 안전띠 오용
- 불안전한 보행로

- 깨진 접시 사용
- 비고정된 러그 사용
- 불안정한 의자 사용
- 불안정한 사다리 사용
- 불 주위에서 느슨한 의복 착용
- 안전띠 미착용
- 통로 폐쇄
- 위험한 물건으로 가지고 놀기
- 폭발물을 가지고 놀기
- 난로앞에 주전자 손잡이 위치함
- 차도에 근접
- 미끄러운 바닥
- 침상 흡연
- 산소 주변에서 흡연
- 억제대를 제거하려함
- 고정안된 전선
- 무거운 장비의 불안전한 작동
- 불안전한 도로

내인적

- 정서방해
- 균형장애
- 안전지침에 대한 지식부족
- 시력부족
- 허약

위험 대상자	연관조건
• 경제적 불이익자 • 양극단적 온도 • 가스 누출 • 우범지역 • 외상 과거력	• 인지기능변화 • 감각변화 • 눈–손 조정능력 저하 • 근육 조정능력 저하

혈관 외상 위험성
Risk for vascular trauma

영역 11	안전/보호	과 2	신체적 손상

정의

도뇨관 삽입이나 수액주입과 관련하여 주변 조직과 정맥이 건강을 위협할 수도 있는 취약한 상태

위험요인	연관조건
• 삽입부위 부적절 • 장기간 같은 부위에 도뇨관 위치	• 자극적인 수액 • 빠른 주입속도

욕창 위험성
Risk for pressure ulcer

영역 11	안전/보호	**과 2**	신체적 손상

정의

압력 또는 응전력이 동반된 압력으로 뼈 돌출부위에 피부나 피하조직에 국소적 손상이 우려되는 상태

위험요인

- 기동력 감소
- 탈수
- 건조한 피부
- 장기간 단단한 표면에 부동상태
- 고체온
- 영양부적절
- 실금
- 욕창예방에 대한 돌봄제공자의 지식부족
- 수정가능한 요인에 대한 지식부족
- 뼈 돌출부위 압박
- 피부각질
- 자가간호 결핍
- 응전력
- 피부습기
- 표면 마찰
- 습기 방지가 불충분한 홑이불 사용

위험 대상자

- 성인: 브라덴 스케일 < 17
- 미국마취의사협회 신체상태분류지수 ≥ 1
- 어린이: 브라덴 Q스케일 ≤ 15
- 양극단적 연령
- 양극단적 체중
- 여성
- 뇌졸중 과거력
- 욕창과거력
- 외상 과거력
- 욕창사정 척도(RAPS)상 낮은 위험사정지수
- 뉴욕심장협회(NYHA) 기능분류 ≥ 1

연관조건

- 인지기능변화
- 감각변화
- 빈혈
- 심혈관질환
- 혈청알부민 수준 감소
- 조직 산소 감소
- 조직 관류 감소
- 부종
- 피부 온도 1-2℃ 상승
- 고관절 골절
- 순환 장애
- 림프구 감소
- 약물
- 신체적 부동
- 삼두박근 피부주름 감소

쇼크 위험성
Risk for shock

영역 11	안전/보호	과 2	신체적 손상

정의

생명을 위협하는 세포의 기능장애를 유발할 수 있는 신체조직으로의 부적절한 혈류 위험성

위험요인	연관조건
• 개발예정	• 저혈압 • 저혈량 • 저산소혈증 • 저산소증 • 감염 • 패혈증 • 전신염증반응 증후군

피부 통합성 장애
Impaired skin integrity

영역 11	안전/보호	과 2	신체적 손상

정의

표피나 진피가 변화된 상태

정의된 특성

- 급성통증
- 피부통합성 변화
- 출혈
- 이물질이 피부를 뚫음
- 혈종
- 만지기 어려운 국소적인 뜨거운 부위
- 발적

관련요인

외인성

- 화학물질
- 배설물
- 습도
- 고체온
- 저체온
- 습기

- 뼈 돌출부 압박
- 분비물

내인성

- 체액상태 변화
- 영양부적절
- 심리적 요인

위험대상자

- 양극단적 연령

연관조건

- 대사 변화
- 색소침착 변화
- 감각 변화
- 피부긴장도 변화
- 동맥천자
- 호르몬 변화

- 면역결핍
- 순환부전
- 약물
- 방사선치료
- 혈관외상

피부 통합성 장애 위험성
Risk for impaired skin integrity

영역 11	안전/보호	과 2	신체적 손상

정의

표피나 진피가 건강을 위협할 정도로 변화된 상태

위험요인

외인성

- 화학물질
- 배설물
- 습도
- 고체온
- 저체온
- 습기

- 뼈 돌출부 압박
- 분비물

내인성

- 체액상태 변화
- 영양부적절
- 심리적 요인

위험대상자

• 양극단적 연령

연관조건

• 대사 변화
• 색소침착 변화
• 감각 변화
• 피부긴장도 변화
• 동맥천자
• 호르몬 변화

• 면역결핍
• 순환부전
• 약물
• 방사선치료
• 혈관외상

영아 돌연사 위험성
Risk for sudden infant death

영역 11	안전/보호	과 2	신체적 손상

정의

영아가 예기치 않게 갑자기 사망할 위험성

위험요인

• 산전 간호 지연
• 간접흡연에 노출
• 영아를 너무 덥게 함
• 영아를 너무 감싸줌
• 영아 수면 시 복위를 취함
• 영아 수면 시 측위를 취함
• 산전간호 부족
• 부드러운 밑 깔개
• 수면환경에 늘어진 물건들
• 4개월 이하에서 앉는 기구에서 수면함

위험 대상자

• 흑인계 미국인
• 2~4개월
• 모유수유를 안하거나 압축모유로 수유한 경우
• 저체중 출생
• 남아
• 임신 중 흡연
• 미국 원주민
• 출생 후 술에 노출
• 출생 후 마약에 노출
• 미숙아
• 출생 전 술에 노출
• 출생 전 마약에 노출
• 어린 산모

연관조건

• 추운 기후

질식 위험성
Risk for suffocation

영역 11	안전/보호	과 2	신체적 손상

정의

흡기시 필요한 부적절한 공기 이용이 발생할 위험성

위험요인	연관조건
• 빈 냉장고나 냉동고에 접근성 • 입안 가득 음식 섭취 • 정서장애 • 가스 누출 • 안전주의에 대한 지식 부족 • 빨래줄 • 영아 목에 걸어놓은 인공 젖꼭지 • 비닐 가방 가지고 놀기 • 영아를 침대에 눕힌 채 우유병에 먹임 • 기도에 작은 물건 넣음 • 침대에서 흡연 • 푹신한 침구 • 외부로 환기장치 없는 난로 사용 • 밀폐된 차고에서 자동차 시동 켜기	• 인지기능 변화 • 후각기능 변화 • 안면/목 질환 • 안면/목 상해 • 운동기능 손상

수술 후 회복 지연
Delayed surgical recovery

영역 11	안전/보호	과 2	신체적 손상

정의

생명, 건강, 안녕을 유지 활동을 시작하고 수행하는데 필요한 수술 후 기간이 길어지는 상태

정의된 특성	관련요인
• 불편감 • 수술 부위의 치유를 방해하는 근거 • 더 많은 회복 시간이 필요함 • 기동장애 • 직장에 복귀능력 없음 • 식욕감퇴 • 업무나 직장 활동 복귀 지연 • 자가간호에 도움이 필요	• 영양실조 • 비만 • 통증 • 수술 후 감정 반응

위험 대상자	연관조건
• 양극단적 연령 • 상처회복 지연 과거력	• 미국마취의사협회 신체상태분류지수 ≥ 1 • 당뇨병 • 수술부위 부종 • 광범위한 수술절차 • 기동성장애 • 수술 중 수술부위 감염 • 지속적 오심 • 지속적 구토 • 약물 • 장시간 수술 • 수술 이후 심리적 질환 • 수술부위 감염 • 수술부위 외상

수술 후 회복 지연 위험성
Risk for delayed surgical recovery

영역 11	안전/보호	과 2	신체적 손상

정의
생명, 건강, 안녕을 유지 활동을 시작하고 수행하는데 필요한 수술 후 기간이 길어지는 상태가 될 위험성

위험요인
- 영양실조
- 비만
- 통증
- 수술 후 감정 반응

위험 대상자
- 양극단적 연령
- 상처회복 지연 과거력

연관조건
- 미국마취의사협회 신체상태분류지수 ≥ 1
- 당뇨병
- 수술부위 부종
- 광범위한 수술절차
- 기동성장애
- 수술 중 수술부위 감염
- 지속적 오심
- 지속적 구토
- 약물
- 장시간 수술
- 수술 이후 심리적 질환
- 수술부위 감염
- 수술부위 외상

231

조직 통합성 장애
Impaired tissue integrity

영역 11	안전/보호	과 2	신체적 손상

정의

점막, 각막, 피부, 근막, 근육, 건, 뼈, 연골, 관절낭이나 인대가 손상된 상태

정의된 특성

- 급성 통증
- 출혈
- 조직파괴
- 혈종
- 만지기 어려운 국소적 뜨거운 부위
- 발적
- 조직손상

관련요인

- 화학적 자극제
- 체액과다
- 습도
- 영양 불균형 상태
- 체액부족
- 조직통합성 유지에 관한 지식부족
- 조직통합성 보호에 관한 지식부족

위험 대상자

- 극단적 연령
- 극단적 환경 온도
- 고압전류에 노출

연관조건

- 대사변화
- 감각변화
- 동맥천자
- 순환장애
- 기동장애
- 말초신경병증
- 약물
- 방사선 치료
- 수술
- 혈관외상

조직 통합성 장애 위험성
Risk for impaired tissue integrity

영역 11	안전/보호	과 2	신체적 손상

정의

점막, 각막, 피부, 근막, 근육, 건, 뼈, 연골, 관절낭이나 인대의 손상으로 건강을 위협할 수 있는 위험성

위험요인

- 화학적 자극제
- 체액과다
- 습도
- 영양 불균형 상태
- 체액부족
- 조직통합성 유지에 관한 지식부족
- 조직통합성 보호에 관한 지식부족

위험 대상자

- 극단적 연령
- 극단적 환경 온도
- 고압전류에 노출

연관조건

- 대사변화
- 감각변화
- 동맥천자
- 순환장애
- 기동장애
- 말초신경병증
- 약물
- 방사선 치료
- 수술
- 혈관외상

정맥 혈전 색전증 위험성
Risk for venous thromboembolism

영역 11	안전/보호	과 2	신체적 손상

정의

주로 대퇴 심부정맥, 종아리, 상지 혈전이 생겨 다른 혈관을 막히게 하여 건강을 위협할 수도 있는 상태

위험요인	위험 대상자
• 탈수	• 60세 이상
• 기동성 장애	• 중환자실 입원
• 비만	• 현재 흡연자
	• 정맥 혈전성 정맥염 과거력 1도순위
	• 뇌졸중 과거력
	• 혈전성 정맥염 과거력
	• 산후 6주 이내

연관조건	
• 뇌졸중	• 수술 및 90분 이내 마취시간
• 현재 암진단 상태	• 혈전성향증
• 허리아래 외상	• 상지외상
• 의학적 중요 동반 질환	• 에스트로겐 성분 피임제 사용
• 대수술 후	• 호르몬 치료
• 정형외과 수술 후	• 하지정맥류

여성 생식기 손상 위험성
Risk for female genital mutilation

영역 11	안전/보호	과 3	폭력

정의

문화적, 종교적, 다른 비치료적인 이유로 여성생식기나 생식기 부위에 건강을 위협할 수도 있는 위험성

위험 요인	위험 대상자
• 신체적 건강 실무에 영향하는 가족의 지식 부족	• 실무가 수용되는 국가에 거주
• 생식 건강 실무에 영향하는 가족의 지식 부족	• 가장이 실무가 윤리적으로 허용되는 집단에 소속
• 실무가 사회심리적 건강에 미치는 영향에 대한 가족의 지식부족	• 여성이 검진 받는 가족에 속하는 경우
	• 실무를 호의적으로 대하는 가족
	• 여성
	• 실무가 수용되는 윤리 집단에 속하는 경우
	• 가족의 출생지역에 방문할 계획

타인지향 폭력 위험성
Risk for other-directed violence

영역 11	안전/보호	과 3	폭력

정의

타인에게 신체적, 정서적, 성적인 해를 끼칠 수 있는 행위를 할 위험성

위험요인

- 무기 사용 가능성
- 충동성
- 부정적 신체 언어
- 간접폭력 양상
- 타인지향 폭력 양상
- 폭력적 위협 양상
- 반사회적 폭력행위 양상
- 자살행위

위험 대상자

- 아동학대 과거력
- 동물학대 과거력
- 방화 과거력
- 자동차 위반 과거력
- 물질 남용 과거력
- 가정 폭력 과거력

연관조건

- 인지기능 변화
- 신경학적 장애
- 병리적 중독
- 임신중 합병증
- 산전 합병증
- 정신질환

본인지향 폭력 위험성
Risk for self-directed violence

영역 11	안전/보호	과 3	폭력

정의

자신에게 신체적, 정서적, 성적인 해를 끼칠 수 있는 행위를 할 위험성

위험요인

- 자살에 대한 행위 단서
- 성적갈등
- 대인관계 갈등
- 고용문제
- 성적 자위행위에 집착

- 개인적 자원 부족
- 사회적 고립
- 자살관념
- 자살계획
- 자살관련 언어적 단서

위험 대상자	연관조건
• 15~19세 • 45세 이상 • 다양한 자살 시도 과거력 • 결혼상태 • 직업 • 어려운 가족 배경	• 정신건강 문제 • 신체건강 문제 • 심리적 장애

자해
Self-mutilation

영역 11	안전/보호	과 3	폭력

정의

긴장 완화를 위해 자신에게 치명적이지 않을 정도의 조직 손상을 초래하는 고의적인 자해 행위

정의된 특성

- 찰과상
- 물기
- 신체일부를 조임
- 신체베기
- 때리기
- 유해물질 섭취
- 유해물질 흡인
- 물체를 신체 개구부에 삽입함
- 상처를 후빔
- 몸을 긁음
- 자해적인 화상
- 절단

관련요인

- 신뢰할만한 가족 부재
- 신체상 변화
- 해리
- 대인관계 장애
- 섭식장애
- 정서장애
- 의미 있는 관계상실에 대한 위협감
- 자존감 손상
- 충동성
- 긴장을 말로 표현하는 것에 대한 무능력
- 비효율적 대응
- 본인지향 폭력에 대한 참을 수 없는 충동
- 자신을 자르고 싶은 참을 수 없는 충동
- 동료로부터의 고립
- 불안정 행위
- 문제해결 통제력 상실
- 낮은 자존감
- 고조되는 긴장을 견디기 어려움
- 부정적 느낌
- 계획 해결에 대한 무능력 양상
- 장기결과 예측 무능력 양상
- 완벽주의
- 스트레스의 즉각적인 해소 요구
- 물질남용
- 타인과의 관계 촉진을 위한 조작

위험 대상자

- 청소년
- 학대받은 아동
- 아동기 질병
- 아동기 수술
- 발달지체
- 가족의 이혼
- 자기학대 행위 가족력
- 물질 남용 가족력
- 자기폭력 과거력
- 감금
- 비전통적인 환경에서 생활
- 자해하는 동료
- 성 정체성 위기
- 부모간의 폭력

연관조건

- 자폐
- 경계성 인격장애
- 성격장애
- 비인간화
- 정신질환

자해 위험성
Risk for self-mutilation

영역 11	안전/보호	과 3	폭력

정의

긴장 완화를 위해 자신에게 치명적이지 않을 정도의 조직 손상을 초래하는 고의적인 자해 행위를 할 위험성

위험요인

- 신뢰할만한 가족 부재
- 신체상 변화
- 해리
- 대인관계 장애
- 섭식장애
- 정서장애
- 의미 있는 관계상실에 대한 위협감
- 자존감 손상
- 충동성
- 긴장을 말로 표현하는 것에 대한 무능력
- 비효율적 대응
- 본인지향 폭력에 대한 참을 수 없는 충동
- 자신을 자르고 싶은 참을 수 없는 충동
- 동료로부터의 고립
- 불안정 행위
- 문제해결 통제력 상실
- 낮은 자존감
- 고조되는 긴장을 견디기 어려움
- 부정적 느낌
- 계획 해결에 대한 무능력 양상
- 장기결과 예측 무능력 양상
- 완벽주의
- 스트레스의 즉각적인 해소 요구
- 물질남용
- 타인과의 관계 촉진을 위한 조작

위험 대상자

- 청소년
- 학대받은 아동
- 아동기 질병
- 아동기 수술
- 발달지체
- 가족의 이혼
- 자기학대 행위 가족력
- 물질 남용 가족력
- 자기폭력 과거력
- 감금
- 비전통적인 환경에서 생활
- 자해하는 동료
- 성 정체성 위기
- 부모간의 폭력

연관조건

- 자폐
- 경계성 인격장애
- 성격장애
- 비인간화
- 정신질환

자살 위험성
Risk for suicide

영역 11	안전/보호	과 3	폭력

정의

자신의 생명을 위협할 정도의 손상을 할 위험성

관련요인

행위적
- 유언장 변경
- 재산 배부
- 충동성
- 유언장 작성
- 현저한 태도 변화
- 현저한 행위 변화
- 현저한 학교성적 변화
- 총기 구입
- 약물 수집
- 우울에서 갑자기 기분이 좋아짐

심리적
- 죄책감
- 물질남용

상황적
- 총기 접근 가능성
- 자율성 상실
- 독립성 상실

사회적
- 집단자살
- 규율문제
- 가족생활 붕괴
- 슬픔
- 무력감
- 절망감
- 법적인 문제
- 고독감
- 중요한 관계 상실
- 사회적 고립

언어적
- 죽고 싶은 요구를 말함
- 자살 위협

기타
- 만성질환

위험 대상자

- 청소년
- 비전통적 환경 거주
- 백인
- 이혼상태
- 경제적 불이익자
- 노인
- 가족의 자살과거력
- 아동학대 과거력
- 자살시도 과거력
- 동성애자
- 시설 거주자
- 독거
- 남성
- 북미원주민
- 이사
- 은퇴
- 사별
- 젊은남성

연관조건

- 신체질병
- 정신질환
- 말기질환

오염
Contamination

영역 11	안전/보호	과 4	환경적 위험

정의

건강에 좋지 않은 영향을 주기에 충분한 용량의 환경오염에 노출된 상태

정의된 특성

농약

- 농약노출에 의한 피부 영향
- 농약노출에 의한 위장관 영향
- 농약노출에 의한 신경학적 영향
- 농약노출에 의한 폐 영향
- 농약노출에 의한 신장 영향

화학물질

- 화학물질 노출에 의한 피부 영향
- 화학물질 노출에 의한 위장관 영향
- 화학물질 노출에 의한 면역학적 영향
- 화학물질 노출에 의한 신경학적 영향
- 화학물질 노출에 의한 폐 영향
- 화학물질 노출에 의한 신장 영향

생물학적 물질

- 생물학적 물질 노출에 의한 피부 영향
- 생물학적 물질 노출에 의한 위장관 영향
- 생물학적 물질 노출에 의한 신경학적 영향
- 생물학적 물질 노출에 의한 폐 영향
- 생물학적 노출에 의한 신장 영향

공해

- 공해 노출에 의한 신경학적 영향
- 공해 노출에 의한 폐 영향

폐기물질

- 폐기 물질 노출에 의한 피부 영향
- 폐기 물질 노출에 의한 위장관 영향
- 폐기 물질 노출에 의한 간 영향
- 폐기 물질 노출에 의한 폐 영향

방사능

- 방사능 직접 접촉에 의한 외인성 노출
- 방사능 노출에 의한 유전학적 영향
- 방사능 노출에 의한 면역학적 영향
- 방사능 노출에 의한 신경학적 영향
- 방사능 노출에 의한 종양학적 영향

관련요인

외인성

- 카페트 바닥
- 음식물의 화학적 오염
- 물의 화학적 오염
- 바닥제가 벗겨지는 것에 노출되는 어린이
- 부적절한 오염원 처리
- 부적절한 가정 위생 실천
- 부적절한 공공 서비스
- 부적절한 개인위생
- 보호복 부족
- 부적절한 보호복 사용
- 오염물질 섭취

- 환경오염제가 사용된 외부에서 놀기
- 화학물질에 무방비 노출
- 중금속에 무방비 노출
- 방사능 물질에 노출
- 집안에서 환경오염물 사용
- 환기 되지 않는 장소에서 유해물질 사용
- 효과적인 보호 없이 유해물질 사용

내인성

- 간접노출
- 부적절한 영양
- 흡연

위험대상자

- 연령(5세 미만)
- 경제적 불이익자
- 오염수준 높은 지역에 노출
- 대기오염에 노출
- 생화학테러에 노출
- 재해에 노출
- 방사능에 노출
- 여성
- 제태기간 중 노출
- 노인
- 노출 과거력

연관조건

- 이전부터 존재하는 질병
- 임신

오염 위험성
Risk for contamination

영역 11	안전/보호	과 4	환경적 위험

정의

건강에 좋지 않은 영향을 주기에 충분한 용량의 환경오염에 노출될 위험성

위험요인

외인성

- 카페트 바닥
- 음식물의 화학적 오염
- 물의 화학적 오염
- 바닥제가 벗겨지는 것에 노출되는 어린이
- 부적절한 오염원 처리
- 부적절한 가정 위생 실천
- 부적절한 공공 서비스
- 부적절한 개인위생
- 보호복 부족
- 부적절한 보호복 사용
- 오염물질 섭취

- 환경오염제가 사용된 외부에서 놀기
- 화학물질에 무방비 노출
- 중금속에 무방비 노출
- 방사능 물질에 노출
- 집안에서 환경오염물 사용
- 환기 되지 않는 장소에서 유해물질 사용
- 효과적인 보호 없이 유해물질 사용

내인성

- 간접노출
- 부적절한 영양
- 흡연

위험대상자

- 연령(5세 미만)
- 경제적 불이익자
- 오염수준 높은 지역에 노출
- 대기오염에 노출
- 생화학테러에 노출
- 재해에 노출
- 방사능에 노출
- 여성
- 제태기간 중 노출
- 노인
- 노출 과거력

연관조건

- 이전부터 존재하는 질병
- 임신

직업 상해 위험성
Risk for occupational injury

영역 11	안전/보호	과 4	환경적 위험

정의
건강을 위협할 수 있는 직업과 관련된 사고나 질병이 발생할 수 있는 위험성

위험요인

개인적
- 과도한 스트레스
- 개인 보호장비의 부적절한 사용
- 역할수행 부족
- 시간관리 부적절
- 비효율적 대처전략
- 지식 부족
- 정보 오역
- 심리적 스트레스
- 과잉 자신감으로 불안전 행동
- 불건강한 부정적 습관으로 불안전 행동

환경적
- 고립적 사회적 관계
- 생물학적 제재에 노출
- 화학적 제재에 노출
- 극단적 온도에 노출
- 소음에 노출
- 방사선에 노출
- 기형유발물질에 노출
- 진동에 노출
- 부적절한 물리적 환경
- 노동 관계
- 개인 보호장비 부족
- 밤 근무에서 낮 근무로 순환
- 직업적 소진
- 물리적 과로
- 교대근무

중독 위험성
Risk for poisoning

영역 11	안전/보호	과 4	환경적 위험

정의

건강을 위협할 수 있는 직업과 관련된 사고나 질병이 발생할 수 있는 위험성

정의된 특성

외인성
- 위험 물질에 접근가능
- 독성 물질에 오염되었을 잠재력이 있는 약물 접근가능
- 약물에 접근가능
- 적절한 보호장비없는 직업환경

내인성
- 정서장애
- 중독 예방에 대한 주의력 부족
- 약물에 대한 지식부족
- 중독 예방에 대한 지식부족
- 시력저하

연관조건

- 인지기능 변화

요오드 조영제 부작용 위험성
Risk for adverse reaction to iodinated contrast media

영역 11	안전/보호	과 5	방어과정

정의
요오드 조영제 투여 후 7일 경과될 때까지 의도하지 않았거나 해로운 반응이 나타날 위험성

위험요인	위험대상자
• 탈수 • 전신쇠약	• 극단적인 연령 • 알레르기 과거력 • 요오드성 조영제에 대한 부작용 과거력

연관조건	
• 만성질환 • 동시투여 약물 • 부작용 유발 조영제	• 약한 정맥 • 무의식

알레르기 반응 위험성
Risk for allergy reaction

영역 11	안전/보호	과 5	방어과정

정의
물질에 대하여 과민하게 면역반응을 하거나 반응할 위험성

위험요인	위험대상자
• 알레르기원에 노출 • 환경적 알레르기원에 노출 • 독성 화학물질에 노출	• 음식알레르기 과거력 • 벌레물림 과거력 • 환결물질에 반복적 노출

라텍스 알레르기 반응
Latex allergy reaction

영역 11	안전/보호	과 5	방어과정

정의

자연 라텍스 고무제품에 대한 과민 반응

정의된 특성

생명을 위협하는 반응은
라텍스 단백질에 노출된 후 첫 1시간이내에 발생

- 기관지경련
- 가슴 조임
- 전신증상으로 진행하는 접촉성 두드러기
- 호흡곤란
- 부종
- 저혈압
- 심근경색
- 호흡정지
- 실신
- 천명음

Type-IV 반응은 라텍스 단백질에 노출된 후
1시간 이상 경과 후 발생

- 첨가제에 불편감
- 습진
- 자극
- 발적

전신적 특성

- 전신 불편감
- 전신 부종
- 전신 열감 호소
- 안절부절못함
- 홍조

위장관 특성

- 복부 통증
- 오심

구강안면 특성

- 홍반
- 소양증
- 코울혈
- 안와 주변 부종
- 콧물
- 눈물

관련요인

- 개발예정

라텍스 알레르기 반응 위험성
Risk for latex allergy reaction

영역 11	안전/보호	과 5	방어과정

정의
자연 라텍스 고무제품에 대하여 건강을 손상시킬 수 있는 과민 반응이 발생할 위험성

위험 대상자	연관조건
• 라텍스에 자주 노출 • 알레르기 과거력 • 천식 과거력 • 음식 알레르기 과거력 • 라텍스 알레르기 과거력 • 홍성초 실물 알레르기 과거력 • 유아기 수술 과거력	• 자연라텍스고무 단백질 민감성 • 다양한 수술절차

고체온
Hyperthermia

영역 11	안전/보호	과 6	체온조절

정의
심부체온이 체온조절 실패로 정상 범위 이상으로 상승된 상태

정의된 특성
- 비정상적자세
- 무호흡
- 혼수상태
- 홍조를 보이는 피부
- 저혈압
- 영아가 젖을 못빨음
- 안절부절못함
- 기면
- 발작
- 촉진 시 따뜻함
- 혼돈
- 빈맥
- 빈호흡
- 혈관확정

관련요인

- 탈수
- 부적절한 의복
- 대사율 증가
- 활발한 활동

위험 대상자

- 뜨거운 환경에 노출

연관조건

- 발한 반응 감소
- 질병
- 하혈
- 약물제제
- 패혈증
- 외상

저체온
Hypothermia

영역 11	안전/보호	과 6	체온조절

정의

심부체온이 체온조절 실패로 정상 범위 이하인 상태

정의된 특성

- 말단부위 청색증
- 서맥
- 손톱 기저부 청색증
- 혈당감소
- 환기저하
- 고혈압
- 저혈당증
- 저산소증
- 대사율 증가
- 산소 소모율 증가
- 말초혈관 수축
- 소름 돋음
- 오한
- 서늘한 피부
- 빈맥

신생아
- 영아의 젖 빠는 힘 부족
- 영아의 체중 증가 불충분(30g/일)
- 안절부절
- 황달
- 대사성 산독증
- 창백
- 호흡곤란

관련요인

- 음주
- 대사율 저하
- 과도한 열전달
- 과도한 열 대류
- 과도한 열 증발
- 과도한 열 방사
- 비활동
- 저체온 예방에 대한 돌봄제공자의 지식 부족

- 불충분한 의복
- 낮은 환경 온도
- 영양실조

신생아
- 모유수유 지연
- 신생아의 이른 목욕
- 산소요구량 증가

위험대상자

- 경제적 불이익자
- 극단적 연령
- 극단적 체중
- 병원 외부에서 고위험 출산
- 체중 대비 체표면 비율 증가
- 피하지방의 불충분한 공급
- 비계획적 병원 외부에서 출산

연관조건

- 시상하부 손상
- 미성숙 각질층
- 폐모세혈관 저항(PVR) 증가
- 비효율적 혈관조절
- 비효율적 오한 비동반 체온조절 기전
- 약물제재
- 방사선 치료
- 외상

저체온 위험성
Risk for hypothermia

영역 11	안전/보호	과 6	체온조절

정의

심부 체온이 체온조절 실패로 생명을 위협할 수도 있는 정상 범위 이하가 될 위험성

위험요인

- 음주
- 대사율 저하
- 과도한 열전달
- 과도한 열 대류
- 과도한 열 증발
- 과도한 열 방사
- 비활동
- 저체온 예방에 대한 돌봄제공자의 지식 부족

- 불충분한 의복
- 낮은 환경 온도
- 영양실조

신생아
- 모유수유 지연
- 신생아의 이른 목욕
- 산소요구량 증가

위험대상자	연관조건
• 경제적 불이익자 • 극단적 연령 • 극단적 체중 • 병원 외부에서 고위험 출산 • 체중 대비 체표면 비율 증가 • 피하지방의 불충분한 공급 • 비계획적 병원 외부에서 출산	• 시상하부 손상 • 미성숙 각질층 • 폐모세혈관 저항(PVR) 증가 • 비효율적 혈관조절 • 비효율적 오한 비동반 체온조절 기전 • 약물제재 • 방사선 치료 • 외상

수술 중 저체온 위험성
Risk for perioperative hypothermia

영역 11	안전/보호	과 6	체온조절

정의

수술 후 24시간 이내에 심부 체온이 한 시간 동안 36℃/96.8℉ 이하로 하강하여 생명을 위협할 수도 있는 위험성

위험요인

• 과도한 열전달 • 과도한 열대류	• 과도한 열방사 • 낮은 환경 온도

위험대상자	연관조건
• 미국 마취의사협회(ASA)기준 신체상태분류 지수 〉1 • 저체중 • 수술 전 저체온(〈36℃/96.8℉)	• 심혈관 합병증 • 국소마취와 전신마취 혼합 • 당뇨성 신경병증 • 수술절차

비효율적 체온조절
Ineffective thermoregulation

영역 11	안전/보호	과 6	체온조절

정의

체온과 고체온 사이의 체온 변동

정의된 특성

- 손톱 기저부 청색증
- 홍조를 보이는 피부
- 고혈압
- 체온이 정상 범위 이상으로 상승
- 호흡률 증가
- 경증 오한
- 중등도 창백
- 소름 돋음
- 체온이 정상 범위 이상으로 내려감
- 발작
- 촉진 시 서늘함
- 촉진 시 따뜻함
- 모세혈관 재충혈 지연
- 빈맥

관련요인

- 탈수
- 환경온도가 오르내림
- 비활동
- 환경온도에 부적절한 의복
- 산소요구량 증가
- 격렬한 활동

위험 대상자

- 극단적인 연령
- 극단적 체중
- 극단적 환경 온도
- 체중대비 체표면 비중 증가
- 피하지방의 불충분한 공급

연관조건

- 대사율 변화
- 두부외상
- 온도 조절에 영향하는 조건
- 발한 반응 감소
- 질병
- 비효율적 오한 비동반 체온조절
- 약물제재
- 진정
- 패혈증
- 외상

비효율적 체온조절 위험성
Risk for ineffective thermoregulation

영역 11	안전/보호	과 6	체온조절

정의
저체온과 고체온 사이의 체온 변동으로 생명을 위협할 위험성

위험요인

- 탈수
- 환경온도가 오르내림
- 비활동
- 환경온도에 부적절한 의복
- 산소요구량 증가
- 격렬한 활동

위험대상자

- 극단적인 연령
- 극단적 체중
- 극단적 환경 온도
- 체중대비 체표면 비중 증가
- 피하지방의 불충분한 공급

연관조건

- 대사율 변화
- 두부외상
- 온도 조절에 영향하는 조건
- 발한 반응 감소
- 질병
- 비효율적 오한 비동반 체온조절
- 약물제재
- 진정
- 패혈증
- 외상

영역 12

《안위 Comfort》

과 1: 신체적 안위 Physical comfort

- 안위장애 Impaired **comfort**
- 안위 향상 가능성 Readiness for enhanced **comfort**
- 오심 **Nausea**
- 급성통증 Acute **pain**
- 만성통증 Chronic **pain**
- 만성통증 증후군 **Chronic pain syndrome**
- 분만통증 **Labor pain**

과 2: 환경적 안위 Environmental comfort

- 안위장애 Impaired **comfort**
- 안위 향상 가능성 Readiness for enhanced **comfort**

과 3: 사회적 안위 Social Comfort

- 안위장애 Impaired **comfort**
- 안위 향상 가능성 Readiness for enhanced **comfort**
- 외로움 위험성 Risk for **loneliness**
- 사회적 고립 **Social isolation**

안위장애
Impaired comfort

영역 12	안위	과 1	신체적 안위
과 2	환경적 안위	과 3	사회적 안위

정의

신체적, 심리영적, 환경적, 문화적, 사회적 영역에서 편안감, 안도감, 초월성이 부족함을 지각하는 것

정의된 특성

- 수면양상 변화
- 불안
- 울음
- 상황에 불만족
- 불편한 증상
- 공포
- 춥다고 함
- 불편하다고 함
- 배고프다고 함
- 덥다고 함
- 이완할 수 없음
- 안절부절 못함
- 가렵다고 함
- 신음
- 한숨
- 상황에 불편함

관련요인

- 환경 통제력 부족
- 사생활 결여
- 자원 부족
- 상황 통제력 부족
- 유해한 환경 자극

연관조건

- 질병 관련 증상
- 치료요법

안위 향상 가능성
Readiness for enhanced comfort

영역 12	안위	과 1	신체적 안위

정의

신체적, 심리영적, 환경적, 문화적, 사회적 영역에서 편안감, 안도감, 초월성이 안녕감에 충분하거나 강화될 수 있는 양상

정의된 특성

- 안위감 향상 요구를 표현함
- 만족감 향상 요구를 표현함
- 이완감 향상 요구를 표현함
- 불평 해결 향상 요구를 표현함

	오심 Nausea		
영역 12	안위	과 1	신체적 안위

정의

인후나 위에서 나타나는 불유쾌한 주관적인 느낌으로, 구토를 유발할 수도 있고 유발하지 않을 수도 있음

정의된 특성	관련요인
• 음식 혐오 • 구토 느낌 • 타액분비 증가 • 연하 증가 • 오심 보고 • 구강 내 신맛 보고	• 불안 • 독성 노출 • 두려움 • 유해한 환경자극 • 유해한 맛 • 불유쾌한 시각적 자극

연관조건

- 생화학적 장애
- 식도질환
- 위장팽만
- 위장자극
- 두개뇌압 상승
- 복강 내 종양
- 내이염
- 간캡슐 퍼짐
- 국소 봉양
- 메니에르질환
- 뇌수막염
- 멀미
- 췌장질환
- 임신
- 비장캡슐 퍼짐
- 약물제제

급성통증
Acute pain

영역 12	안위	과 1	신체적 안위

정의

실재적, 잠재적 손상이나 그런 종류의 손상(국제 통증연구회) 용어로 기술되는 불유쾌한 감각이나 정서적인 경험; 6개월 미만 기간으로 끝이 기대되고 예측되며, 경증에서 중증까지 강도로 갑자기 또는 서서히 발생함

정의된 특성	관련요인
• 식욕 변화 • 신체지수 변화 • 발한 • 주의 산만한 행위 • 표현된 행위 • 통증있는 얼굴모습 • 경계행위 • 절망감 • 초점이 좁아짐 • 통증을 피하는 자세 • 방어적 자세 • 동공산대 • 자신에게만 집중함 • 표준화된 통증척도로 통증강도 자가보고 • 표준화된 통증척도로 통증특성 자가보고	• 생물학적 손상요인 • 화학적 손상요인 • 신체적 손상요인

만성통증
Chronic pain

영역 12	안위	과 1	신체적 안위

정의

실재적, 잠재적 손상이나 그런 종류의 손상(국제 통증연구회) 용어로 기술되는 불유쾌한 감각이나 정서적인 경험; 6개월 이상 기간으로 끝이 기대되거나 예측되지 않고, 경증에서 중증까지 강도로 갑자기 또는 서서히 지속적이거나 반복적으로 발생함

정의된 특성	관련요인
• 이전 행동 지속 능력 변화 • 수면 양상 변화 • 식욕부진 • 언어적 의사소통이 불가능할 경우 표준화된 통증행동목록으로 사정한 통증 근거 • 통증이 있는 얼굴 표정 • 통증행동/활동 변화에 대한 보고 • 자신에게만 집중함 • 표준화된 통증 척도로 통증강도 자가보고 • 표준화된 통증 척도로 통증특성 자가보고	• 신체적 만성 장애 • 심리사회적 만성 장애 • 수면 양상변화 • 정서적 고통 • 피로감 • 체질량지수(BMI) 증가 • 비효율적 성적 양상 • 상해요인 • 영양실조 • 신경압박 • 지속적 컴퓨터 사용 • 반복적 중장비 조작 • 사회적 격리 • 전신 진동
위험 대상자	**연관조건**
• 50세 이상 • 여성 • 학대 과거력 • 성기 손상 과거력 • 과도한 채무과거력 • 고정자세 근무 과거력 • 물질 남용 과거력 • 격렬한 운동 과거력	• 만성 근골격 조건 • 타박상 • 분쇄형 손상 • 신경계 손상 • 골절 • 유전장애 • 신경전달물질, 신경조절물질 및 수용체 불균형 • 면역질환 • 대사기능장애 • 허혈 • 근육 손상 • 외상후 관련 조건 • 코티졸 수치 지속적 증가 • 척수손상 • 종양침투

만성통증 증후군
Chronic pain syndrome

영역 12	안위	과 1	신체적 안위

정의
최소 3개월간 지속되거나 반복되는 통증으로 일상기능이나 안녕감에 유의하게 영향하는 상태

정의된 특성	관련요인
• 불안 • 변비 • 지식부족 • 수면양상 장애 • 피로감 • 두려움 • 기분조절 장애 • 신체적 활동 장애 • 불면증 • 비만 • 사회적 고립 • 스트레스 과다	• 개발예정

분만통증
Labor pain

영역 12	안위	과 1	신체적 안위

정의
진통과 분만 과정에서 기인하는 유쾌함에서 불유쾌함까지 다양한 감각적 정서적 경험

정의된 특성	관련요인
• 혈압 변화 • 심박동율 변화 • 근육긴장 변화 • 신경내분비계 기능 변화 • 호흡율 변화 • 수면 양상 변화 • 비뇨기계 기능 변화 • 식욕 감퇴 • 발한 • 산만한 행동 • 표현적 행동 • 통증 있는 얼굴 표정 • 식욕 증가 • 좁은 시야 • 오심 • 통증 • 회음부 압박 • 통증 완화 자세 • 방어적 행동 • 동공 산대 • 자기중심적 초점 • 자궁수축 • 구토	• 개발예정

연관조건
• 자궁 경부 확장
• 태아배출

안위장애
Impaired comfort

영역 12	안위	과 2	환경적 안위

정의

신체적, 심리영적, 환경적, 문화적, 사회적 영역에서 편안감, 안도감, 초월성이 부족함을 지각하는 것

정의된 특성	관련요인
• 수면양상 장애 • 불안 • 울음 • 상황에 불만족 • 불편한 증상 • 공포 • 춥다고 함 • 배고프다고 함 • 덥다고 함 • 이완할 수 없음 • 안절부절 못함 • 가렵다고 함 • 신음 • 한숨 • 상황에 편안하지 못함	• 환경 통제력 부족 • 사생활 결여 • 자원 부족 • 상황 통제력 부족 • 유해한 환경 자극

연관조건

• 질병관련 증상
• 치료요법

261

안위 향상 가능성
Readiness for enhanced comfort

영역 12	안위	과 2	환경적 안위

정의

신체적, 심리영적, 환경적, 문화적, 사회적 영역에서 편안감, 안도감, 초월성이 안녕감에 충분하거나 강화될 수 있는 양상

정의된 특성

- 안위감 향상 요구를 표현함
- 만족감 향상 요구를 표현함
- 이완감 향상 요구를 표현함
- 불평 해결 향상 요구를 표현함

안위장애
Impaired comfort

영역 12	안위	과 3	사회적 안위

정의

신체적, 심리영적, 환경적, 문화적, 사회적 영역에서 편안감, 안도감, 초월성이 부족함을 지각하는 것

정의된 특성

- 수면양상 장애
- 불안
- 울음
- 상황에 불만족
- 불편한 증상
- 공포
- 춥다고 함
- 배고프다고 함
- 덥다고 함
- 이완할 수 없음
- 안절부절 못함
- 가렵다고 함
- 신음
- 한숨
- 상황에 편안하지 못함

관련요인	연관조건
• 환경 통제력 부족 • 사생활 결여 • 자원 부족 • 상황 통제력 부족 • 유해한 환경 자극	• 질병관련 증상 • 치료요법

안위 향상 가능성
Readiness for enhanced comfort

영역 12	안위	과 3	사회적 안위

정의

신체적, 심리영적, 환경적, 문화적, 사회적 영역에서 편안감, 안도감, 초월성이 안녕감에 충분하거나 강화될 수 있는 양상

정의된 특성

• 안위감 향상 요구를 표현함
• 만족감 향상 요구를 표현함
• 이완감 향상 요구를 표현함
• 불평 해결 향상 요구를 표현함

외로움 위험성
Risk for loneliness

영역 12	안위	과 3	사회적 안위

정의

다른 사람과 더 많은 접촉을 하고 싶은 요구와 관련된 불편감이 건강을 위협할 위험성

위험요인

• 정서적 박탈
• 감정 박탈
• 신체적 고립
• 사회적 고립

영역 12. 안위 Comfort

263

사회적 고립
Social isolation

영역 12	안위	과 3	사회적 안위

정의

다른 사람에 의해서 강요된 부정적이거나 위협적인 상태를 지각되는 것으로 개인이 경험하는 외로움

정의된 특성

- 지지체계 결여
- 타인으로부터 강요된 외로움
- 문화적 불일치
- 혼자 있으려고 함
- 발달지연
- 타인과 다른 느낌
- 둔한 정서
- 거부당한 과거력
- 적대감
- 질병
- 타인의 기대에 미치지 못함
- 대중 앞에서 불안정함
- 의미 없는 행동
- 하위문화 집단
- 눈을 마주치지 않음
- 자신의 생각에 집착함
- 목적이 없음
- 반복적인 행동
- 슬픈 정서
- 문화 규범과 가치 불일치
- 위축

관련요인

- 발달단계에 비해 부적절한 관심
- 관계설정 어려움
- 만족스럽지 못한 대인관계
- 개인 자원 부족
- 문화 규범과 가치 불일치

연관조건

- 정신상태 변화
- 신체적 외모 변화
- 안녕상태 변화

영역 13

《 성장/발달 Growth/Development 》

과 1: 성장 Growth

해당진단 없음

과 2: 발달 Development

- 발달지체 위험성 Risk for delayed **development**

발달지체 위험성
Risk for delayed development

영역 13	성장/발달	과 2	발달

정의

사회영역, 자가 조절 행위, 인지, 언어, 대·소 근육 운동기술 영역 중 한가지 이상에서 25% 이상 지체될 위험성

위험요인

- 부적절한 영양
- 학대받는 상태
- 물질 남용
- 기술 의존성

위험대상자

- 행동장애
- 경제적 불이익자
- 자연재해 노출
- 입양 과거력
- 부적절한 산전영양
- 산전간호 부족
- 입양아동 양육체계에서 성장
- 임신후기 산전관리
- 15세 이하 산모
- 35세 이상 산모
- 모성 문맹
- 모성 물질남용
- 약물 반응 검사 상 양성 소견
- 미숙아
- 계획하지 않은 임신
- 원하지 않은 임신

연관조건

- 뇌손상
- 돌봄제공자 학습장애
- 돌봄제공자 정신질환
- 만성질환
- 선천성 질환
- 내분비 질환
- 성장실패
- 유전질환
- 청력장애
- 시력장애
- 납중독
- 산전감염
- 중이염 재발
- 간질
- 치료요법

의학진단, 증상, 상황별 간호진단

A

Abdominal rupture of membranes 복막파열

- Deficient fluid volume 체액부족
- Fear 두려움
- Hyperthermia 고체온
- Impaired individual resilience 개인 적응력 장애
- Readiness for enhanced childbearing process 출산과정 향상 가능성
- Risk for bleeding 출혈 위험성
- Risk for disturbed maternal – fetal dyad 모아 관계 형성 장애 위험성
- Risk for imbalanced fluid volume 체액불균형 위험성
- Risk for infection 감염 위험성
- Risk for shock 쇼크 위험성

Abortion 유산

- Anxiety 불안
- Complicated grieving 복합적 슬픔
- Ineffective coping 비효율적 대응
- Hopelessness 절망감
- Impaired individual resilience 개인 적응력 장애
- Moral distress 도덕적 고뇌
- Readiness for enhanced coping 대응 향상 가능성
- Readiness for enhanced decision-making 의사결정 향상 가능성
- Risk for bleeding 출혈 위험성
- Risk for complicated grieving 복합적 슬픔 위험성
- Risk for infection 감염 위험성
- Risk for disturbed maternal-fetal dyad 모아 관계 형성 장애 위험성
- Readiness for enhanced resilience 적응력 향상 가능성

- Risk for compromised resilience 적응력 저하 위험성
- Risk for shock 쇼크 위험성
- Situational low self-esteem 상황적 자존감 저하

Abruptio placentae 태반조기박리

- Acute pain 급성통증
- Anxiety 불안
- Risk for bleeding 출혈 위험성
- Complicated grieving 복합적 슬픔
- Readiness for enhanced hope 희망증진 가능성
- Risk for shock 쇼크 위험성

Acoustic neuroma 청각종양

- Chronic pain 만성통증
- Nausea 오심
- Imbalanced nutrition : less than body requirements 영양불균형 : 영양부족
- Impaired skin integrity 피부 통합성 장애
- Ineffective breathing pattern 비효율적 호흡양상
- Risk for ineffective peripheral tissue perfusion 비효율적 말초조직 관류 위험성
- Insomnia 불면증
- Readiness for enhanced knowledge 지식 향상 가능성
- Risk for deficient fluid volume 체액부족 위험성
- Risk for electrolyte imbalance 전해질 불균형 위험성
- Risk for disturbed maternal-fetal dyad 모아 관계 형성 장애 위험성

Acquired immunodeficiency 후천성 면역결핍

- Caregiver role strain 돌봄제공자 역할 부담감
- Chronic confusion 만성혼동
- Death anxiety 죽음불안
- Decision conflict 의사결정 갈등
- Defensive coping 방어적 대응
- Deficient community health 지역사회 건강 부족
- Hopelessness 절망감
- Impaired individual resilience 개인 적응력 장애
- Impaired memory 기억장애
- Ineffective community coping 지역사회의 비효율적 대응
- Ineffective denial 비효율적 부정
- Ineffective protection 비효율적 방어
- Ineffective self—health management 비효율적 자기 건강관리
- Ineffective sexuality pattern 비효율적 성적 양상
- Moral distress 도덕적 고뇌
- Powerlessness 무력감
- Readiness for enhanced communication 의사소통 향상 가능성
- Readiness for enhanced resilience 적응력 향상 가능성
- Readiness for enhanced self—care 자가간호 향상 가능성
- Risk for caregiver role strain 돌봄제공자 역할 부담감 위험성
- Risk for complicated grieving 복합적 슬픔 위험성
- Risk for compromised human dignity 인간 존엄성 손상 위험성
- Risk for contamination 오염 위험성
- Risk for infection 감염 위험성
- Risk for loneliness 외로움 위험성
- Risk—prone health behavior 위험성향 건강 행동
- Social isolation 사회적 고립

Acute pancreatitis 급성췌장염

- Acute pain 급성통증
- Deficient knowledge 지식부족
- Impaired comfort 안위장애
- Insomnia 불면증
- Nausea 오심
- Readiness for enhanced coping 대응 향상 가능성
- Risk for dysfunctional gastrointestinal mobility 위장관 운동 기능장애 위험성
- Risk for electrolyte imbalance 전해질 불균형 위험성
- Risk for imbalanced fluid volume 체액불균형 위험성
- Risk for imbalanced nutrition: more than body requirements 영양불균형 위험성: 영양과다
- Risk for impaired liver function 간 기능 장애 위험성
- Risk for unstable blood glucose level 불안정한 혈당수치 위험성
- Risk—prone health behavior 위험성향 건강 행동

Acute Renal Failure 급성 신부전

- Death anxiety 죽음불안
- Decreased cardiac output 심박출량 감소
- Deficient fluid volume 체액부족
- Dressing self—care deficit 옷 입기 자가간호 결핍
- Excess fluid volume 체액과다

- Fear 두려움
- Impaired physical mobility 신체 이동성 장애
- Impaired skin integrity 피부 통합성 장애
- Interrupted family processes 가족과정 중단
- Readiness for enhanced spiritual well-being 영적 안녕증진 가능성
- Risk for acute confusion 급성혼동 위험성
- Risk for complicated grieving 복합적 슬픔 위험성
- Risk for electrolyte imbalance 전해질 불균형 위험성
- Risk for imbalanced fluid volume 체액불균형 위험성
- Risk for ineffective renal perfusion 비효율적 신장 관류 위험성
- Risk for infection 감염 위험성
- Risk-prone health behavior 위험성향 건강행동
- Sexual dysfunction 성기능 장애
- Disturbed sleep pattern 수면 양상 장애
- Sleep deprivation 수면 박탈
- Spiritual distress 영적 고뇌

Acute Respiratory Distress Syndrome 급성호흡 장애 증후군

- Anxiety 불안
- Deficient fluid volume 체액부족
- Ineffective denial 비효율적 부정
- Dysfunctional ventilatory weaning response 호흡기 제거에 대한 부적응
- Fear 두려움
- Impaired comfort 안위장애
- Imbalanced nutrition: less than body requirements 영양불균형: 영양부족
- Impaired gas exchange 가스교환장애

- Impaired skin integrity 피부 통합성 장애
- Impaired spontaneous ventilation 자발적 환기 장애
- Impaired verbal communication 언어소통 장애
- Ineffective airway clearance 비효율적 기도 청결
- Ineffective breathing pattern 비효율적 호흡 양상
- Ineffective coping 비효율적 대응
- Insomnia 불면증
- Risk for acute confusion 급성혼동 위험성
- Risk for electrolyte imbalance 전해질 불균형 위험성
- Risk for decreased cardiac tissue perfusion 심장 조직 관류 감소 위험성
- Risk for infection 감염 위험성
- Risk for shock 쇼크 위험성
- Risk for vascular trauma 혈관 외상 위험성
- Sleep deprivation 수면 박탈

Acute respiratory failure 급성호흡부전

- Activity intolerance 활동 지속성 장애
- Death anxiety 죽음불안
- Decreased cardiac output 심박출량 감소
- Ineffective denial 비효율적 부정
- Fear 두려움
- Impaired gas exchange 가스교환장애
- Impaired individual resilience 개인 적응력 장애
- Impaired verbal communication 언어소통 장애
- Ineffective breathing pattern 비효율적 호흡 양상
- Ineffective peripheral tissue perfusion 비효율적 말초 조직 관류
- Insomnia 불면증
- Powerlessness 무력감

- Readiness for enhanced spiritual well-being
  영적 안녕증진 가능성
- Risk for ineffective activity planning 비효율적 활동 계획 위험성
- Risk for acute confusion 급성혼동 위험성
- Risk for aspiration 기도흡인 위험성
- Risk for electrolyte imbalance 전해질 불균형 위험성
- Risk for decreased cardiac tissue perfusion 심장 조직 관류 감소 위험성
- Risk for ineffective renal perfusion 비효율적 신장 관류 위험성
- Risk for infection 감염 위험성
- Risk for shock 쇼크 위험성
- Risk for suffocation 질식 위험성
- Spiritual distress 영적 고뇌

Adrenal insufficiency 부신기능부전증

- Acute pain 급성통증
- Chronic low self-esteem 만성적 자존감 저하
- Disturbed body image 신체상 장애
- Disturbed personal identity 자아정체성 장애
- Readiness for enhanced resilience 적응력 향상 가능성
- Readiness for enhanced self-care 자가간호 향상 가능성
- Risk for electrolyte imbalance 전해질 불균형 위험성
- Risk for imbalanced body temperature 체온 불균형 위험성
- Risk for impaired skin integrity 피부 통합성 장애 위험성
- Risk for infection 감염 위험성
- Risk-prone health behavior 위험성향 건강 행동
- Sexual dysfunction 성기능 장애

- Sleep deprivation 수면 박탈

Adrenocortical insufficiency 부신피질부전증

- Risk for disproportionate growth 불균형적 성장 위험성
- Risk for infection 감염 위험성

Affective disorders 정서장애

- Anxiety 불안
- Disturbed energy field 에너지장 교류 장애
- Disturbed personal identity 자아정체성 장애
- Hopelessness 절망감
- Impaired religiosity 손상된 신앙심
- Ineffective coping 비효율적 대응
- Ineffective impulse control 비효율적 충동 조절
- Ineffective relationship 비효율적 관계
- Ineffective role performance 비효율적 역할 수행
- Insomnia 불면증
- Readiness for enhanced coping 대응 향상 가능성
- Risk for loneliness 외로움 위험성
- Risk for other-directed violence 타인지향 폭력 위험성
- Risk-prone health behavior 위험성향 건강 행동
- Risk for self-directed violence 본인지향 폭력 위험성
- Sexual dysfunction 성기능 장애
- Disturbed sleep pattern 수면 양상 장애
- Stress overload 과잉 스트레스

Alcohol addiction and abuse 알코올중독, 알코올남용

- Acute confusion 급성혼동

271

- Bathing self – care deficit 목욕 자가간호 결핍
- Deficient knowledge 지식부족
- Disturbed personal identity 자아정체성 장애
- Dysfunctional family processes 가족과정 기능 장애
- Functional urinary incontinence 기능적 요실금
- Imbalanced nutrition: less than body requirements 영양불균형: 영양부족
- Impaired individual resilience 개인 적응력 장애
- Impaired physical mobility 신체 이동성 장애
- Ineffective activity planning 비효율적 활동 계획
- Ineffective coping 비효율적 대응
- Ineffective denial 비효율적 부정
- Ineffective family therapeutic regimen management 비효율적 가족치료 요법 관리
- Ineffective impulse control 비효율적 충동 조절
- Insomnia 불면증
- Powerlessness 무력감
- Readiness for enhanced family processes 가족과정 향상 가능성
- Readiness for enhanced family coping 가족 대응 향상 가능성
- Readiness for enhanced self – concept 자아개념 향상 가능성
- Risk for acute confusion 급성혼동 위험성
- Risk for compromised human dignity 인간 존엄성 손상 위험성
- Risk for electrolyte imbalance 전해질 불균형 위험성
- Risk for imbalanced fluid volume 체액불균형 위험성
- Risk for impaired liver function 간 기능 장애 위험성
- Risk for poisoning 중독 위험성
- Risk for self – directed violence 본인지향 폭력 위험성
- Risk – prone health behavior 위험성향 건강 행동
- Self – neglect 자기무시
- Sexual dysfunction 성기능 장애
- Sleep deprivation 수면 박탈
- Spiritual distress 영적 고뇌
- Social isolation 사회적 고립
- Stress overload 과잉 스트레스

Alzheimer's disease 알츠하이머병

- Adult failure to thrive 성인 성장 장애
- Anxiety 불안
- Bathing self – care deficit 목욕 자가간호 결핍
- Bowel incontinence 변실금
- Caregiver role strain 돌봄제공자 역할 부담감
- Chronic confusion 만성혼동
- Chronic low self – esteem 만성적 자존감 저하
- Complicated grieving 복합적 슬픔
- Compromised family coping 가족의 비효율적 대응
- Deficient knowledge 지식부족
- Functional urinary incontinence 기능적 요실금
- Grieving 슬픔
- Hopelessness 절망감
- Imbalanced nutrition: less than body requirements 영양불균형: 영양부족
- Impaired comfort 안위장애
- Impaired environmental interpretation syndrome 환경 해석 장애 증후군
- Impaired home maintenance 가정유지 장애
- Impaired memory 기억장애
- Impaired verbal communication 언어소통 장애
- Ineffective coping 비효율적 대응

- Ineffective health maintenance 비효율적 건강 유지
- Ineffective role performance 비효율적 역할 수행
- Ineffective sexuality pattern 비효율적 성적 양상
- Interrupted family processes 가족과정 중단
- Moral distress 도덕적 고뇌
- Readiness for enhanced knowledge 지식 향상 가능성
- Readiness for enhanced self – care 자가간호 향상 가능성
- Relocation stress syndrome 환경변화 스트레스 증후군
- Risk for caregiver role strain 돌봄제공자 역할 부담감 위험성
- Risk for compromised human dignity 인간 존엄성 손상 위험성
- Risk for injury 신체손상 위험성
- Risk for poisoning 중독 위험성
- Risk for trauma 외상 위험성
- Social isolation 사회적 고립
- Stress urinary incontinence 복압성 요실금
- Wandering 배회

Amniotic fluid embolism 양막액색전증

- Ineffective peripheral tissue perfusion 비효율적 말초 조직 관류
- Risk for electrolyte imbalance 전해질 불균형 위험성
- Risk for decreased cardiac tissue perfusion 심장 조직 관류 감소 위험성
- Risk for ineffective peripheral tissue perfusion 비효율적 말초조직 관류 위험성
- Risk for injury 신체손상 위험성

- Risk for shock 쇼크 위험성

Amputation 절단

- Acute pain 급성통증
- Anxiety 불안
- Chronic low self – esteem 만성적 자존감 저하
- Decisional conflict 의사결정 갈등
- Deficient knowledge 지식부족
- Delayed surgical recovery 수술 후 회복 지연
- Ineffective denial 비효율적 부정
- Disturbed body image 신체상 장애
- Disturbed personal identity 자아정체성 장애
- Disturbed energy field 에너지장 교류 장애
- Grieving 슬픔
- Impaired individual resilience 개인 적응력 장애
- Impaired wheelchair mobility 휠체어 이동성 장애
- Impaired walking 보행 장애
- Ineffective activity planning 비효율적 활동 계획
- Impaired transfer ability 이동능력 장애
- Readiness for enhanced self–care 자가간호 향상 가능성
- Readiness for enhanced hope 희망증진 가능성
- Readiness for enhanced knowledge 지식 향상 가능성
- Risk for compromised resilience 적응력 저하 위험성
- Risk for compromised human dignity 인간 존엄성 손상 위험성
- Risk for injury 신체손상 위험성
- Risk – prone health behavior 위험성향 건강 행동

Amyotrophic lateral sclerosis
근위축성 측색 경화증

- Bowel incontinence 변실금
- Caregiver role strain 돌봄제공자 역할 부담감
- Chronic low self-esteem 만성적 자존감 저하
- Complicated grieving 복합적 슬픔
- Compromised family coping 가족의 비효율적 대응
- Constipation 변비
- Death anxiety 죽음불안
- Disturbed personal identity 자아정체성 장애
- Dressing self-care deficit 옷 입기 자가간호 결핍
- Dysfunctional ventilatory weaning response 호흡기 제거에 대한 부적응
- Grieving 슬픔
- Hopelessness 절망감
- Impaired physical mobility 신체 이동성 장애
- Impaired skin integrity 피부 통합성 장애
- Impaired spontaneous ventilation 자발적 환기 장애
- Impaired verbal communication 언어소통 장애
- Impaired walking 보행 장애
- Impaired wheelchair mobility 휠체어 이동성 장애
- Ineffective airway clearance 비효율적 기도 청결
- Ineffective breathing pattern 비효율적 호흡 양상
- Ineffective coping 비효율적 대응
- Ineffective health maintenance 비효율적 건강 유지
- Ineffective sexuality pattern 비효율적 성적 양상
- Readiness for enhanced knowledge 지식 향상 가능성
- Risk for aspiration 기도흡인 위험성
- Risk for caregiver role strain 돌봄제공자 역할 부담감 위험성
- Risk for constipation 변비 위험성
- Risk for dysfunctional gastrointestinal mobility 위장관 운동 기능장애 위험성
- Risk for electrolyte imbalance 전해질 불균형 위험성
- Risk for falls 낙상 위험성
- Risk for imbalanced fluid volume 체액불균형 위험성
- Risk for impaired skin integrity 피부 통합성 장애 위험성
- Risk for ineffective peripheral tissue perfusion 비효율적 말초조직 관류 위험성
- Risk for infection 감염 위험성
- Social isolation 사회적 고립

Anaphylactic shock
아나필락시성 쇽(과민성 충격)

- Decreased cardiac output 심박출량 감소
- Impaired gas exchange 가스교환장애
- Risk for decreased cardiac tissue perfusion 심장 조직 관류 감소 위험성
- Risk for ineffective cerebral tissue perfusion 비효율적 뇌조직 관류 위험성

Anemias 빈혈

- Activity intolerance 활동 지속성 장애
- Adult failure to thrive 성인 성장 장애
- Decreased cardiac output 심박출량 감소
- Fatigue 피로
- Impaired gas exchange 가스교환장애
- Impaired skin integrity 피부 통합성 장애

- Ineffective breathing pattern 비효율적 호흡 양상
- Ineffective protection 비효율적 방어
- Risk for decreased cardiac tissue perfusion 심장 조직 관류 감소 위험성
- Readiness for enhanced resilience 적응력 향상 가능성
- Risk for infection 감염 위험성

Angina pectoris 협심증

- Activity intolerance 활동 지속성 장애
- Acute pain 급성통증
- Anxiety 불안
- Deficient knowledge 지식부족
- Impaired comfort 안위장애
- Impaired environmental interpretation syndrome 환경 해석 장애 증후군
- Ineffective denial 비효율적 부정
- Ineffective role performance 비효율적 역할 수행
- Ineffective sexuality pattern 비효율적 성적 양상
- Readiness for enhanced knowledge 지식 향상 가능성
- Risk for ineffective activity planning 비효율적 활동 계획 위험성
- Risk for decreased cardiac tissue perfusion 심장 조직 관류 감소 위험성
- Risk for ineffective cerebral tissue perfusion 비효율적 뇌조직 관류 위험성
- Sedentary lifestyle 비활동적 생활양식
- Stress overload 과잉 스트레스

Anorexia nervosa 신경성 식욕 부진

- Anxiety 불안

- Constipation 변비
- Deficient fluid volume 체액부족
- Disturbed body image 신체상 장애
- Hyperthermia 고체온
- Imbalanced nutrition: less than body requirements 영양불균형: 영양부족
- Impaired individual resilience 개인 적응력 장애
- Ineffective denial 비효율적 부정
- Ineffective impulse control 비효율적 충동 조절
- Ineffective relationship 비효율적 관계
- Interrupted family processes 가족과정 중단
- Readiness for enhanced nutrition 영양 향상을 위한 가능성
- Readiness for enhanced relationship 관계 향상 가능성
- Readiness for enhanced sleep 수면 향상 가능성
- Risk for chronic low self-esteem 만성적 자존감 저하 위험성
- Risk for constipation 변비 위험성
- Risk for dysfunctional gastrointestinal mobility 위장관 운동 기능장애 위험성
- Risk-prone health behavior 위험성향 건강 행동
- Sleep deprivation 수면 박탈
- Social isolation 사회적 고립
- Spiritual distress 영적 고뇌
- Stress overload 과잉 스트레스

Antisocial personality disorder 반사회적 성격장애

- Chronic low self-esteem 만성적 자존감 저하
- Defensive coping 방어적 대응
- Disturbed personal identity 자아정체성 장애

275

- Dysfunctional family processes 가족과정 기능 장애
- Impaired home maintenance 가정유지 장애
- Impaired individual resilience 개인 적응력 장애
- Ineffective coping 비효율적 대응
- Ineffective role performance 비효율적 역할 수행
- Interrupted family processes 가족과정 중단
- Readiness for enhanced relationship 관계 향상 가능성
- Readiness for enhanced family coping 가족 대응 향상 가능성
- Risk for other-directed violence 타인지향 폭력 위험성
- Risk for self-directed violence 본인지향 폭력 위험성
- Risk for suicide 자살 위험성
- Sexual dysfunction 성기능 장애
- Social isolation 사회적 고립

Anxiety disorder 불안장애

- Anxiety 불안
- Caregiver role strain 돌봄제공자 역할 부담감
- Chronic low self-esteem 만성적 자존감 저하
- Constipation 변비
- Defensive coping 방어적 대응
- Diarrhea 설사
- Hopelessness 절망감
- Imbalanced nutrition: more than body requirements 영양불균형: 영양과다
- Impaired home maintenance 가정유지 장애
- Ineffective denial 비효율적 부정
- Interrupted family processes 가족과정 중단
- Post-trauma syndrome 외상 후 증후군

- Powerlessness 무력감
- Readiness for enhanced communication 의사소통 향상 가능성
- Readiness for enhanced coping 대응 향상 가능성
- Readiness for enhanced nutrition 영양 향상을 위한 가능성
- Readiness for enhanced self-concept 자아개념 향상 가능성
- Readiness for enhanced sleep 수면 향상 가능성
- Readiness for enhanced spiritual well-being 영적 안녕증진 가능성
- Imbalanced nutrition: less than body requirements 영양불균형: 영양부족
- Imbalanced nutrition: more than body requirements 영양불균형: 영양과다
- Impaired religiosity 손상된 신앙심
- Risk for loneliness 외로움 위험성
- Post-trauma syndrome 외상 후 증후군
- Social isolation 사회적 고립
- Sleep deprivation 수면 박탈
- Stress overload 과잉 스트레스

Aortic aneurysm 대동맥류

- Acute pain 급성통증
- Excess fluid volume 체액과다
- Impaired gas exchange 가스교환장애
- Ineffective peripheral tissue perfusion 비효율적 말초 조직 관류
- Risk for decreased cardiac tissue perfusion 심장 조직 관류 감소 위험성
- Risk for ineffective cerebral tissue perfusion 비효율적 뇌조직 관류 위험성
- Risk for bleeding 출혈 위험성

- Risk for electrolyte imbalance 전해질 불균형 위험성
- Risk for imbalanced fluid volume 체액불균형 위험성
- Risk for shock 쇼크 위험성

Aortic insufficiency 대동맥판 부전증

- Activity intolerance 활동 지속성 장애
- Decreased cardiac output 심박출량 감소
- Deficient knowledge 지식부족
- Impaired gas exchange 가스교환장애
- Ineffective peripheral tissue perfusion 비효율적 말초 조직 관류
- Risk for ineffective peripheral tissue perfusion 비효율적 말초조직 관류 위험성

Aortic insufficiency 대동맥판 부전증

- Activity intolerance 활동 지속성 장애
- Decreased cardiac output 심박출량 감소
- Deficient knowledge 지식부족
- Impaired gas exchange 가스교환장애
- Ineffective peripheral tissue perfusion 비효율적 말초 조직 관류

Appendicitis 맹장염, 충수염

- Acute pain 급성통증
- Delayed surgical recovery 수술 후 회복 지연
- Imbalanced nutrition: less than body requirements 영양불균형형: 영양부족
- Impaired comfort 안위장애
- Risk for imbalanced fluid volume 체액불균형 위험성
- Risk for infection 감염 위험성

Arterial insufficiency 동맥 부전

- Chronic pain 만성통증
- Impaired tissue integrity 조직 통합성 장애
- Readiness for enhanced knowledge 지식 향상 가능성
- Risk for ineffective peripheral tissue perfusion 비효율적 말초조직 관류 위험성

Arterial occlusion 동맥 폐색

- Acute pain 급성통증
- Deficient knowledge 지식부족
- Impaired comfort 안위장애
- Impaired skin integrity 피부 통합성 장애
- Ineffective peripheral tissue perfusion 비효율적 말초 조직 관류
- Risk for ineffective peripheral tissue perfusion 비효율적 말초조직 관류 위험성
- Risk-prone health behavior 위험성향 건강행동

Asphyxia 질식

- Delayed growth and development 성장발달 지연
- Hypothermia 저체온
- Ineffective breathing pattern 비효율적 호흡양상
- Impaired gas exchange 가스교환장애
- Risk for aspiration 기도흡인 위험성
- Risk for injury 신체손상 위험성
- Risk for suffocation 질식 위험성

Asthma 천식

- Activity intolerance 활동 지속성 장애
- Anxiety 불안
- Deficient knowledge 지식부족
- Dressing self-care deficit 옷 입기 자가간호

277

결핍

- Risk for dry eye 안구 건조 위험성
- Impaired gas exchange 가스교환장애
- Impaired oral mucous membrane 구강점막 손상
- Ineffective airway clearance 비효율적 기도 청결
- Ineffective breathing pattern 비효율적 호흡 양상
- Ineffective coping 비효율적 대응
- Latex allergy response 라텍스 알레르기 반응
- Readiness for enhanced comfort 안위 향상 가능성
- Readiness for enhanced family coping 가족 대응 향상 가능성
- Readiness for enhanced knowledge 지식 향상 가능성
- Risk for compromised resilience 적응력 저하 위험성
- Risk for infection 감염 위험성
- Risk for latex allergy response 라텍스 알레르기 반응 위험성
- Risk-prone health behavior 위험성향 건강 행동
- Sleep deprivation 수면 박탈
- Stress overload 과잉 스트레스

Atelectasis 무기폐

- Anxiety 불안
- Bathing self-care deficit 목욕 자가간호 결핍
- Impaired gas exchange 가스교환장애
- Impaired physical mobility 신체 이동성 장애
- Ineffective airway clearance 비효율적 기도 청결
- Ineffective breathing pattern 비효율적 호흡

양상

- Readiness for enhanced self-care 자가간호 향상 가능성

Attention deficit hyperactivity disorder 주의결여 장애

- Ineffective denial 비효율적 부정
- Disturbed sleep pattern 수면 양상 장애
- Ineffective family therapeutic regimen management 비효율적 가족치료 요법 관리
- Ineffective activity planning 비효율적 활동 계획
- Interrupted family processes 가족과정 중단
- Readiness for enhanced family processes 가족과정 향상 가능성
- Readiness for enhanced relationship 관계 향상 가능성
- Risk for delayed development 발달지체 위험성
- Stress overload 과잉 스트레스

Autism 자폐증

- Compromised family coping 가족의 비효율적 대응
- Delayed growth and development 성장발달 지연
- Disability family coping 가족 대응 불능
- Ineffective denial 비효율적 부정
- Interrupted family processes 가족과정 중단
- Risk for delayed development 발달지체 위험성
- Risk for self-mutilation 자해 위험성

B

Bell's palsy 안면신경 마비

- Acute pain 급성통증
- Anxiety 불안
- Chronic low self – esteem 만성적 자존감 저하
- Disturbed body image 신체상 장애
- Disturbed sleep pattern 수면 양상 장애
- Impaired comfort 안위장애
- Impaired swallowing 연하장애
- Impaired verbal communication 언어소통 장애
- Ineffective sexuality pattern 비효율적 성적 양상
- Powerlessness 무력감
- Risk for compromised human dignity 인간 존엄성 손상 위험성
- Social isolation 사회적 고립
- Stress overload 과잉 스트레스
- Unilateral neglect 편측성 지각 장애

Benign prostatic hypertrophy 양성 전립선 비대

- Deficient knowledge 지식부족
- Impaired comfort 안위장애
- Impaired urinary elimination 배뇨장애
- Ineffective sexuality pattern 비효율적 성적 양상
- Iurinary retention 소변정체

Bipolar disorder: depressive phase 조울증 : 울증

- Chronic low self – esteem 만성적 자존감 저하
- Constipation 변비
- Disturbed personal identity 자아정체성 장애
- Feeding self – care deficit 음식섭취 자가간호 결핍
- Hopelessness 절망감

- Imbalanced nutrition : less than body requirements 영양불균형 : 영양부족
- Ineffective coping 비효율적 대응
- Ineffective denial 비효율적 부정
- Ineffective relationship 비효율적 관계
- Ineffective health maintenance 비효율적 건강 유지
- Insomnia 불면증
- Readiness for enhanced communication 의사소통 향상 가능성
- Readiness for enhanced coping 대응 향상 가능성
- Readiness for enhanced self-concept 자아 개념 향상 가능성
- Risk for compromised human dignity 인간 존엄성 손상 위험성
- Ineffective activity planning 비효율적 활동 계획
- Risk for injury 신체손상 위험성
- Risk for self – directed violence 본인지향 폭력 위험성
- Self – neglect 자기무시
- Sexual dysfunction 성기능 장애
- Sleep deprivation 수면 박탈
- Social isolation 사회적 고립
- Spiritual distress 영적 고뇌
- Stress overload 과잉 스트레스

Bipolar disorder: manic phase 조울증 : 조증

- Chronic low self – esteem 만성적 자존감 저하
- Disability family coping 가족 대응 불능
- Disturbed personal identity 자아정체성 장애
- Feeding self – care deficit 음식섭취 자가간호 결핍
- Impaired home maintenance 가정유지 장애

- Impaired physical mobility 신체 이동성 장애
- Impaired verbal communication 언어소통 장애
- Ineffective coping 비효율적 대응
- Ineffective denial 비효율적 부정
- Ineffective impulse control 비효율적 충동 조절
- Ineffective sexuality pattern 비효율적 성적 양상
- Insomnia 불면증
- Risk for compromised resilience 적응력 저하 위험성
- Readiness for enhanced family coping 가족 대응 향상 가능성
- Interrupted family processes 가족과정 중단
- Risk for falls 낙상 위험성
- Impaired religiosity 손상된 신앙심
- Risk for injury 신체손상 위험성
- Risk for other-directed violence 타인지향 폭력 위험성
- Risk-prone health behavior 위험성향 건강 행동
- Sexual dysfunction 성기능 장애
- Spiritual distress 영적 고뇌

Bladder cancer 방광암

- Acute pain 급성통증
- Fear 두려움
- Impaired tissue integrity 조직 통합성 장애
- Impaired urinary elimination 배뇨장애
- Readiness for enhanced self-care 자가간호 향상 가능성
- Risk for compromised human dignity 인간 존엄성 손상 위험성
- Risk for latex allergy response 라텍스 알레르기 반응 위험성
- Overflow urinary incontinence 익류성 요실금

- Urge urinary incontinence 절박성(긴박성) 요실금

Blindness 실명, 시각소실

- Deficient diversional activity 여가활동 부족
- Deficient knowledge 지식부족
- Disturbed body image 신체상 장애
- Fear 두려움
- Hopelessness 절망감
- Impaired physical mobility 신체 이동성 장애
- Ineffective self-health management 비효율적 자기 건강관리
- Powerlessness 무력감
- Risk for falls 낙상 위험성
- Risk for injury 신체손상 위험성
- Risk for loneliness 외로움 위험성
- Social isolation 사회적 고립

Bone marrow transplantation 골수이식

- Activity intolerance 활동 지속성 장애
- Complicated grieving 복합적 슬픔
- Contamination 오염
- Decreased cardiac output 심박출량 감소
- Deficient diversional activity 여가활동 부족
- Diarrhea 설사
- Disturbed body image 신체상 장애
- Excess fluid volume 체액과다
- Grieving 슬픔
- Imbalanced nutrition: less than body requirements 영양불균형: 영양부족
- Impaired oral mucous membrane 구강점막 손상
- Impaired skin integrity 피부 통합성 장애
- Ineffective activity planning 비효율적 활동 계획

- Ineffective protection 비효율적 방어
- Risk for contamination 오염 위험성
- Risk for electrolyte imbalance 전해질 불균형 위험성
- Risk for imbalanced fluid volume 체액불균형 위험성
- Risk for infection 감염 위험성

Bone sarcomas 골육종

- Activity intolerance 활동 지속성 장애
- Acute pain 급성통증
- Deficient knowledge 지식부족
- Impaired comfort 안위장애
- Impaired physical mobility 신체 이동성 장애
- Impaired tissue integrity 조직 통합성 장애
- Deficient knowledge 지식부족
- Risk for falls 낙상 위험성
- Risk for injury 신체손상 위험성
- Risk for infection 감염 위험성

Borderline personality disorder 경계선적 성격장애

- Chronic low self-esteem 만성적 자존감 저하
- Disturbed personal identity 자아정체성 장애
- Fear 두려움
- Impaired religiosity 손상된 신앙심
- Ineffective coping 비효율적 대응
- Ineffective impulse control 비효율적 충동 조절
- Ineffective relationship 비효율적 관계
- Risk for compromised resilience 적응력 저하 위험성
- Risk for self-directed violence 본인지향 폭력 위험성
- Self-mutilation 자해
- Social isolation 사회적 고립

Bowel fistula 장루

- Risk for deficient fluid volume 체액부족 위험성
- Risk for infection 감염 위험성

Bowel resection 장절제

- Anxiety 불안
- Delayed surgical recovery 수술 후 회복 지연
- Dysfunctional gastrointestinal mobility 위장관 운동 기능장애
- Deficient knowledge 지식부족
- Diarrhea 설사
- Imbalanced nutrition: less than body requirements 영양불균형: 영양부족
- Impaired skin integrity 피부 통합성 장애
- Disturbed personal identity 자아정체성 장애
- Risk for infection 감염 위험성

Brain abscess 뇌종양

- Acute pain 급성통증
- Decreases intracranial adaptive capacity 두개 내압 적응력 감소
- Disturbed body image 신체상 장애
- Impaired physical mobility 신체 이동성 장애
- Impaired skin integrity 피부 통합성 장애
- Ineffective sexuality pattern 비효율적 성적 양상
- Risk for aspiration 기도흡인 위험성
- Risk for infection 감염 위험성
- Risk for injury 신체손상 위험성
- Risk for urge urinary incontinence 절박성(긴박성) 요실금 위험성
- Acute confusion 급성혼동
- Bowel incontinence 변실금
- Constipation 변비

- Decreases intracranial adaptive capacity 두개 내압 적응력 감소
- Disturbed personal identity 자아정체성 장애
- Dysfunctional family processes 가족과정 기능 장애
- Fear 두려움
- Grieving 슬픔
- Impaired environmental interpretation syndrome 환경 해석 장애 증후군
- Impaired memory 기억장애
- Impaired physical mobility 신체 이동성 장애
- Impaired tissue integrity 조직 통합성 장애
- Impaired urinary elimination 배뇨장애
- Impaired verbal communication 언어소통 장애
- Ineffective coping 비효율적 대응
- Ineffective thermoregulation 비효율적 체온조절
- Risk for falls 낙상 위험성
- Risk for injury 신체손상 위험성

Breast cancer 유방암

- Death anxiety 죽음불안
- Ineffective coping 비효율적 대응
- Sexual dysfunction 성기능 장애
- Chronic sorrow 만성 비탄
- Risk for spiritual distress 영적고뇌 위험성
- Readiness for enhanced knowledge 지식 향상 가능성

Breast Lumps 유방 혹

- Fear 두려움
- Readiness for enhanced knowledge 지식 향상 가능성

Breast Milk, Insufficient불충분한 모유

- Insufficient breast milk 불충분한 모유

Breast pumping 착유

- Risk for infection 감염 위험성
- Risk for impaired skin integrity 피부 통합성 장애 위험성
- Readiness for enhanced knowledge 지식 향상 가능성

Breastfeeding, effective 효율적 모유수유

- Readiness for enhanced breastfeeding 모유수유 향상 가능성

Breastfeeding, ineffective 비효율적 모유수유

- Ineffective breastfeeding 비효율적 모유수유

Breastfeeding, interrupted 모유수유 장애

- Interrupted breastfeeding 모유수유 장애

Breathing pattern alteration 호흡양상 변화

- Ineffective breathing pattern 비효율적 호흡양상

Breech birth 역산(아이를 거꾸로 낳음)

- Fear 두려움
- Impaired gas exchange 가스교환장애
- Risk for aspiration 기도흡인 위험성
- Risk for delayed development 발달지체 위험성
- Impaired tissue integrity 조직 통합성 장애

Bronchitis 기관지염

- Ineffective airway clearance 비효율적 기도청결
- Readiness for enhanced self-health management 기건강관리 향상 가능성
- Readiness for enhanced knowledge 지식 향상 가능성

Brochopulmonary dysplasia 폐기관지 형성장애

- Activity intolerance 활동 지속성 장애
- Excess fluid volume 체액과다
- Imbalanced nutrition: less than body requirements 영양불균형: 영양부족

Bronchoscopy 기관지 내시경술

- Risk for aspiration 기도흡인 위험성
- Risk for injury 신체손상 위험성

Bruits, carotid 경동맥 잡음

- Risk for ineffective cerebral tissue perfusion 비효율적 뇌조직 관류 위험성

Buerger's disease 버거병

Pheripheral vascular disease (pvd) 참조

Bulimia 폭식증

- Disturbed body image 신체상 장애
- Compromised family coping 가족의 비효율적 대응
- Defensive coping 방어적 대응
- Diarrhea 설사
- Imbalanced nutrition: less than body requirements 영양불균형: 영양부족
- Powerlessness 무력감
- Chronic low self-esteem 만성적 자존감 저하

Bunion 건막류

- Readiness for enhanced knowledge 지식 향상 가능성

Bunionectomy 건막류절제

- Impaired physical mobility 신체 이동성 장애
- Impaired walking 보행 장애

- Risk for infection 감염 위험성
- Readiness for enhanced knowledge 지식 향상 가능성

Burn risk 화상위험성

- Risk for thermal injury 열 손상 위험성

Burns 화상

- Disturbed body image 신체상 장애
- Deficient diversional activity 여가활동 부족
- Fear 두려움
- Deficient fluid volume 체액부족
- Grieving 슬픔
- Hypothermia 저체온
- Impaired physical mobility 신체 이동성 장애
- Imbalanced nutrition: less than body requirements 영양불균형: 영양부족
- Acute pain 급성통증
- Ineffective peripheral tissue perfusion 비효율적 말초 조직 관류
- Post-trauma syndrome 외상 후 증후군
- Impaired skin integrity 피부 통합성 장애
- Delayed surgical recovery 수술 후 회복 지연
- Risk for allergy response 알레르기 반응 위험성
- Risk for deficient fluid volume 체액부족 위험성
- Risk for infection 감염 위험성
- Risk for peripheral neurovascular dysfunction 말초신경혈관 기능 장애 위험성
- Risk for post-trauma syndrome 외상 후 증후군 위험성
- Readiness for enhanced knowledge 지식 향상 가능성

Bursitis 활액낭염

- Impaired physical mobility 신체 이동성 장애
- Acute pain 급성통증

Bypass graft 우회로조성술

Coronary artery bypass grafting (cabg 참조)

C

Abdominal rupture of membranes 복막파열

Cabg (coronary artery bypass grafting) 관상 동맥 우회로조성술 참조

Coronary artery bypass grafting (cabg) 참조

Cachexia 악액질

- Adult failure to thrive 성인 성장 장애
- Imbalanced nutrition: less than body requirements 영양불균형: 영양부족
- Risk for infection 감염 위험성

Calcium alteration

Hyprecalcemia; hypocalcemia 참조

Cancer 암, 악성 종양

- Activity intolerance 활동 지속성 장애
- Death anxiety 죽음불안
- Disturbed body image 신체상 장애
- Decisional conflict 의사결정 갈등
- Constipation 변비
- Compromised family coping 가족의 비효율적 대응
- Ineffective coping 비효율적 대응
- Ineffective denial 비효율적 부정
- Fear 두려움
- Grieving 슬픔
- Ineffective health maintenance 비효율적 건강 유지
- Hopelessness 절망감
- Insomnia 불면증
- Impaired physical mobility 신체 이동성 장애
- Imbalanced nutrition: less than body requirements 영양불균형: 영양부족
- Impaired oral mucous membrane 구강점막

손상
- Chronic pain 만성통증
- Powerlessness 무력감
- Ineffective protection 비효율적 방어
- Ineffective role performance 비효율적 역할 수행
- Self - care deficit 자가간호결핍
- Impaired skin integrity 피부 통합성 장애
- Social isolation 사회적 고립
- Chronic sorrow 만성 비탄
- Spiritual distress 영적 고뇌
- Risk for bleeding 출혈 위험성
- Risk for disuse syndrome 비사용 증후군 위험성
- Impaired home maintenance 가정유지 장애
- Risk for compromised resilience 적응력 저하 위험성
- Risk for spiritual distress 영적고뇌 위험성
- Readiness for enhanced knowledge 지식 향상 가능성
- Readiness for enhanced spiritual well-being 영적 안녕증진 가능성

Candidiasis, oral 구강 칸디다증

- Readiness for enhanced knowledge 지식 향상 가능성
- Impaired oral mucous membrane 구강점막 손상

Capillary refill time, prolonged 지속적 모세혈관재충만시간

- Impaired gas exchange 가스교환장애
- Ineffective peripheral tissue perfusion 비효율적 말초 조직 관류

Cardiac arrest 심정지

- Post-trauma syndrome 외상 후 증후군

Cardiac catheterization 심도자법

- Fear 두려움
- Risk for injury 신체손상 위험성
- Risk for decreased cardiac tissue perfusion 심장 조직 관류 감소 위험성
- Risk for peripheral neurovascular dysfunction 말초신경혈관 기능 장애 위험성
- Readiness for enhanced knowledge 지식 향상 가능성

Cardiac disorders 심장질환

- Decreased cardiac output 심박출량 감소
- Risk for decreased cardiac tissue perfusion 심장 조직 관류 감소 위험성

Cardiac disorders in pregnancy 임신중 심장질환신중

- Activity intolerance 활동 지속성 장애
- Death anxiety 죽음불안
- Compromised family coping 가족의 비효율적 대응
- Ineffective coping 비효율적 대응
- Interrupted family processes 가족과정 중단
- Fatigue 피로
- Fear 두려움
- Powerlessness 무력감
- Ineffective role performance 비효율적 역할 수행
- Situational low self-esteem 상황적 자존감 저하
- Social isolation 사회적 고립
- Risk for delayed development 발달지체 위험

성
- Risk for deficient fluid volume 체액부족 위험성
- Risk for imbalanced fluid volume 체액불균형 위험성
- Impaired gas exchange 가스교환장애
- Risk for disproportionate growth 불균형적 성장 위험성
- Risk for disturbed maternal-fetal dyad 모아관계 형성 장애 위험성
- Risk for decreased cardiac tissue perfusion 심장 조직 관류 감소 위험성
- Risk for compromised resilience 적응력 저하 위험성
- Risk for spiritual distress 영적고뇌 위험성
- Readiness for enhanced knowledge 지식 향상 가능성

Cardiac dysrhythmia 신장리듬장애

Dysrhythmia 참조

Cardiac output, decreased 심박출량 감소

- Decreased cardiac output 심박출량 감소

Cardiac tamponade 심장눌림증

- Decreased cardiac output 심박출량 감소

Cardiogenic shock 심장성 쇼크

Shock, cardiogenic 참조

Caregiver role strain 돌봄제공자 역할 부담감

- Caregiver role strain 돌봄제공자 역할 부담감
- Risk for compromised resilience 적응력 저하 위험성

Carotid endarterectomy 경동맥 내막 절제

- Fear 두려움
- Ineffective airway clearance 비효율적 기도 청결
- Risk for bleeding 출혈 위험성
- Risk for ineffective cerebral tissue perfusion 비효율적 뇌조직 관류 위험성
- Readiness for enhanced knowledge 지식 향상 가능성

Carpal tunnel syndrome 수근관 증후군

- Impaired physical mobility 신체 이동성 장애
- Chronic pain 만성통증
- Self-care deficit: bathing, dressing, feeding 자가간호 결핍

Casts 깁스붕대

- Deficient diversional activity 여가활동 부족
- Impaired physical mobility 신체 이동성 장애
- Self-care deficit: bathing, dressing, feeding 자가간호 결핍
- Impaired walking 보행 장애
- Risk for peripheral neurovascular dysfunction 말초신경혈관 기능 장애 위험성
- Risk for impaired skin integrity 피부 통합성 장애 위험성
- Readiness for enhanced knowledge 지식 향상 가능성

Cataract extraction 백내장적출술

- Anxiety 불안
- Risk for injury 신체손상 위험성
- Readiness for enhanced knowledge 지식 향상 가능성

Catatonic schizophrenia 긴장성 정신 분열증

- Impaired verbal communication 언어소통 장애
- Impaired memory 기억장애
- Impaired physical mobility 신체 이동성 장애
- Imbalanced nutrition: less than body requirements 영양불균형: 영양부족
- Social isolation 사회적 고립

Catheterization, urinary 도뇨

- Risk for infection 감염 위험성
- Readiness for enhanced knowledge 지식 향상 가능성

Cavities in teeth 충치

- Impaired dentition 치아상태 불량

Celiac disease 소아 지방변증

- Imbalanced nutrition: less than body requirements 영양불균형: 영양부족
- Diarrhea 설사
- Readiness for enhanced knowledge 지식 향상 가능성

Cellulitis 결합 조직염, 봉소염, 봉와직염

- Acute pain 급성통증
- Ineffective peripheral tissue perfusion 비효율적 말초 조직 관류
- Impaired tissue integrity 조직 통합성 장애
- Risk for vascular trauma 혈관 외상 위험성
- Readiness for enhanced knowledge 지식 향상 가능성

Cellulitis 결합 조직염, 봉소염, 봉와직염

- Acute pain 급성통증
- Impaired skin integrity 피부 통합성 장애

287

- Readiness for enhanced knowledge 지식 향상 가능성

Central line insertion 중추 신경선 삽입

- Risk for infection 감염 위험성
- Risk for vascular trauma 혈관 외상 위험성
- Readiness for enhanced knowledge 지식 향상 가능성

Cerebral aneurysm 뇌동맥류

- Impaired verbal communication 언어소통 장애
- Deficient diversional activity 여가활동 부족
- Impaired physical mobility 신체 이동성 장애
- Imbalanced nutrition: less than body requirements 영양불균형: 영양부족
- Self-care deficit 자가간호결핍
- Impaired social interaction 사회적 상호작용 장애
- Chronic sorrow 만성 비탄
- Risk for falls 낙상 위험성
- Risk for injury 신체손상 위험성
- Risk for impaired parenting 부모 역할 장애 위험성
- Risk for spiritual distress 영적고뇌 위험성

Cerebral perfusion 대뇌관류

- Risk for ineffective cerebral tissue perfusion 비효율적 뇌조직 관류 위험성

Cerebrovascular accident (cva) 뇌졸중

Cva (cerebrovascular accident) 참조

Cervicitis 자궁 경관염

- Ineffective health maintenance 비효율적 건강 유지

- Ineffective sexuality pattern 비효율적 성적 양상
- Risk for infection 감염 위험성

Cesarean delivery 제왕절개분만

- Disturbed body image 신체상 장애
- Interrupted family processes 가족과정 중단
- Fear 두려움
- Impaired physical mobility 신체 이동성 장애
- Acute pain 급성통증
- Ineffective role performance 비효율적 역할 수행
- Situational low self-esteem 상황적 자존감 저하
- Risk for bleeding 출혈 위험성
- Risk for imbalanced fluid volume 체액불균형 위험성
- Risk for infection 감염 위험성
- Urinary retention 소변정체
- Readiness for enhanced childbearing process 출산과정 향상 가능성
- Readiness for enhanced knowledge 지식 향상 가능성

Chemical dependence 화학물질 의존

Alcoholism; drug abuse; cocaine abuse; substance abuse 참조

Chemotherapy 화학 요법

- Death anxiety 죽음불안
- Disturbed body image 신체상 장애
- Fatigue 피로
- Nausea 오심
- Imbalanced nutrition: less than body requirements 영양불균형: 영양부족

- Impaired oral mucous membrane 구강점막 손상
- Ineffective protection 비효율적 방어
- Risk for bleeding 출혈 위험성
- Risk for infection 감염 위험성
- Risk for vascular trauma 혈관 외상 위험성
- Readiness for enhanced knowledge 지식 향상 가능성

Chest pain 가슴통증

- Fear 두려움
- Acute pain 급성통증
- Risk for decreased cardiac tissue perfusion 심장 조직 관류 감소 위험성

Angina; mi (myocardial infaction) 참조

Chest tubes 가슴관

- Ineffective breathing pattern 비효율적 호흡 양상
- Impaired gas exchange 가스교환장애
- Acute pain 급성통증
- Risk for injury 신체손상 위험성

Cheyne-stokes respiration 체인스토크호흡

- Ineffective breathing pattern 비효율적 호흡 양상

Chf (Congestive heart failure) 울혈성 심부전

- Activity intolerance 활동 지속성 장애
- Decreased cardiac output 심박출량 감소
- Constipation 변비
- Fatigue 피로
- Fear 두려움
- Excess fluid volume 체액과다
- Impaired gas exchange 가스교환장애

- Powerlessness 무력감
- Risk for shock 쇼크 위험성
- Readiness for enhanced self-health management 자기건강관리 향상 가능성

Chickenpox 수두

Commucicable disease, child 참조

Child abuse 아동 학대

- Interrupted family processes 가족과정 중단
- Fear 두려움
- Delayed growth and development 성장발달 지연
- Insomnia 불면증
- Imbalanced nutrition: less than body requirements 영양불균형: 영양부족
- Acute pain 급성통증
- Impaired parenting 부모 역할 장애
- Post-trauma syndrome 외상 후 증후군
- Chronic low self-esteem 만성적 자존감 저하
- Impaired skin integrity 피부 통합성 장애
- Social isolation 사회적 고립
- Risk for delayed development 발달지체 위험성
- Risk for disproportionate growth 불균형적 성장 위험성
- Risk for poisoning 중독 위험성
- Risk for suffocation 질식 위험성
- Risk for trauma 외상 위험성

Childbearing problems 출산문제

- Ineffective childbearing process 비효율적 출산과정
- Risk for ineffective childbearing process 비효율적 출산과정 위험성

Child neglect 부모의 태만

Child abuse: failure th thrive, nonorganic 참조

Child with chronic condition 만성조건 아동

- Activity intolerance 활동 지속성 장애
- Decisional conflict 의사결정 갈등
- Parental role conflict 부모역할 갈등
- Compromised family coping 가족의 비효율적 대응
- Disability family coping 가족 대응 불능
- Ineffective coping 비효율적 대응
- Deficient diversional activity 여가활동 부족
- Interrupted family processes 가족과정 중단
- Delayed growth and development 성장발달 지연
- Ineffective health maintenance 비효율적 건강 유지
- Impaired home maintenance 가정유지 장애
- Hopelessness 절망감
- Insomnia 불면증
- Deficient knowledge 지식부족
- Imbalanced nutrition: less than body requirements 영양불균형: 영양부족
- Chronic pain 만성통증
- Powerlessness 무력감
- Chronic low self-esteem 만성적 자존감 저하
- Ineffective sexuality pattern 비효율적 성적 양상
- Impaired social interaction 사회적 상호작용 장애
- Social isolation 사회적 고립
- Chronic sorrow 만성 비탄
- Risk for delayed development 발달지체 위험성
- Risk for disproportionate growth 불균형적 성

장 위험성
- Risk for infection 감염 위험성
- Risk for impaired parenting 부모 역할 장애 위험성
- Readiness for enhanced family coping 가족 대응 향상 가능성

Childbirth 출산

- Readiness for enhanced childbearing process 출산과정 향상 가능성

Labor, normal: postpartum, normal care 참조

Chills 한기

- Hyperthermia 고체온

Chloasma 갈색반점

- Disturbed body image 신체상 장애

Choking or coughing with eating 섭취시 숨가쁨이나 기침

- Impaired swallowing 연하장애
- Risk for aspiration 기도흡인 위험성

Cholecystectomy 담낭 절제

- Imbalanced nutrition: less than body requirements 영양불균형: 영양부족
- Acute pain 급성통증
- Risk for deficient fluid volume 체액부족 위험성
- Readiness for enhanced knowledge 지식 향상 가능성

Chorioamnionitis 융모양막염

- Anxiety 불안
- Grieving 슬픔

- Hyperthermia 고체온
- Situational low self-esteem 상황적 자존감 저하
- Risk for delayed development 발달지체 위험성
- Risk for infection 감염 위험성

Chronic confusion 만성혼돈

Confusion, chronic 참조

Chronic lymphocytic leukemia 만성 림프구성 백혈병

Cancer, chemotherapy; leukemia 참조

Chronic obstructive pulmonary disease (COPD) 만성 폐쇄성 폐질환

Copd (chronic obstructive pulmonary disease) 참조

Chronic pain 만성통증

Pain, chronic 참조

Chronic renal failure 만성신부전

Renal failure 참조

Chvostek's sign 흐보스테크 증상, 안면 신경 현상

Hypocalcemia 참조

Circumcision 포경

- Acute pain 급성통증
- Risk for bleeding 출혈 위험성
- Risk for infection 감염 위험성
- Readiness for enhanced knowledge 지식 향상 가능성

Cirrhosis 간경변

- Chronic confusion 만성혼동
- Defensive coping 방어적 대응
- Fatigue 피로
- Ineffective health maintenance 비효율적 건강 유지
- Nausea 오심
- Imbalanced nutrition: less than body requirements 영양불균형: 영양부족
- Chronic pain 만성통증
- Chronic low self-esteem 만성적 자존감 저하
- Chronic sorrow 만성 비탄
- Risk for bleeding 출혈 위험성
- Risk for injury 신체손상 위험성
- Impaired oral mucous membrane 구강점막 손상
- Impaired skin integrity 피부 통합성 장애

Cleft lip/cleft palate 구개열

- Ineffective airway clearance 비효율적 기도 청결
- Ineffective breastfeeding 비효율적 모유수유
- Impaired verbal communication 언어소통 장애
- Fear 두려움
- Grieving 슬픔
- Ineffective infant feeding pattern 비효율적 영아 수유 양상
- Impaired physical mobility 신체 이동성 장애
- Impaired oral mucous membrane 구강점막 손상
- Acute pain 급성통증
- Impaired skin integrity 피부 통합성 장애
- Chronic sorrow 만성 비탄
- Risk for aspiration 기도흡인 위험성
- Disturbed body image 신체상 장애

- Risk for delayed development 발달지체 위험성
- Risk for deficient fluid volume 체액부족 위험성
- Risk for disproportionate growth 불균형적 성장 위험성
- Risk for infection 감염 위험성
- Readiness for enhanced knowledge 지식 향상 가능성

Clotting disorder 응고장애

- Fear 두려움
- Risk for bleeding 출혈 위험성
- Readiness for enhanced knowledge 지식 향상 가능성

Cocaine abuse 코카인남용

- Ineffective breathing pattern 비효율적 호흡양상
- Chronic confusion 만성혼동
- Ineffective coping 비효율적 대응
- Risk for decreased cardiac tissue perfusion 심장 조직 관류 감소 위험성

Drug abuse; substance abuse 참조

Codependency 공의존

- Caregiver role strain 돌봄제공자 역할 부담감
- Impaired verbal communication 언어소통 장애
- Decisional conflict 의사결정 갈등
- Ineffective coping 비효율적 대응
- Ineffective denial 비효율적 부정
- Powerlessness 무력감

Cold, viral 바이러스성 감기

- Readiness for enhanced comfort 안위 향상 가능성
- Readiness for enhanced knowledge 지식 향상 가능성

Colectomy 결장 절제

- Constipation 변비
- Imbalanced nutrition: less than body requirements 영양불균형: 영양부족
- Acute pain 급성통증
- Risk for infection 감염 위험성
- Readiness for enhanced knowledge 지식 향상 가능성

Abdominal surgery 참조

Colitis 대장염, 결장염

- Diarrhea 설사
- Deficient fluid volume 체액부족
- Acute pain 급성통증
- Readiness for enhanced knowledge 지식 향상 가능성

Crohn's disease; inflammatory bowel disease (child and adult) 참조

Colostomy 결장루설치술

- Disturbed body image 신체상 장애
- Ineffective sexuality pattern 비효율적 성적양상
- Social isolation 사회적 고립
- Risk for constipation 변비 위험성
- Diarrhea 설사
- Risk for impaired skin integrity 피부 통합성 장애 위험성
- Readiness for enhanced knowledge 지식 향상 가능성

Coma 코마, 혼수

- Death anxiety 죽음불안
- Interrupted family processes 가족과정 중단
- Functional urinary incontinence 기능적 요실금
- Self-care deficit 자가간호 결핍
- Ineffective family therapeutic regimen management 비효율적 가족치료 요법 관리
- Risk for aspiration 기도흡인 위험성
- Risk for disuse syndrome 비사용 증후군 위험성
- Risk for injury 신체손상 위험성
- Impaired oral mucous membrane 구강점막 손상
- Risk for impaired skin integrity 피부 통합성 장애 위험성
- Risk for spiritual distress 영적고뇌 위험성

Comfort, loss of 안위상실

- Impaired comfort 안위장애
- Readiness for enhanced comfort 안위 향상 가능성

Communicable disease, childhood (e.G. Measeales, mumpusm rubella, chickenpox, scabies, lice, impetigo) 어린이 전염성 질환

- Impaired comfort 안위장애
- Deficient diversional activity 여가활동 부족
- Ineffective health maintenance 비효율적 건강 유지
- Acute pain 급성통증
- Risk for infection 감염 위험성
- Readiness for enhanced immunization status 면역상태 향상 가능성

Communication 의사소통

- Readiness for enhanced communication 의

사소통 향상 가능성

Communication problems 의사소통 문제

- Impaired verbal communication 언어소통 장애

Community coping 지역사회 대응

- Ineffective community coping 지역사회의 비효율적 대응
- Readiness for enhanced community coping 지역사회 대응 향상 가능성

Community health problems 지역사회 건강 문제

- Deficient community health 지역사회 건강 부족

Compartment syndrome 구획증후군

- Fear 두려움
- Acute pain 급성통증
- Ineffective peripheral tissue perfusion 비효율적 말초 조직 관류

Compulsion 강박

Ocd (obsessive-compulsive disorder) 참조

Confusion, acute 급성혼동

- Acute confusion 급성혼동
- Adult failure to thrive 성인 성장 장애

Confusion, chronic 만성혼동

- Chronic confusion 만성혼동
- Adult failure to thrive 성인 성장 장애
- Impaired memory 기억장애

Confusion, possible 혼동가능성

- Risk for acute confusion 급성혼동 위험성

Congenital heart disease/cardiac anomalies 선천성 심장병/심장이형

- Activity intolerance 활동 지속성 장애
- Ineffective breathing pattern 비효율적 호흡 양상
- Decreased cardiac output 심박출량 감소
- Excess fluid volume 체액과다
- Impaired gas exchange 가스교환장애
- Delayed growth and development 성장발달 지연
- Imbalanced nutrition: less than body requirements 영양불균형: 영양부족
- Risk for delayed development 발달지체 위험성
- Risk for deficient fluid volume 체액부족 위험성
- Risk for disproportionate growth 불균형적 성장 위험성
- Risk for disorganized infant behavior 영아의 비조직적 행위 위험성
- Risk for poisoning 중독 위험성
- Ineffective thermoregulation 비효율적 체온조절

Congestive heart failure 울혈성 심부전

Chf (congestive heart failure) 참조

Conjunctivitis 결막염

- Acute pain 급성통증

Consciousness, altered level of 의식수준 변화

- Acute confusion 급성혼동
- Chronic confusion 만성혼동
- Adult failure to thrive 성인 성장 장애
- Functional urinary incontinence 기능적 요실금

- Impaired memory 기억장애
- Self-care deficit 자가간호결핍
- Risk for aspiration 기도흡인 위험성
- Risk for disuse syndrome 비사용 증후군 위험성
- Impaired oral mucous membrane 구강점막 손상
- Risk for ineffective cerebral tissue perfusion 비효율적 뇌조직 관류 위험성
- Risk for impaired skin integrity 피부 통합성 장애 위험성

Constipation 변비

- Constipation 변비

Constipation, perceived 인지된 변비

- Perceived constipation 상상변비

Constipation, risk for 변비 위험성

- Risk for constipation 변비 위험성

Contamination 오염

- Contamination 오염
- Risk for contamination 오염 위험성

Continent ileostomy (kock pouch) 자제성 회장 조루술(코크 주머니)

- Ineffective coping 비효율적 대응
- Imbalanced nutrition: less than body requirements 영양불균형: 영양부족
- Risk for injury 신체손상 위험성
- Readiness for enhanced knowledge 지식 향상 가능성

Contraceptive method 피임방법

- Decisional conflict 의사결정 갈등
- Ineffective sexuality pattern 비효율적 성적 양상
- Ineffective self – health management 비효율적 자기 건강관리

Convulsion 경련

- Anxiety 불안
- Impaired memory 기억장애
- Risk for aspiration 기도흡인 위험성
- Risk for delayed development 발달지체 위험성
- Risk for injury 신체손상 위험성
- Readiness for enhanced knowledge 지식 향상 가능성

Copd (chronic obstructive pulmonary Disease)만성 폐쇄성 폐질환

- Activity intolerance 활동 지속성 장애
- Ineffective airway clearance 비효율적 기도 청결
- Anxiety 불안
- Death anxiety 죽음불안
- Interrupted family processes 가족과정 중단
- Impaired gas exchange 가스교환장애
- Ineffective self – health management 비효율적 자기 건강관리
- Imbalanced nutrition: less than body requirements 영양불균형: 영양부족
- Powerlessness 무력감
- Self – care deficit 자가간호결핍
- Chronic low self – esteem 만성적 자존감 저하
- Sleep deprivation 수면 박탈
- Impaired social interaction 사회적 상호작용 장애

- Chronic sorrow 만성 비탄
- Risk for infection 감염 위험성
- Readiness for enhanced self – health management 자기건강관리 향상 가능성

Coping 대응

- Readiness for enhanced coping 대응 향상 가능성

Coping problems 대응 문제

- Defensive coping 방어적 대응
- Ineffective coping 비효율적 대응

Corneal reflex, absent 각막반사 결여

- Risk for injury 신체손상 위험성

Corneal transplant 각막 이식

- Risk for infection 감염 위험성
- Readiness for enhanced self – health management 자기건강관리 향상 가능성

Coronary artery bypass grafting (cabg) 관상동맥 우회로조성술

- Decreased cardiac output 심박출량 감소
- Fear 두려움
- Deficient fluid volume 체액부족
- Acute pain 급성통증
- Risk for perioperative positioning injury 수술 중 체위 관련 손상 위험성
- Readiness for enhanced knowledge 지식 향상 가능성

Cough, ineffective 비효율적 기침

- Ineffective airway clearance 비효율적 기도 청결

Bronchitis; copd (chronic obstructive pulmonary disease); pulmonary edema 참조

Crack baby 임신 중 코카인 남용으로 인한 선천성 기형아

- Disorganized infant behavior 영아의 비조직적 행위
- Risk for impaired attachment 애착장애 위험성
- Risk for disturbed maternal – fetal dyad 모아 관계 형성 장애 위험성

Crackles in lungs, coarse

- Ineffective airway clearance 비효율적 기도 청결

Crackles in lungs, fine

- Ineffective breathing pattern 비효율적 호흡 양상

Craniectomy/craniotomy 두개골절제술/두개수술

- Adult failure to thrive 성인 성장 장애
- Fear 두려움
- Decreases intracranial adaptive capacity 두개 내압 적응력 감소
- Impaired memory 기억장애
- Acute pain 급성통증
- Risk for injury 신체손상 위험성
- Risk for ineffective cerebral tissue perfusion 비효율적 뇌조직 관류 위험성

Coma 참조

Crepitation, subcutaneous 피하 염발음, 삐걱삐걱 소리

Pneumothorax 참조

Crisis 위기

- Anxiety 불안
- Death anxiety 죽음불안
- Compromised family coping 가족의 비효율적 대응
- Ineffective coping 비효율적 대응
- Disturbed energy field 에너지장 교류 장애
- Fear 두려움
- Grieving 슬픔
- Impaired individual resilience 개인 적응력 장애
- Situational low self – esteem 상황적 자존감 저하
- Stress overload 과잉 스트레스
- Risk for spiritual distress 영적고뇌 위험성

Crohn's disease 크론병

- Anxiety 불안
- Ineffective coping 비효율적 대응
- Diarrhea 설사
- Ineffective health maintenance 비효율적 건강 유지
- Imbalanced nutrition: less than body re-quirements 영양불균형: 영양부족
- Acute pain 급성통증
- Powerlessness 무력감
- Risk for deficient fluid volume 체액부족 위험성

Croup 크루프, 가막성 후두염

Respiratory infection, acute childhood 참조

Cushing's syndrome 쿠싱 증후군

- Activity intolerance 활동 지속성 장애
- Disturbed body image 신체상 장애

- Excess fluid volume 체액과다
- Sexual dysfunction 성기능 장애
- Impaired skin integrity 피부 통합성 장애
- Risk for infection 감염 위험성
- Risk for injury 신체손상 위험성
- Readiness for enhanced knowledge 지식 향상 가능성

Cva (cerebrovascular accident) 뇌졸중

- Anxiety 불안
- Disturbed body image 신체상 장애
- Caregiver role strain 돌봄제공자 역할 부담감
- Impaired verbal communication 언어소통 장애
- Chronic confusion 만성혼동
- Constipation 변비
- Ineffective coping 비효율적 대응
- Adult failure to thrive 성인 성장 장애
- Interrupted family processes 가족과정 중단
- Grieving 슬픔
- Impaired home maintenance 가정유지 장애
- Functional urinary incontinence 기능적 요실금
- Reflex urinary incontinence 신경인성(반사성) 요실금
- Impaired memory 기억장애
- Impaired physical mobility 신체 이동성 장애
- Unilateral neglect 편측성 지각 장애
- Self-care deficit 자가간호결핍
- Impaired social interaction 사회적 상호작용 장애
- Impaired swallowing 연하장애
- Impaired transfer ability 이동능력 장애
- Impaired walking 보행 장애
- Risk for aspiration 기도흡인 위험성
- Risk for disuse syndrome 비사용 증후군 위험성

- Risk for falls 낙상 위험성
- Risk for injury 신체손상 위험성
- Risk for ineffective cerebral tissue perfusion 비효율적 뇌조직 관류 위험성
- Risk for impaired skin integrity 피부 통합성 장애 위험성
- Readiness for enhanced knowledge 지식 향상 가능성

Cyanosis, central with cyanosis of oral Mucous membranes 청색증

- Ineffective peripheral tissue perfusion 비효율적 말초 조직 관류

Cystic fibrosis 낭포성 섬유증

- Activity intolerance 활동 지속성 장애
- Ineffective airway clearance 비효율적 기도청결
- Anxiety 불안
- Disturbed body image 신체상 장애
- Impaired gas exchange 가스교환장애
- Impaired home maintenance 가정유지 장애
- Imbalanced nutrition: less than body requirements 영양불균형: 영양부족
- Chronic sorrow 만성 비탄
- Caregiver role strain 돌봄제공자 역할 부담감
- Risk for deficient fluid volume 체액부족 위험성
- Risk for infection 감염 위험성
- Risk for spiritual distress 영적고뇌 위험성

Cystitis 방광염

- Acute pain 급성통증
- Impaired urinary elimination 배뇨장애

- Urge urinary incontinence 절박성(긴박성) 요
  실금
- Readiness for enhanced knowledge   지식
  향상 가능성

Cystocele 방광류, 방광 헤르니아

- Stress urinary incontinence 복압성 요실금
- Readiness for enhanced knowledge 지식 향
  상 가능성

Cystoscopy 방광경 검사

- Urinary retention 소변정체
- Risk for infection 감염 위험성
- Readiness for enhanced knowledge 지식 향
  상 가능성

D

Deafness 난청, 귀머거리

- Impaired verbal communication 언어소통 장애
- Risk for delayed development 발달지체 위험성
- Risk for injury 신체손상 위험성

Death 죽음

- Risk for sudden infant death syndrome 영아 돌연사 증후군 위험성

Death, oncoming 다가오는 죽음

- Death anxiety 죽음불안
- Compromised family coping 가족의 비효율적 대응
- Ineffective coping 비효율적 대응
- Fear 두려움
- Grieving 슬픔
- Powerlessness 무력감
- Social isolation 사회적 고립
- Spiritual distress 영적 고뇌
- Readiness for enhanced spiritual well-being 영적 안녕증진 가능성

Decisions, difficulty making 의사결정곤란

- Decisional conflict 의사결정 갈등
- Readiness for enhanced decision-making 의사결정 향상 가능성

Decubitus ulcer 욕창

Pressure ulcer 참조

Deep vein thrombosis (dvt) 심정맥 혈전증

Dvt (deep vein thrombosis) 참조

Defensive behavior 방어 행동

- Defensive coping 방어적 대응
- Ineffective denial 비효율적 부정

Dehiscence, abdominal 복부 열개

- Fear 두려움
- Acute pain 급성통증
- Impaired skin integrity 피부 통합성 장애
- Delayed surgical recovery 수술 후 회복 지연
- Impaired tissue integrity 조직 통합성 장애
- Risk for deficient fluid volume 체액부족 위험성
- Risk for infection 감염 위험성

Dehydration 탈수

- Deficient fluid volume 체액부족
- Impaired oral mucous membrane 구강점막 손상
- Readiness for enhanced knowledge 지식 향상 가능성

Delirium 섬망

- Acute confusion 급성혼동
- Adult failure to thrive 성인 성장 장애
- Impaired memory 기억장애
- Sleep deprivation 수면 박탈
- Risk for injury 신체손상 위험성

Delivery 분만, 출산

Labor, normal 참조

Delusions 망상

- Impaired verbal communication 언어소통 장애
- Acute confusion 급성혼동
- Ineffective coping 비효율적 대응

- Adult failure to thrive 성인 성장 장애
- Fear 두려움
- Risk for other–directed violence 타인지향 폭력 위험성
- Risk for self–directed violence 본인지향 폭력 위험성

Dementia 치매

- Chronic confusion 만성혼동
- Impaired environmental interpretation syn–drome 환경 해석 장애 증후군
- Adult failure to thrive 성인 성장 장애
- Interrupted family processes 가족과정 중단
- Impaired home maintenance 가정유지 장애
- Functional urinary incontinence 기능적 요실금
- Insomnia 불면증
- Impaired physical mobility 신체 이동성 장애
- Self–neglect 자기무시
- Imbalanced nutrition: less than body re–quirements 영양불균형: 영양부족
- Self–care deficit 자가간호결핍
- Impaired swallowing 연하장애
- Chronic sorrow 만성 비탄
- Caregiver role strain 돌봄제공자 역할 부담감
- Risk for falls 낙상 위험성
- Risk for injury 신체손상 위험성
- Risk for impaired skin integrity 피부 통합성 장애 위험성

Denial of health status 건강상태 부정

- Ineffective denial 비효율적 부정
- Ineffective self–health management 비효율적 자기 건강관리

Dental caries 치아 부식증

- Impaired dentition 치아상태 불량
- Ineffective self–health management 비효율적 자기 건강관리

Depression (major depressive disorder) 우울(주요우울장애)

- Death anxiety 죽음불안
- Constipation 변비
- Disturbed energy field 에너지장 교류 장애
- Adult failure to thrive 성인 성장 장애
- Fatigue 피로
- Ineffective health maintenance 비효율적 건강 유지
- Hopelessness 절망감
- Insomnia 불면증
- Self–neglect 자기무시
- Powerlessness 무력감
- Chronic low self–esteem 만성적 자존감 저하
- Sexual dysfunction 성기능 장애
- Social isolation 사회적 고립
- Chronic sorrow 만성 비탄
- Risk for complicated grieving 복합적 슬픔 위험성
- Risk for suicide 자살 위험성

Dermatitis 피부염

- Anxiety 불안
- Impaired comfort 안위장애
- Impaired skin integrity 피부 통합성 장애
- Readiness for enhanced knowledge 지식 향상 가능성

Despondency 낙심

- Hopelessness 절망감

Depression (major depressive disorder) 참조

Destructive behavior toward others 타인지향 파괴 행동

- Risk – prone health behavior 위험성향 건강 행동
- Ineffective coping 비효율적 대응
- Risk for other – directed violence 타인지향 폭력 위험성

Developmental concerns 발달관련

- Delayed growth and development 성장발달 지연
- Risk for delayed development 발달지체 위험성

Diabetes in pregnancy 임신중 당뇨

Gestational diabetes (diabetes in pregnancy) 참조

Diabetes insipidus 당뇨성 요붕증

- Adult failure to thrive 성인 성장 장애
- Ineffective health maintenance 비효율적 건강 유지
- Ineffective self – health management 비효율적 자기 건강관리
- Imbalanced nutrition: less than body re-quirements 영양불균형: 영양부족
- Imbalanced nutrition: more than body re-quirements 영양불균형: 영양과다
- Ineffective peripheral tissue perfusion 비효율적 말초 조직 관류
- Powerlessness 무력감
- Sexual dysfunction 성기능 장애
- Risk for unstable blood glucose level 불안정한 혈당수치 위험성
- Risk for infection 감염 위험성
- Risk for injury 신체손상 위험성
- Dysfunctional gastrointestinal mobility 위장관 운동 기능장애
- Impaired skin integrity 피부 통합성 장애
- Readiness for enhanced self–health man-agement 자기건강관리 향상 가능성
- Readiness for enhanced knowledge 지식 향상 가능성

Hyperglycemia; hypoglycemia 참조

Diabetes mellitus, juvenile (iddm type ⅰ) 연소자형 당뇨병

- Risk – prone health behavior 위험성향 건강 행동
- Disturbed body image 신체상 장애
- Impaired comfort 안위장애
- Ineffective health maintenance 비효율적 건강 유지
- Imbalanced nutrition: less than body re-quirements 영양불균형: 영양부족
- Readiness for enhanced knowledge 지식 향상 가능성

Diabetic coma 당뇨혼수

- Acute confusion 급성혼동
- Deficient fluid volume 체액부족
- Ineffective self – health management 비효율적 자기 건강관리
- Risk for unstable blood glucose level 불안정한 혈당수치 위험성
- Risk for infection 감염 위험성

Diabetes mellitus 참조

Diabetic ketoacidosis 당뇨병 케톤산증

Ketoacidosis, diabetic 참조

Diabetic retinopathy 당뇨병성 망막증

- Grieving 슬픔
- Ineffective health maintenance 비효율적 건강 유지

Dialysis 투석

Hemodialysis ; peritoneal dialysis 참조

Diaphragmatic hernia 횡격막탈장

Hiatal hernia 참조

Diarrhea 설사

- Diarrhea 설사
- Deficient fluid volume 체액부족
- Risk for electrolyte imbalance 전해질 불균형 위험성

Dic (disseminated intravascular coagulation)산재성 혈관내응고

- Fear 두려움
- Deficient fluid volume 체액부족
- Risk for bleeding 출혈 위험성
- Risk for ineffective gastrointestinal perfusion 비효율적 위장 관류 위험성

Digitalis toxicity 디기탈리스 독성

- Decreased cardiac output 심박출량 감소
- Ineffective self-health management 비효율적 자기 건강관리

Dignity, loss of 존엄성 상실

- Risk for compromised human dignity 인간 존

엄성 손상 위험성

Dilation and curettage (d&c) 소파술

- Acute pain 급성통증
- Risk for bleeding 출혈 위험성
- Risk for infection 감염 위험성
- Ineffective sexuality pattern 비효율적 성적 양상
- Readiness for enhanced knowledge 지식 향상 가능성

Dirty body (for prolonged period) 불결한 신체

- Self-neglect 자기무시

Discharge planning 퇴원계획

- Impaired home maintenance 가정유지 장애
- Deficient knowledge 지식부족
- Readiness for enhanced knowledge 지식 향상 가능성

Discomforts of pregnancy 임신중 불편감

- Disturbed body image 신체상 장애
- Impaired comfort 안위장애
- Fatigue 피로
- Stress urinary incontinence 복압성 요실금
- Insomnia 불면증
- Nausea 오심
- Acute pain 급성통증
- Risk for constipation 변비 위험성
- Risk for injury 신체손상 위험성

Dislocation of joint 관절탈구

- Acute pain 급성통증
- Self-care deficit 자가간호결핍
- Risk for injury 신체손상 위험성

Dissecting aneurysm 동맥류 절단

- Fear 두려움

Abdominal surgery; aneurysm,

Abdominal surgery 참조

Disseminated intravascular coagulation (dic) 산재성 혈관내응고

Dic (disseminated intravascular coagulation) 참조

Dissociative identity disorder (not otherwise specified) 다중 인격 장애

- Anxiety 불안
- Ineffective coping 비효율적 대응
- Disturbed personal identity 자아정체성 장애
- Impaired memory 기억장애

Multiple personality disorder (dissociative iden-tity disorder) 참조

Distress 고통

- Anxiety 불안
- Death anxiety 죽음불안
- Disturbed energy field 에너지장 교류 장애

Disuse syndrome, potential to develop 잠재성 비사용 증후군

- Risk for disuse syndrome 비사용 증후군 위험성

Diversional activity, lack of 여가활동부족

- Deficient diversional activity 여가활동 부족

Diverticulitis 게실염

- Constipation 변비
- Diarrhea 설사

- Deficient knowledge 지식부족
- Imbalanced nutrition: less than body re-quirements 영양불균형: 영양부족
- Acute pain 급성통증
- Risk for deficient fluid volume 체액부족 위험성

Dizziness 현기증

- Decreased cardiac output 심박출량 감소
- Deficient knowledge 지식부족
- Impaired physical mobility 신체 이동성 장애
- Risk for falls 낙상 위험성
- Risk for ineffective cerebral tissue perfusion 비효율적 뇌조직 관류 위험성

Domestic violence 가정 내 폭력

- Impaired verbal communication 언어소통 장애
- Compromised family coping 가족의 비효율적 대응
- Defensive coping 방어적 대응
- Dysfunctional family processes 가족과정 기능 장애
- Fear 두려움
- Insomnia 불면증
- Post-trauma syndrome 외상 후 증후군
- Powerlessness 무력감
- Situational low self-esteem 상황적 자존감 저하
- Risk for compromised resilience 적응력 저하 위험성
- Risk for other-directed violence 타인지향 폭력 위험성

Down syndrome 다운증후군

Child with chronic condition; mental retardation 참조

303

Dress self (inability to) 옷입기 불능

- Dressing self-care 옷 입기 자가간호 결핍

Dribbling of urine 소변 똑똑 떨어짐

- Overflow urinary incontinence 익류성 요실금
- Stress urinary incontinence 복압성 요실금

Dropout from school 중퇴

- Impaired individual resilience 개인 적응력 장애

Drug abuse 약물 남용

- Anxiety 불안
- Risk-prone health behavior 위험성향 건강 행동
- Ineffective coping 비효율적 대응
- Ineffective denial 비효율적 부정
- Insomnia 불면증
- Imbalanced nutrition: less than body requirements 영양불균형: 영양부족
- Powerlessness 무력감
- Impaired individual resilience 개인 적응력 장애
- Sexual dysfunction 성기능 장애
- Sleep deprivation 수면 박탈
- Impaired social interaction 사회적 상호작용 장애
- Spiritual distress 영적 고뇌
- Risk for injury 신체손상 위험성
- Risk for other-directed violence 타인지향 폭력 위험성

Cocaine abuse; substance abuse 참조

Drug withdrawal 투약종료

- Anxiety 불안
- Acute confusion 급성혼동

- Ineffective coping 비효율적 대응
- Insomnia 불면증
- Imbalanced nutrition: less than body requirements 영양불균형: 영양부족
- Risk for other-directed violence 타인지향 폭력 위험성
- Risk for self-directed violence 본인지향 폭력 위험성

Dry eye 건성 각막염

- Risk for dry eye 안구 건조 위험성
- Readiness for enhanced knowledge 지식 향상 가능성

Conjunctivitis; keratoconjunctivitis sicca 참조

Dt (delirium tremens) 진전 섬망

Alcohol withdrawal 참조

Dvt (deep vein thrombosis) 심정맥 혈전증

- Constipation 변비
- Impaired physical mobility 신체 이동성 장애
- Acute pain 급성통증
- Ineffective peripheral tissue perfusion 비효율적 말초 조직 관류
- Delayed surgical recovery 수술 후 회복 지연
- Readiness for enhanced knowledge 지식 향상 가능성

Anticoagulant therapy 참조

Dysfunctional eating pattern 섭식양상 기능장애

- Imbalanced nutrition: less than body requirements 영양불균형: 영양부족
- Imbalanced nutrition: more than body requirements 영양불균형: 영양과다
- Anorexia nervosa; bulimia; maturational

Issues; adolescent; obesity 참조

Dysfunctional ventilatory weaning 환기장치 제거 기능장애

- Dysfunctional ventilatory weaning response 호흡기 제거에 대한 부적응

Dysmenorrhea 월경 곤란A

- Nausea 오심
- Acute pain 급성통증
- Readiness for enhanced knowledge 지식 향상 가능성

Dyspareunia 성교 불쾌증

- Sexual dysfunction 성기능 장애

Dyspepsia 소화 불량

- Anxiety 불안
- Acute pain 급성통증
- Readiness for enhanced knowledge 지식 향상 가능성

Dysphagia 연하 곤란

- Impaired swallowing 연하장애
- Risk for aspiration 기도흡인 위험성
- Impaired verbal communication 언어소통 장애
- Impaired social interaction 사회적 상호작용 장애

Dyspnea 호흡 곤란

- Activity intolerance 활동 지속성 장애
- Ineffective breathing pattern 비효율적 호흡 양상
- Fear 두려움
- Impaired gas exchange 가스교환장애

- Insomnia 불면증
- Sleep deprivation 수면 박탈

Dysrhhythmia 리듬 장애

- Activity intolerance 활동 지속성 장애
- Decreased cardiac output 심박출량 감소
- Fear 두려움
- Risk for ineffective cerebral tissue perfusion 비효율적 뇌조직 관류 위험성
- Readiness for enhanced knowledge 지식 향상 가능성

Dysthymic disorder 정서장애

- Ineffective coping 비효율적 대응
- Ineffective health maintenance 비효율적 건강 유지
- Insomnia 불면증
- Chronic low self-esteem 만성적 자존감 저하
- Ineffective sexuality pattern 비효율적 성적 양상
- Social isolation 사회적 고립

Depression 참조

Dystocia 이상 분만, 난산

- Anxiety 불안
- Ineffective coping 비효율적 대응
- Fatigue 피로
- Grieving 슬픔
- Acute pain 급성통증
- Powerlessness 무력감
- Risk for bleeding 출혈 위험성
- Risk for delayed development 발달지체 위험성
- Risk for disproportionate growth 불균형적 성장 위험성

305

- Risk for infection 감염 위험성
- Risk for ineffective cerebral tissue perfusion 비효율적 뇌조직 관류 위험성
- Impaired tissue integrity 조직 통합성 장애

Dysuria 배뇨 장애

- Impaired urinary elimination 배뇨장애
- Risk for urge urinary incontinence 절박성(긴박성) 요실금 위험성

E

Earache 귀앓이, 이통

- Acute pain 급성통증
- Ecmo (extracorporeal membrane oxygenator) 체외막 산소호흡기
- Death anxiety 죽음불안
- Decreased cardiac output 심박출량 감소
- Impaired gas exchange 가스교환장애

E. Coli infection 대장균 감염

- Fear 두려움
- Deficient knowledge 지식부족

Ear surgery 귀수술

- Acute pain 급성통증
- Risk for delayed development 발달지체 위험성
- Risk for falls 낙상 위험성
- Readiness for enhanced knowledge 지식 향상 가능성

Eclampsia 경련, 자간

- Interrupted family processes 가족과정 중단
- Fear 두려움
- Risk for aspiration 기도흡인 위험성
- Risk for delayed development 발달지체 위험성
- Excess fluid volume 체액과다
- Risk for disproportionate growth 불균형적 성장 위험성
- Risk for ineffective cerebral tissue perfusion 비효율적 뇌조직 관류 위험성

Ect (electroconvulsive therapy) 전기 경련 요법

- Decisional conflict 의사결정 갈등

- Fear 두려움
- Impaired memory 기억장애
- Depression 참조

Ectopic pregnancy 자궁외 임신

- Death anxiety 죽음불안
- Disturbed body image 신체상 장애
- Fear 두려움
- Acute pain 급성통증
- Ineffective role performance 비효율적 역할 수행
- Situational low self-esteem 상황적 자존감 저하
- Chronic sorrow 만성 비탄
- Risk for bleeding 출혈 위험성
- Ineffective community coping 지역사회의 비효율적 대응
- Interrupted family processes 가족과정 중단
- Risk for infection 감염 위험성
- Risk for spiritual distress 영적고뇌 위험성

Eczema 습진

- Disturbed body image 신체상 장애
- Impaired comfort 안위장애
- Impaired skin integrity 피부 통합성 장애
- Readiness for enhanced knowledge 지식 향상 가능성

Edema 부종

- Excess fluid volume 체액과다
- Ineffective health maintenance 비효율적 건강 유지
- Risk for impaired skin integrity 피부 통합성 장애 위험성

Elder abuse 노인 학대

Abuse, spouse, parent, or significant other 참조

Elderly

Aging 참조

Electroconvulsive therapy (ect) 전기 경련 요법

- Risk for electrolyte imbalance 전해질 불균형 위험성

Embolectomy 색전절제

- Fear 두려움
- Ineffective peripheral tissue perfusion 비효율적 말초 조직 관류
- Risk for bleeding 출혈 위험성

Emboli 색전

Pulmonary embolism 참조

Embolism in leg or arm 팔, 다리 색전증

- Ineffective peripheral tissue perfusion 비효율적 말초 조직 관류

Emesis 구토

- Nausea 오심

Empathy 감정 이입

- Readiness for enhanced community coping 지역사회 대응 향상 가능성
- Readiness for enhanced family coping 가족 대응 향상 가능성
- Readiness for enhanced spiritual well-being 영적 안녕증진 가능성

Emphysema 폐기종

Copd (chronic obstructive pulmonary disease) 참조

Emptiness 공허감

- Social isolation 사회적 고립
- Chronic sorrow 만성 비탄
- Spiritual distress 영적 고뇌

Endocarditis 심내막염

- Activity intolerance 활동 지속성 장애
- Decreased cardiac output 심박출량 감소
- Imbalanced nutrition : less than body requirements 영양불균형 : 영양부족
- Risk for ineffective cerebral tissue perfusion 비효율적 뇌조직 관류 위험성
- Risk for ineffective peripheral tissue perfusion 비효율적 말초조직 관류 위험성
- Readiness for enhanced knowledge 지식 향상 가능성

Endometriosis 자궁내막증

- Grieving 슬픔
- Nausea 오심
- Acute pain 급성통증
- Sexual dysfunction 성기능 장애
- Readiness for enhanced knowledge 지식 향상 가능성

Enuresis 유뇨증

- Ineffective self-health management 비효율적 자기 건강관리

Toilet training 참조

Epididymitis 부고환염

- Anxiety 불안

- Acute pain 급성통증
- Ineffective sexuality pattern 비효율적 성적 양상
- Readiness for enhanced knowledge 지식 향 상 가능성

Epilepsy 간질

- Anxiety 불안
- Ineffective self-health management 비효율 적 자기 건강관리
- Impaired memory 기억장애
- Risk for aspiration 기도흡인 위험성
- Risk for delayed development 발달지체 위험 성
- Risk for injury 신체손상 위험성
- Readiness for enhanced knowledge 지식 향 상 가능성

Episiotomy 회음 절개술

- Anxiety 불안
- Disturbed body image 신체상 장애
- Impaired physical mobility 신체 이동성 장애
- Acute pain 급성통증
- Sexual dysfunction 성기능 장애
- Impaired skin integrity 피부 통합성 장애
- Risk for infection 감염 위험성

Epistaxis 비 출혈

- Fear 두려움
- Risk for deficient fluid volume 체액부족 위 험성

Erectile dysfunction (ed) 발기 부전

- Situational low self-esteem 상황적 자존감 저하

- Sexual dysfunction 성기능 장애
- Readiness for enhanced knowledge 지식 향 상 가능성
- Impotence 참조

Esophageal varices 식도정맥류

- Fear 두려움
- Risk for bleeding 출혈 위험성

Cirrhosis 참조

Esophagitis 식도염

- Acute pain 급성통증
- Readiness for enhanced knowledge 지식 향 상 가능성

Evisceration 내장 적출

Dehiscence, abdominal 참조

Exhaustion 소진

- Impaired individual resilience 개인 적응력 장애
- Disturbed sleep pattern 수면 양상 장애

Exposure to hot or cold environment 냉온 환경 노출

- Hyperthermia 고체온
- Hypothermia 저체온

External fixation 외부고정

- Disturbed body image 신체상 장애
- Risk for infection 감염 위험성

Fracture 참조

Extracorporeal membrane oxygenator (Ecmo) 체외막 산소흡기

Ecmo (extracorporeal membrane oxygenator)
참조

Eye discomfort 안구 불편감

- Risk for dry eye 안구 건조 위험성

Eye surgery 눈수술

- Anxiety 불안
- Self – care deficit 자가간호 결핍
- Risk for injury 신체손상 위험성
- Readiness for enhanced knowledge 지식 향
  상 가능성

F

Failure to thrive, adult 성인 성장 장애

- Adult failure to thrive 성인 성장 장애

Failure to thrive, child 아동 성장 장애

- Delayed growth and development 성장발달 지연
- Disorganized infant behavior 영아의 비조직적 행위
- Insomnia 불면증
- Imbalanced nutrition: less than body requirements 영양불균형: 영양부족
- Impaired parenting 부모 역할 장애
- Chronic low self-esteem 만성적 자존감 저하
- Social isolation 사회적 고립
- Risk for impaired attachment 애착장애 위험성
- Risk for delayed development 발달지체 위험성
- Risk for disproportionate growth 불균형적 성장 위험성

Falls, risk for 낙상 위험성

- Risk for falls 낙상 위험성

Family problems 가족 문제

- Compromised family coping 가족의 비효율적 대응
- Disability family coping 가족 대응 불능
- Interrupted family processes 가족과정 중단
- Ineffective family therapeutic regimen management 비효율적 가족치료 요법 관리
- Readiness for enhanced family coping 가족 대응 향상 가능성

Family process 가족 과정

- Dysfunctional family processes 가족과정 기능 장애
- Interrupted family processes 가족과정 중단
- Readiness for enhanced family coping 가족 대응 향상 가능성
- Readiness for enhanced relationship 관계 향상 가능성

Fatigue 피로

- Disturbed energy field 에너지장 교류 장애

Fear 두려움

- Death anxiety 죽음불안
- Fear 두려움

Febrile seizures 열성 경련

Seizure disorders, childhood 참조

Fecal impaction 분변매복

Impaction of stool 참조

Fecal incontinence 대변실금

- Bowel incontinence 변실금

Feeding problems, newborn 신생아 수유문제

- Ineffective breastfeeding 비효율적 모유수유
- Insufficient breast milk 불충분한 모유
- Ineffective infant feeding pattern 비효율적 영아 수유 양상
- Impaired swallowing 연하장애
- Risk for delayed development 발달지체 위험성
- Risk for deficient fluid volume 체액부족 위험성
- Risk for disproportionate growth 불균형적 성장 위험성

Femoral popliteal bypass 대퇴슬와 우회술

- Anxiety 불안
- Acute pain 급성통증
- Ineffective peripheral tissue perfusion 비효율적 말초 조직 관류
- Risk for bleeding 출혈 위험성
- Risk for infection 감염 위험성

Fetal distress/nonreassuring fetal heart rate pattern 태아 고통

- Fear 두려움
- Ineffective peripheral tissue perfusion 비효율적 말초 조직 관류

Fever 열

- Ineffective thermoregulation 비효율적 체온 조절

Fibrocystic breast disease 섬유 낭포성 유방질환

Breast lumps 참조

Filthy home environment 불결한 가정 환경

- Impaired home maintenance 가정유지 장애
- Self – neglect 자기무시

Financial crisis in the home environment 가정내 경제 위기

- Impaired home maintenance 가정유지 장애

Flail chest 동요가슴

- Ineffective breathing pattern 비효율적 호흡 양상
- Fear 두려움
- Impaired gas exchange 가스교환장애
- Impaired spontaneous ventilation 자발적 환기 장애

Flat affect 변동 없는 정서

- Adult failure to thrive 성인 성장 장애
- Hopelessness 절망감
- Risk for loneliness 외로움 위험성

Depression 참조

Fluid balance 체액 균형

- Readiness for enhanced fluid balance 체액 균형 향상 가능성

Fluid volume deficit 체액부족

- Deficient fluid volume 체액부족
- Risk for shock 쇼크 위험성

Fluid volume excess 체액과다

- Excess fluid volume 체액과다

Fluid volume imbalance, risk for 체액불균형 위험성

- Risk for imbalanced fluid volume 체액불균형 위험성

Food allergies 음식 알레르기

- Diarrhea 설사
- Risk for allergy response 알레르기 반응 위험성
- Readiness for enhanced knowledge 지식 향상 가능성

Anaphylactic shock 참조

Foodborne illness 음식성 질환

- Diarrhea 설사
- Deficient fluid volume 체액부족

- Deficient knowledge 지식부족
- Nausea 오심
- Risk for dysfunctional gastrointestinal mobility 위장관 운동 기능장애 위험성

Food intolerance 음식 과민증

- Risk for dysfunctional gastrointestinal mobility 위장관 운동 기능장애 위험성

Foreign body aspiration 이물질 질식

- Ineffective airway clearance 비효율적 기도 청결
- Ineffective health maintenance 비효율적 건강 유지
- Risk for suffocation 질식 위험성

Formula feeding of infant 영아 인공영양

- Grieving 슬픔
- Constipation 변비
- Risk for infection 감염 위험성
- Readiness for enhanced knowledge 지식 향상 가능성

Fracture 골절

- Deficient diversional activity 여가활동 부족
- Impaired physical mobility 신체 이동성 장애
- Acute pain 급성통증
- Impaired walking 보행 장애
- Risk for ineffective peripheral tissue perfusion 비효율적 말초조직 관류 위험성
- Risk for peripheral neurovascular dysfunction 말초신경혈관 기능 장애 위험성
- Risk for impaired skin integrity 피부 통합성 장애 위험성
- Readiness for enhanced knowledge 지식 향

상 가능성

Frequency of Urination 빈뇨

- Stress urinary incontinence 복압성 요실금
- Urge urinary incontinence 절박성(긴박성) 요실금
- Urinary retention 소변정체
- Impaired urinary elimination 배뇨장애

Friendship 우정

- Readiness for enhanced relationship 관계 향상 가능성

Frostbite 동상

- Acute pain 급성통증
- Ineffective peripheral tissue perfusion 비효율적 말초 조직 관류
- Impaired tissue integrity 조직 통합성 장애

Hypothermia 참조

Frothy sputum 거품 객담

Chf (congestive heart failure) 참조

Fusion, lumbar 요추 융합

- Anxiety 불안
- Impaired physical mobility 신체 이동성 장애
- Acute pain 급성통증
- Risk for injury 신체손상 위험성
- Risk for perioperative positioning injury 수술 중 체위 관련 손상 위험성
- Readiness for enhanced knowledge 지식 향상 가능성

G

Gag reflex, depressed or absent 구역질반사 저하 또는 결여

- Impaired swallowing 연하장애
- Risk for aspiration 기도흡인 위험성

Gallop rhythm 분마성 리듬

- Decreased cardiac output 심박출량 감소

Gallstones 담석

Cholelibiasis 참조

Gang member 폭력단

- Impaired individual resilience 개인 적응력 장애

Gangrene 괴저

- Fear 두려움
- Ineffective peripheral tissue perfusion 비효율적 말초 조직 관류

Gas exchange, impaired 가스교환장애

- Impaired gas exchange 가스교환장애

Gastric ulcer 위궤양

Gi bleed (gastrointestinal bleeding); ulcer, peptic (duodenal or gastric) 참조

Gastritis 위염

- Imbalanced nutrition: less than body requirements 영양불균형: 영양부족
- Acute pain 급성통증
- Risk for deficient fluid volume 체액부족 위험성

Gastroenteritis 위장염

- Diarrhea 설사
- Deficient fluid volume 체액부족
- Nausea 오심
- Imbalanced nutrition: less than body requirements 영양불균형: 영양부족
- Acute pain 급성통증
- Risk for electrolyte imbalance 전해질 불균형 위험성
- Readiness for enhanced knowledge 지식 향상 가능성

Gastroenteritis, child 참조

Gastroenteritis, child 어린이 위장염

- Impaired skin integrity 피부 통합성 장애
- Readiness for enhanced knowledge 지식 향상 가능성

Gastroenteritis: hospitalized child 참조

Gastroesophageal reflux 위식도역류

- Ineffective airway clearance 비효율적 기도 청결
- Anxiety 불안
- Deficient fluid volume 체액부족
- Imbalanced nutrition: less than body requirements 영양불균형: 영양부족
- Risk for aspiration 기도흡인 위험성
- Risk for impaired parenting 부모 역할 장애 위험성
- Readiness for enhanced knowledge 지식 향상 가능성

Gastrointestinal bleeding (gi bleed) 위장관출혈

Gi bleed (gastrointestinal bleeding) 참조

Gastrointestinal hemorrhage 위장관출혈

Gi bleed (gastrointestinal bleeding) 참조

Gastrointestinal surgery 위장관 수술

- Risk for injury 신체손상 위험성
- Risk for ineffective gastrointestinal perfusion 비효율적 위장 관류 위험

Abdominal surgery 참조

Gastroschisis/omphalocele 복벽개열증 / 배꼽탈장

- Ineffective airway clearance 비효율적 기도 청결
- Impaired gas exchange 가스교환장애
- Grieving 슬픔
- Risk for deficient fluid volume 체액부족 위험성
- Risk for infection 감염 위험성
- Risk for injury 신체손상 위험성

Gastrostomy 위루술

- Risk for impaired skin integrity 피부 통합성 장애 위험성

Geatational diabetes (diabetes in pregnancy) 임신성 당뇨

- Anxiety 불안
- Imbalanced nutrition: less than body requirements 영양불균형: 영양부족
- Risk for delayed development 발달지체 위험성
- Risk for disproportionate growth 불균형적 성장 위험성
- Risk for disturbed maternal – fetal dyad 모아 관계 형성 장애 위험성

- Impaired tissue integrity 조직 통합성 장애
- Risk for unstable blood glucose level 불안정한 혈당수치 위험성
- Readiness for enhanced knowledge 지식 향상 가능성

Diabetes mellitus 참조

Gi bleed (gastro intestinal bleeding) 위장 출혈

- Fatigue 피로
- Fear 두려움
- Deficient fluid volume 체액부족
- Imbalanced nutrition: less than body requirements 영양불균형: 영양부족
- Acute pain 급성통증
- Ineffective coping 비효율적 대응
- Readiness for enhanced knowledge 지식 향상 가능성

Gingivitis 치은염

- Impaired oral mucous membrane 구강점막 손상

Glaucoma 녹내장

- Deficient knowledge 지식부족

Glomerulonephritis 사구체신염

- Excess fluid volume 체액과다
- Imbalanced nutrition: less than body requirements 영양불균형: 영양부족
- Acute pain 급성통증
- Readiness for enhanced knowledge 지식 향상 가능성

Gluten allergy 글루텐 알레르기

Celiac disease 참조

315

Gonorrhea 임질

- Acute pain 급성통증
- Risk for infection 감염 위험성
- Readiness for enhanced knowledge 지식 향상 가능성

Gout 통풍

- Impaired physical mobility 신체 이동성 장애
- Chronic pain 만성통증
- Readiness for enhanced knowledge 지식 향상 가능성

Grand mal seizure 대발작간질

Seizure disorders, adult; seizure disorders, childhood 참조

Granparents raising grandchildern

- Anxiety 불안
- Decisional conflict 의사결정 갈등
- Parental role conflict 부모역할 갈등
- Compromised family coping 가족의 비효율적 대응
- Interrupted family processes 가족과정 중단
- Ineffective role performance 비효율적 역할 수행
- Ineffective family therapeutic regimen management 비효율적 가족치료 요법 관리
- Risk for impaired parenting 부모 역할 장애 위험성
- Powerlessness 무력감
- Risk for spiritual distress 영적고뇌 위험성

Graves' disease 그레이브스병, 바세도우병

Hyperthyroidism 참조

Grieving 슬픔

- Grieving 슬픔

Grieving, complicated 복합적 슬픔

- Complicated grieving 복합적 슬픔
- Risk for complicated grieving 복합적 슬픔 위험성

Groom self (inability to) 치장 자가간호 결핍

- Bathing self-care deficit 목욕 자가간호 결핍
- Dressing self-care deficit 옷 입기 자가간호 결핍

Growth and development lag 성장발달 지연

- Delayed growth and development 성장발달 지연
- Risk for disproportionate growth 불균형적 성장 위험성

Guillain-barrésyndrome 길란 바레 증후군

- Impaired spontaneous ventilation 자발적 환기 장애

Guilt 죄책감

- Grieving 슬픔
- Impaired individual resilience 개인 적응력 장애
- Situational low self-esteem 상황적 자존감 저하
- Risk for complicated grieving 복합적 슬픔 위험성
- Risk for post-trauma syndrome 외상 후 증후군 위험성
- Readiness for enhanced spiritual well-being 영적 안녕증진 가능성

H

H1N1

Influenza 참조

Hair loss 탈모

- Disturbed body image 신체상 장애
- Imbalanced nutrition: less than body requirements 영양불균형: 영양부족

Halitosis 구취

- Impaired dentition 치아상태 불량
- Impaired oral mucous membrane 구강점막 손상

Hallucinations 환각

- Anxiety 불안
- Acute confusion 급성혼동
- Ineffective coping 비효율적 대응
- Adult failure to thrive 성인 성장 장애
- Risk for other – directed violence 타인지향 폭력 위험성
- Risk for self – directed violence 본인지향 폭력 위험성

Head injury 두부외상

- Ineffective breathing pattern 비효율적 호흡 양상
- Acute confusion 급성혼동
- Decreases intracranial adaptive capacity 두 개 내압 적응력 감소
- Risk for ineffective cerebral tissue perfusion 비효율적 뇌조직 관류 위험성

Neurologic disorders 참조

Headache 두통

- Disturbed energy field 에너지장 교류 장애
- Acute pain 급성통증
- Ineffective self – health management 비효율적 자기 건강관리

Health behavior, risk-prone 위험성향 건강 행동

- Risk – prone health behavior 위험성향 건강 행동

Health maintenance problems 건강유지 문제

- Ineffective health maintenance 비효율적 건강 유지
- Ineffective self – health management 비효율적 자기 건강관리

Hearing impairment 청각 장애

- Impaired verbal communication 언어소통 장애
- Social isolation 사회적 고립

Heart attack 심장 발작

Mi (myocardial infarction) 참조

Heartburn 가슴앓이, 속쓰림

- Nausea 오심
- Acute pain 급성통증
- Imbalanced nutrition: less than body requirements 영양불균형: 영양부족
- Readiness for enhanced knowledge 지식 향상 가능성

Heart failure 심부전

Chf (congestive heart failure) 참조

Heart surgery 심장 수술

Coronary artery bypass grafting (gabg) 참조

Heart stroke 심장 발작

- Deficient fluid volume 체액부족
- Hyperthermia 고체온

Hematemesis 토혈

Gi bleed (gastrointestinal bleeding) 참조

Hematuria 혈뇨

Kidney stone; uti (urinary tract infection) 참조

Hemianopia 양쪽반맹

- Anxiety 불안
- Unilateral neglect 편측성 지각 장애
- Risk for injury 신체손상 위험성

Hemiplegia 편마비

- Anxiety 불안
- Disturbed body image 신체상 장애
- Impaired physical mobility 신체 이동성 장애
- Unilateral neglect 편측성 지각 장애
- Self – care deficit 자가간호결핍
- Impaired transfer ability 이동능력 장애
- Impaired walking 보행 장애
- Risk for falls 낙상 위험성
- Risk for impaired skin integrity 피부 통합성 장애 위험성

Cva (cerebrovascular accident) 참조

Hemodialysis 혈액 투석

- Ineffective coping 비효율적 대응
- Interrupted family processes 가족과정 중단
- Excess fluid volume 체액과다
- Powerlessness 무력감
- Risk for caregiver role strain 돌봄제공자 역할 부담감 위험성

- Risk for electrolyte imbalance 전해질 불균형 위험성
- Risk for deficient fluid volume 체액부족 위험성
- Risk for infection 감염 위험성
- Risk for injury 신체손상 위험성
- Readiness for enhanced knowledge 지식 향상 가능성

Renal failure; renal failure, child with chronic condition 참조

Hemodynamic monitoring 혈류 역학 모니터

- Risk for infection 감염 위험성
- Risk for injury 신체손상 위험성

Cardiogenic shock 참조

Hemolytic uremic syndrome 용혈요독증후군

- Deficient fluid volume 체액부족
- Fear 두려움
- Fatigue 피로
- Nausea 오심
- Risk for injury 신체손상 위험성
- Risk for impaired skin integrity 피부 통합성 장애 위험성

Hemophilia 혈우병

- Fear 두려움
- Impaired physical mobility 신체 이동성 장애
- Acute pain 급성통증
- Risk for bleeding 출혈 위험성
- Readiness for enhanced knowledge 지식 향상 가능성

Hemoptysis 각혈

- Fear 두려움

- Ineffective airway clearance 비효율적 기도
- Risk for deficient fluid volume 체액부족 위험성

Hemorrhage 출혈

- Fear 두려움
- Deficient fluid volume 체액부족
Hypovolemic shock 참조

Hemorrhoidectomy 치핵 절제

- Anxiety 불안
- Constipation 변비
- Acute pain 급성통증
- Urinary retention 소변정체
- Risk for bleeding 출혈 위험성
- Readiness for enhanced knowledge 지식 향상 가능성

Hemorrhoids 치질, 치핵

- Impaired comfort 안위장애
- Constipation 변비
- Readiness for enhanced knowledge 지식 향상 가능성

Hemothorax 혈흉

- Deficient fluid volume 체액부족
Pneumothorax 참조

Hepatitis 간염

- Activity intolerance 활동 지속성 장애
- Deficient diversional activity 여가활동 부족
- Fatigue 피로
- Imbalanced nutrition: less than body requirements 영양불균형: 영양부족
- Acute pain 급성통증

- Social isolation 사회적 고립
- Risk for deficient fluid volume 체액부족 위험성
- Readiness for enhanced knowledge 지식 향상 가능성

Hernia 탈장

Hiatal hernia; inguinal hernia repair 참조

Herniated disk 추간판 헤르니아 디스크

Low back pain 참조

Herniorrhaphy 헤르니아 봉합

Inguinal hernia repair 참조

Herpes in pregnancy 임신중 포진

- Fear 두려움
- Situational low self-esteem 상황적 자존감 저하
- Risk for infection 감염 위험성
Herpes simplex ii 참조

Herpes simplex i 단순 포진 i

- Impaired oral mucous membrane 구강점막 손상

Herpes simplex ii 단순 포진ii

- Ineffective self-health management 비효율적 자기 건강관리
- Acute pain 급성통증
- Situational low self-esteem 상황적 자존감 저하
- Sexual dysfunction 성기능 장애
- Impaired tissue integrity 조직 통합성 장애
- Impaired urinary elimination 배뇨장애

319

Herpes zoster 대상 포진

Shingles 참조

Hiatal hernia 열공 헤르니아

- Ineffective health maintenance 비효율적 건강 유지
- Nausea 오심
- Imbalanced nutrition: less than body requirements 영양불균형: 영양부족
- Acute pain 급성통증

Hip fracture 고관절 골절

- Acute confusion 급성혼동
- Constipation 변비
- Fear 두려움
- Impaired physical mobility 신체 이동성 장애
- Acute pain 급성통증
- Powerlessness 무력감
- Self-care deficit 자가간호결핍
- Impaired transfer ability 이동능력 장애
- Impaired walking 보행 장애
- Risk for bleeding 출혈 위험성
- Risk for infection 감염 위험성
- Risk for injury 신체손상 위험성
- Risk for perioperative positioning injury 수술 중 체위 관련 손상 위험성
- Risk for impaired skin integrity 피부 통합성 장애 위험성

Hirschsprung's disease 히르슈슈프룽병

- Constipation 변비
- Grieving 슬픔
- Imbalanced nutrition: less than body requirements 영양불균형: 영양부족
- Acute pain 급성통증

- Impaired skin integrity 피부 통합성 장애
- Readiness for enhanced knowledge 지식 향상 가능성

Hirsutism 다모증

- Disturbed body image 신체상 장애

Hiv (human immunodeficiency virus) 인간 면역 부전 바이러스

- Fear 두려움
- Ineffective protection 비효율적 방어

Aids (acquired immunodeficiency syndrome) 참조

Hirsutism 다모증

- Hodgkin's disease 호지킨병

Anemic: cancer: chemotherapy 참조

Homelessness 노숙자

- Impaired home maintenance 가정유지 장애
- Self-neglect 자기무시
- Powerlessness 무력감
- Risk for trauma 외상 위험성

Home maintenance problems 가정유지 문제

- Impaired home maintenance 가정유지 장애

Hope 희망

- Readiness for enhanced hope 희망증진 가능성

Hopelessness 절망감

- Hopelessness 절망감

Hospitalized child 입원 환아

- Activity intolerance 활동 지속성 장애
- Anxiety 불안
- Compromised family coping 가족의 비효율적 대응
- Ineffective coping 비효율적 대응
- Deficient diversional activity 여가활동 부족
- Interrupted family processes 가족과정 중단
- Fear 두려움
- Delayed growth and development 성장발달 지연
- Hopelessness 절망감
- Insomnia 불면증
- Acute pain 급성통증
- Powerlessness 무력감
- Risk for impaired attachment 애착장애 위험성
- Delayed growth and development 성장발달 지연
- Risk for injury 신체손상 위험성
- Imbalanced nutrition: less than body requirements 영양불균형: 영양부족
- Readiness for enhanced family coping 가족 대응 향상 가능성

Hostile behavior 적대 행동

- Risk for other-directed violence 타인지향 폭력 위험성

HTN (hypertension) 고혈압

- Ineffective self-health management 비효율적 자기 건강관리
- Imbalanced nutrition: more than body requirements 영양불균형: 영양과다
- Readiness for enhanced self-health management 자기건강관리 향상 가능성
-

Human immunodeficiency virus (HIV) 인간 면역 부전 바이러스

Aids (acquired immunodeficiency syndrome); hiv (human immunodeficiency virus) 참조

Humiliating experience 굴욕적인 경험

- Risk for compromised human dignity 인간 존엄성 손상 위험성

Huntington's disease 헌팅턴 질환

- Decisional conflict 의사결정 갈등

Neurologic disorder 참조

Hydrocele 음낭 수종, 고환류

- Acute pain 급성통증
- Ineffective sexuality pattern 비효율적 성적 양상

Hydrocephalus 뇌수종

- Decisional conflict 의사결정 갈등
- Interrupted family processes 가족과정 중단
- Delayed growth and development 성장발달 지연
- Imbalanced nutrition: less than body requirements 영양불균형: 영양부족
- Risk for delayed development 발달지체 위험성
- Risk for disproportionate growth 불균형적 성장 위험성
- Risk for infection 감염 위험성
- Risk for ineffective cerebral tissue perfusion 비효율적 뇌조직 관류 위험성

Hyperactive Syndrome 과다행동 증후군

- Decisional conflict 의사결정 갈등

- Parental role conflict 부모역할 갈등
- Compromised family coping 가족의 비효율적 대응
- Ineffective impulse control 비효율적 충동 조절
- Ineffective role performance 비효율적 역할 수행
- Chronic low self – esteem 만성적 자존감 저하
- Impaired social interaction 사회적 상호작용 장애
- Risk for delayed development 발달지체 위험성
- Risk for impaired parenting 부모 역할 장애 위험성
- Risk for other – directed violence 타인지향 폭력 위험성

Hyperbilirubinemia 고빌리루빈혈증

- Anxiety 불안
- Parental role conflict 부모역할 갈등
- Neonatal jaundice 신생아 황달
- Imbalanced nutrition: less than body requirements 영양불균형: 영양부족
- Risk for disproportionate growth 불균형적 성장 위험성
- Risk for imbalanced body temperature 체온 불균형 위험성
- Risk for injury 신체손상 위험성

Hypercalcemia 고칼슘혈증

- Decreased cardiac output 심박출량 감소
- Impaired physical mobility 신체 이동성 장애
- Imbalanced nutrition: less than body requirements 영양불균형: 영양부족
- Risk for disuse syndrome 비사용 증후군 위험성

Hypercapnia 탄산 과잉

- Fear 두려움
- Impaired gas exchange 가스교환장애

Hyperemesis gravidarum 과다임신구토

- Anxiety 불안
- Deficient fluid volume 체액부족
- Impaired home maintenance 가정유지 장애
- Nausea 오심
- Imbalanced nutrition: less than body requirements 영양불균형: 영양부족
- Powerlessness 무력감
- Social isolation 사회적 고립

Hyperglycemia 고혈당증

- Ineffective self – health management 비효율적 자기 건강관리
- Risk for unstable blood glucose level 불안정한 혈당수치 위험성

Diabetes mellitus 참조

Hyperkalemia 고칼륨혈증

- Activity intolerance 활동 지속성 장애
- Excess fluid volume 체액과다
- Risk for decreased cardiac tissue perfusion 심장 조직 관류 감소 위험성

Hypernatremia 고나트륨혈

- Risk for deficient fluid volume 체액부족 위험성

Hyperosmolar hyperglycemic nonketotic coma (HHNC)

- Acute confusion 급성혼동
- Deficient fluid volume 체액부족

- Risk for electrolyte imbalance 전해질 불균형 위험성
- Risk for injury 신체손상 위험성

Diabetes mellitus; diabetes mellitus, juvenile 참조

Hyperphosphatemia 고인산혈증

- Deficient knowledge 지식부족

Renal failure 참조

Hypertension (HTN) 고혈압

Htn (hypertension) 참조

Hyperthermia 고체온

- Hyperthermia 고체온

Hyperthyroidism 갑상선 기능 항진

- Anxiety 불안
- Diarrhea 설사
- Insomnia 불면증
- Imbalanced nutrition: less than body requirements 영양불균형: 영양부족
- Risk for injury 신체손상 위험성
- Readiness for enhanced knowledge 지식 향상 가능성

Hyperventilation 과환기

- Ineffective breathing pattern 비효율적 호흡양상

Hypocalcemia 저칼슘혈증

- Activity intolerance 활동 지속성 장애
- Ineffective breathing pattern 비효율적 호흡양상
- Imbalanced nutrition: less than body requirements 영양불균형: 영양부족

Hypoglycemia 저혈당증

- Acute confusion 급성혼동
- Ineffective self-health management 비효율적 자기 건강관리
- Imbalanced nutrition: less than body requirements 영양불균형: 영양부족
- Risk for unstable blood glucose level 불안정한 혈당수치 위험성

Diabetes mellitus; diabetes mellitus, juvenile 참조

Hypokalemia 저 칼륨혈증

- Activity intolerance 활동 지속성 장애
- Risk for decreased cardiac tissue perfusion 심장 조직 관류 감소 위험성

Hypomagnesemia 저마그네슘혈증

- Imbalanced nutrition: less than body requirements 영양불균형: 영양부족

Alcoholism 참조

Hypomania 경조병

- Insomnia 불면증

Hyponatremia 저나트륨혈증

- Acute confusion 급성혼동
- Excess fluid volume 체액과다
- Risk for injury 신체손상 위험성

Hysterectomy 자궁 적출

- Constipation 변비
- Ineffective coping 비효율적 대응
- Grieving 슬픔

- Acute pain 급성통증
- Sexual dysfunction 성기능 장애
- Urinary retention 소변정체
- Risk for bleeding 출혈 위험성
- Risk for constipation 변비 위험성
- Ineffective peripheral tissue perfusion 비효율적 말초 조직 관류
- Readiness for enhanced knowledge 지식 향상 가능성

Surgery; perioperative; surgery; preoperative; surgery; postoperative 참조

I

IBS (Irritable Bowel Syndrome) 과민성 장증후군

- Constipation 변비
- Diarrhea 설사
- Ineffective self – health management 비효율적 자기 건강관리
- Chronic pain 만성통증
- Readiness for enhanced self – health management 자기건강관리 향상 가능성

ICD (Implantable Cardioverter/Defibrillator) 제세동기

- Decreased cardiac output 심박출량 감소
- Readiness for enhanced knowledge 지식 향상 가능성

IDDM (Insulin – Dependent Diabetes) 인슐린 의존당뇨병

Diabetes mellitus 참조

Identity disturbance/problems 동일성 장애

- Disturbed personal identity 자아정체성 장애
- Risk for disturbed personal identity 자아정체성 장애 위험성

Idiopathic thrombocytopenic purpura (ITP) 특발성 혈소판 감소성 자색반병

Itp (idiopathic thrombocytopenic purpura) 참조

Ileal conduit 회장 도관

- Disturbed body image 신체상 장애
- Ineffective self – health management 비효율적 자기 건강관리
- Ineffective sexuality pattern 비효율적 성적 양상
- Social isolation 사회적 고립
- Risk for latex allergy response 라텍스 알레르기 반응 위험성
- Risk for impaired skin integrity 피부 통합성 장애 위험성
- Readiness for enhanced knowledge 지식 향상 가능성

Ileostomy 회장 조루술

- Disturbed body image 신체상 장애
- Diarrhea 설사
- Deficient knowledge 지식부족
- Ineffective sexuality pattern 비효율적 성적 양상
- Social isolation 사회적 고립
- Risk for impaired skin integrity 피부 통합성 장애 위험성
- Readiness for enhanced knowledge 지식 향상 가능성

Ileus 장폐색

- Deficient fluid volume 체액부족
- Dysfunctional gastrointestinal mobility 위장관 운동 기능장애
- Nausea 오심
- Acute pain 급성통증
- Readiness for enhanced knowledge 지식 향상 가능성

Immobility 부동

- Ineffective breathing pattern 비효율적 호흡양상
- Acute confusion 급성혼동
- Constipation 변비
- Adult failure to thrive 성인 성장 장애

325

- Impaired physical mobility 신체 이동성 장애
- Ineffective peripheral tissue perfusion 비효율적 말초 조직 관류
- Powerlessness 무력감
- Impaired walking 보행 장애
- Risk for disuse syndrome 비사용 증후군 위험성
- Risk for impaired skin integrity 피부 통합성 장애 위험성
- Readiness for enhanced knowledge 지식 향상 가능성

Immunization 면역

- Readiness for enhanced immunization status 면역상태 향상 가능성

Immunosuppresion 면역 억제

- Risk for infection 감염 위험성

Impaction of stool 분변매복

- Constipation 변비

Imperforate anus 폐쇄항문

- Anxiety 불안
- Deficient knowledge 지식부족
- Impaired skin integrity 피부 통합성 장애

Impetigo 농가진

- Impaired skin integrity 피부 통합성 장애
- Deficient knowledge 지식부족

Implantable cardioverter/defibrillator (ICD) 제세동기

Icd (implantable cardioverter/defibrillator) 참조

Impotence 발기 부전

- Situational low self-esteem 상황적 자존감 저하
- Sexual dysfunction 성기능 장애
- Readiness for enhanced knowledge 지식 향상 가능성

Impulsiveness 충동적 행동

- Ineffective impulse control 비효율적 충동 조절

Inactivity 활동정지

- Activity intolerance 활동 지속성 장애
- Hopelessness 절망감
- Impaired physical mobility 신체 이동성 장애
- Risk for constipation 변비 위험성

Incontinence of stool 변실금

- Disturbed body image 신체상 장애
- Bowel incontinence 변실금
- Toileting self-care deficit 용변 자가간호 결핍
- Situational low self-esteem 상황적 자존감 저하
- Risk for impaired skin integrity 피부 통합성 장애 위험성

Incontinence of urine 요실금

- Functional urinary incontinence 기능적 요실금
- Overflow urinary incontinence 익류성 요실금
- Reflex urinary incontinence 신경인성(반사성) 요실금
- Stress urinary incontinence 복압성 요실금
- Urge urinary incontinence 절박성(긴박성) 요실금
- Toileting self-care deficit 용변 자가간호 결핍

- Situational low self-esteem 상황적 자존감 저하
- Risk for impaired skin integrity 피부 통합성 장애 위험성

Indigestion 소화 불량

- Nausea 오심
- Imbalanced nutrition: less than body requirements 영양불균형: 영양부족

Induction of labor 유도분만

- Anxiety 불안
- Decisional conflict 의사결정 갈등
- Ineffective coping 비효율적 대응
- Acute pain 급성통증
- Situational low self-esteem 상황적 자존감 저하
- Risk for injury 신체손상 위험성
- Readiness for enhanced family processes 가족과정 향상 가능성

Infant apnea 신생아 무호흡

Premature infant; respiratory conditions of the neonate sids (sudden infant death syndrome) 참조

Infant behavior 영아 행위

- Disorganized infant behavior 영아의 비조직적 행위
- Risk for disorganized infant behavior 영아의 비조직적 행위 위험성
- Readiness for enhanced organized infant behavior 영아의 조직적 행위 향상 가능성

Infant care 영아 돌봄

- Readiness for enhanced childbearing process 출산과정 향상 가능성

Infant feeding pattern, ineffective 비효율적 영아 수유 양상

- Ineffective infant feeding pattern 비효율적 영아 수유 양상

Infant of diabetic mother 당뇨병 산모의 영아

- Decreased cardiac output 심박출량 감소
- Deficient fluid volume 체액부족
- Delayed growth and development 성장발달 지연
- Imbalanced nutrition: less than body requirements 영양불균형: 영양부족
- Risk for delayed development 발달지체 위험성
- Impaired gas exchange 가스교환장애
- Risk for unstable blood glucose level 불안정한 혈당수치 위험성
- Risk for disproportionate growth 불균형적 성장 위험성
- Risk for disturbed maternal-fetal dyad 모아 관계 형성 장애 위험성

Premature infant; respiratory conditions of the neonate 참조

Infant of substance-abusing mother (fetal alcohol syndrome, crack baby, other drug withdrawal infants) 물질남용 산모의 영아

- Ineffective airway clearance 비효율적 기도 청결
- Ineffective breastfeeding 비효율적 모유수유
- Diarrhea 설사
- Ineffective infant feeding pattern 비효율적

영아 수유 양상

- Delayed growth and development 성장발달 지연
- Disorganized infant behavior 영아의 비조직적 행위
- Ineffective childbearing process 비효율적 출산과정
- Insomnia 불면증
- Imbalanced nutrition: less than body requirements 영양불균형: 영양부족
- Impaired parenting 부모 역할 장애
- Risk for delayed development 발달지체 위험성
- Risk for disproportionate growth 불균형적 성장 위험성
- Risk for infection 감염 위험성

Infantile polyarteritis 영아 다발성동맥염

Kawasaki disease 참조

Infection 감염

- Hyperthermia 고체온
- Ineffective protection 비효율적 방어
- Risk for vascular trauma 혈관 외상 위험성

Infection, potential for 감염 위험성

- Risk for infection 감염 위험성

Infertility 불임

- Ineffective self – health management 비효율적 자기 건강관리
- Powerlessness 무력감
- Chronic sorrow 만성 비탄
- Spiritual distress 영적 고뇌

Inflammatory bowel disease (child and adult) 염증성 장질환

- Ineffective coping 비효율적 대응
- Diarrhea 설사
- Deficient fluid volume 체액부족
- Imbalanced nutrition: less than body requirements 영양불균형: 영양부족
- Acute pain 급성통증
- Impaired skin integrity 피부 통합성 장애
- Social isolation 사회적 고립

Child with chronic condition; crohn's disease; hospitalized child; mauration; issues, adolescent 참조

Influenza 독감

- Deficient fluid volume 체액부족
- Ineffective self – health management 비효율적 자기 건강관리
- Ineffective thermoregulation 비효율적 체온조절
- Acute pain 급성통증
- Readiness for enhanced knowledge 지식 향상 가능성

Inguinal hernia repair 서혜부 탈장

- Impaired physical mobility 신체 이동성 장애
- Acute pain 급성통증
- Urinary retention 소변정체
- Risk for infection 감염 위험성

Injury 손상

- Risk for falls 낙상 위험성
- Risk for injury 신체손상 위험성
- Risk for thermal injury 열 손상 위험성

Insanity 정신 이상

Mental illness, psychosis 참조

Insulin shock 인슐린 쇼크

Hypoglycemia 참조

Intermittent claudication 간헐성 파행

- Deficient knowledge 지식부족
- Acute pain 급성통증
- Ineffective peripheral tissue perfusion 비효율적 말초 조직 관류
- Risk for injury 신체손상 위험성
- Readiness for enhanced knowledge 지식 향상 가능성

Peripheral vascular disease (pvd) 참조

Internal cardioverter/defibrillator (ICD) 제세동기

Icd (internal cardioverter/defibrillator) 참조

Internal fixation 내부 고정

- Impaired walking 보행 장애
- Risk for infection 감염 위험성

Fracture 참조

Interstitial cystitis 간질성 방광염

- Acute pain 급성통증
- Impaired urinary elimination 배뇨장애
- Risk for infection 감염 위험성
- Readiness for enhanced knowledge 지식 향상 가능성

Intervertebral disk excision 추간판 적출

Laminectomy 참조

Intestinal obstruction 장폐색

Ileus, bowel obstruction 참조

Intestinal perforation 장천공

Peritonitis 참조

Intoxication 중독

- Anxiety 불안
- Acute confusion 급성혼동
- Ineffective coping 비효율적 대응
- Impaired memory 기억장애
- Risk for aspiration 기도흡인 위험성
- Risk for falls 낙상 위험성
- Risk for other – directed violence 타인지향 폭력 위험성

Intraaortic balloon counterpulsation 대동맥내 기구 반대박동

- Anxiety 불안
- Decreased cardiac output 심박출량 감소
- Compromised family coping 가족의 비효율적 대응
- Impaired physical mobility 신체 이동성 장애
- Risk for peripheral neurovascular dysfunction 말초신경혈관 기능 장애 위험성

Intracranial pressure, increased 두 개내압 상승

- Ineffective breathing pattern 비효율적 호흡양상
- Acute confusion 급성혼동
- Adult failure to thrive 성인 성장 장애
- Decreases intracranial adaptive capacity 두개 내압 적응력 감소
- Impaired memory 기억장애
- Risk for ineffective cerebral tissue per–

fusion 비효율적 뇌조직 관류 위험성

Intrauterine growth retardation 태아성장 지연

- Anxiety 불안
- Ineffective coping 비효율적 대응
- Impaired gas exchange 가스교환장애
- Delayed growth and development 성장발달 지연
- Imbalanced nutrition: less than body requirements 영양불균형: 영양부족
- Situational low self-esteem 상황적 자존감 저하
- Spiritual distress 영적 고뇌
- Risk for powerlessness 무력감 위험성

Intravenous therapy 정맥요법

- Risk for vascular trauma 혈관 외상 위험성

Intubation, endotracheal or nasogastric 기관내 삽관, 비위관 삽관

- Disturbed body image 신체상 장애
- Impaired verbal communication 언어소통 장애
- Imbalanced nutrition: less than body requirements 영양불균형: 영양부족
- Impaired oral mucous membrane 구강점막 손상
- Acute pain 급성통증

Iodine reaction with diagnostic testing 요오드 진단 작용

- Risk for adverse reaction to iodinated contrast media 요오드 조영제 부작용 위험성

Irregular pulse 부정맥

Dysrhythmia 참조

Irritable bowel syndrome (IBS) 과민성장증후군

Ibs 참조 (irritable bowel syndrome) 참조

Isolation 고립

- Impaired individual resilience 개인 적응력 장애
- Social isolation 사회적 고립

Itching 소양증

- Impaired comfort 안위장애
- Risk for impaired skin integrity 피부 통합성 장애 위험성

ITP (Idiopathic Thrombocytopenic Purpura) 특발성 혈소판 감소성 자색반병

- Deficient diversional activity 여가활동 부족
- Ineffective protection 비효율적 방어
- Risk for bleeding 출혈 위험성

J

Jaundice 황달

- Imbalanced nutrition: less than body requirements 영양불균형: 영양부족
- Risk for bleeding 출혈 위험성
- Risk for impaired liver function 간 기능 장애 위험성
- Impaired skin integrity 피부 통합성 장애

Jaundice, neonatal 신생아 황달

- Neonatal jaundice 신생아 황달
- Risk for ineffective gastrointestinal perfusion 비효율적 위장 관류 위험성
- Readiness for enhanced self – health management 자기건강관리 향상 가능성

Hyperbilirubinemia 참조

Jaw surgery 턱수술

- Deficient knowledge 지식부족
- Imbalanced nutrition: less than body requirements 영양불균형: 영양부족
- Acute pain 급성통증
- Impaired swallowing 연하장애
- Risk for aspiration 기도흡인 위험성

Jittery 신경질

- Anxiety 불안
- Death anxiety 죽음불안
- Post – trauma syndrome 외상 후 증후군

Jock itch 완선

- Ineffective self – health management 비효율적 자기 건강관리
- Impaired skin integrity 피부 통합성 장애

Itching 참조

Joint dislocation 관절탈구

Dislocation of joint 참조

Joint pain 관절통증

Arthritis; bursitis; jra (juvenile rheumatoid arthritis); osteoarthritis; rheumatoid arthritis 참조

Joint replacement 치환관절

- Risk for perioperative positioning injury 수술 중 체위 관련 손상 위험성

Total joint replacement (total hip/total knee/shoulder) 참조

JRA (Juvenile Rheumatoid Arthritis) 청소년 류머티즘성 관절염

- Impaired comfort 안위장애
- Fatigue 피로
- Delayed growth and development 성장발달 지연
- Impaired physical mobility 신체 이동성 장애
- Acute pain 급성통증
- Readiness for enhanced self – care 자가간호 향상 가능성
- Risk for compromised human dignity 인간 존엄성 손상 위험성
- Risk for injury 신체손상 위험성
- Risk for compromised resilience 적응력 저하 위험성
- Risk for situational low self – esteem 상황적 자존감 저하 위험성
- Risk for impaired skin integrity 피부 통합성 장애 위험성

Juvenile onset diabetes 청소년기 발병 당뇨병

Diabetes mellitus, juvenile 참조

331

K

Kaposi's sarcoma 카포지육종

- Risk for complicated grieving 복합적 슬픔 위험성
- Risk for impaired religiosity 신앙심 손상 위험성
- Risk for compromised resilience 적응력 저하 위험성

Aids (acquired immunodeficiency syndrome) 참조

Kawasaki disease 가와사키질환

- Anxiety 불안
- Impaired comfort 안위장애
- Hyperthermia 고체온
- Imbalanced nutrition: less than body requirements 영양불균형: 영양부족
- Impaired oral mucous membrane 구강점막 손상
- Acute pain 급성통증
- Impaired skin integrity 피부 통합성 장애
- Risk for imbalanced fluid volume 체액불균형 위험성
- Risk for decreased cardiac tissue perfusion 심장 조직 관류 감소 위험성

Hospitalized child 참조

Kegel exercise 케겔운동

- Stress urinary incontinence 복압성 요실금
- Urge urinary incontinence 절박성(긴박성) 요실금
- Risk for urge urinary incontinence 절박성(긴박성) 요실금 위험성
- Readiness for enhanced self – health management 자기건강관리 향상 가능성

Keloids 켈로이드

- Disturbed body image 신체상 장애
- Readiness for enhanced self – health management 자기건강관리 향상 가능성

Keratoplasty 각막 이식

Corneal transplant 참조

Ketoacidosis, alcoholic 알코올성 케톤산증

Alcohol withdrawal; alcoholism 참조

Ketoacidosis, diabetic 당뇨성 케톤산증

- Deficient fluid volume 체액부족
- Impaired memory 기억장애
- Imbalanced nutrition: less than body requirements 영양불균형: 영양부족
- Risk for unstable blood glucose level 불안정한 혈당수치 위험성
- Risk for powerlessness 무력감 위험성
- Risk for compromised resilience 적응력 저하 위험성

Diabetes mellitus 참조

Kidney disease screening 신장질환 검사

- Readiness for enhanced self – health management 자기건강관리 향상 가능성

Kidney failure 신부전

- Overflow urinary incontinence 익류성 요실금
- Acute pain 급성통증
- Impaired urinary elimination 배뇨장애
- Risk for infection 감염 위험성
- Readiness for enhanced knowledge 지식 향상 가능성

Kidney transplant 신장 이식

- Ineffective protection 비효율적 방어
- Risk for ineffective renal perfusion 비효율적 신장 관류 위험성
- Readiness for enhanced decision–making 의사결정 향상 가능성
- Readiness for enhanced family processes 가족과정 향상 가능성
- Readiness for enhanced self–health management 자기건강관리 향상 가능성
- Readiness for enhanced spiritual well–being 영적 안녕증진 가능성

Nephrectomy; renal failure; renal transplantation, recipient; surgery; perioperative care; surgery; postoperatice care; surgery; preoperatice care 참조

Kidney tumor 신장종양

Wilm's tumor 참조

Knee replacement 무릎 치환

Total joint replacement (total hip/total knee/shoulder) 참조

Knowledge 지식

- Readiness for enhanced knowledge 지식 향상 가능성

Knowledge, deficient 지식부족

- Ineffective health maintenance 비효율적 건강 유지
- Deficient knowledge 지식부족
- Readiness for enhanced knowledge 지식 향상 가능성

Kock pouch 코크주머니

Continent ileostomy (kock pouch) 참조

Korsakoff's syndrome 코르사코프증후군

- Acute confusion 급성혼동
- Dysfunctional family processes 가족과정 기능 장애
- Impaired memory 기억장애
- Self–neglect 자기무시
- Risk for falls 낙상 위험성
- Risk for injury 신체손상 위험성
- Risk for impaired liver function 간 기능 장애 위험성
- Imbalanced nutrition: less than body requirements 영양불균형: 영양부족

L

Labor, induction of 유도분만

Induction of labor 참조

Labor, normal 정상분만

- Anxiety 불안
- Impaired comfort 안위장애
- Fatigue 피로
- Deficient knowledge 지식부족
- Acute pain 급성통증
- Impaired tissue integrity 조직 통합성 장애
- Risk for deficient fluid volume 체액부족 위험성
- Risk for infection 감염 위험성
- Risk for injury 신체손상 위험성
- Risk for post-trauma syndrome 외상 후 증후군 위험성
- Powerlessness 무력감
- Readiness for enhanced childbearing process 출산과정 향상 가능성
- Readiness for enhanced family coping 가족 대응 향상 가능성
- Readiness for enhanced power 힘 향상 가능성
- Readiness for enhanced self-health management 자기건강관리 향상 가능성

Labyrinthitis 내이염

- Ineffective self-health management 비효율적 자기 건강관리
- Risk for injury 신체손상 위험성
- Readiness for enhanced self-health management 자기건강관리 향상 가능성

Lacerations 열상

- Risk for infection 감염 위험성

- Risk for trauma 외상 위험성
- Readiness for enhanced self-health management 자기건강관리 향상 가능성

Lactation 수유

Breastfeeding, ineffective; breastfeeding, interrupted; breastfeeding, readiness for enhanced 참조

Lactic acidosis 젖산증

- Decreased cardiac output 심박출량 감소
- Risk for electrolyte imbalance 전해질 불균형 위험성
- Risk for decreased cardiac tissue perfusion 심장 조직 관류 감소 위험성

Ketoacidosis, diabetic 참조

Lactose intolerance 유당과민증

- Readiness for enhanced knowledge 지식 향상 가능성

Abdominal distention; diarrhea 참조

Laminectomy 추궁 절제

- Anxiety 불안
- Impaired comfort 안위장애
- Deficient knowledge 지식부족
- Impaired physical mobility 신체 이동성 장애
- Acute pain 급성통증
- Urinary retention 소변정체
- Risk for bleeding 출혈 위험성
- Risk for infection 감염 위험성
- Risk for perioperative positioning injury 수술 중 체위 관련 손상 위험성
- Ineffective peripheral tissue perfusion 비효율적 말초 조직 관류

- Risk for decreased cardiac tissue perfusion 심장 조직 관류 감소 위험성
- Risk for ineffective cerebral tissue perfusion 비효율적 뇌조직 관류 위험성
- Risk for ineffective peripheral tissue perfusion 비효율적 말초조직 관류 위험성

Scoliosis; surgery; perioperative; surgery; postoperative; surgery; preoperative 참조

Language impairment 언어장애

Speech disorders 참조

Laparoscopic laser cholecystectomy 복식 레이저 담낭 절제

Cholecystectomy; laser surgery 참조

Laparoscopy 복강경 수술

- Urge urinary incontinence 절박성(긴박성) 요실금
- Acute pain 급성통증
- Risk for dysfunctional gastrointestinal mobility 위장관 운동 기능장애 위험성

Laparotomy 개복술

Abdominal surgery 참조

Large bowel resection 대장절제

Abdominal surgery 참조

Laryngectomy 후두 절제술

- Ineffective airway clearance 비효율적 기도 청결
- Disturbed body image 신체상 장애
- Impaired comfort 안위장애
- Death anxiety 죽음불안

- Interrupted family processes 가족과정 중단
- Grieving 슬픔
- Imbalanced nutrition: less than body requirements 영양불균형: 영양부족
- Impaired oral mucous membrane 구강점막 손상
- Chronic sorrow 만성 비탄
- Ineffective self-health management 비효율적 자기 건강관리
- Impaired swallowing 연하장애
- Impaired verbal communication 언어소통 장애
- Risk for electrolyte imbalance 전해질 불균형 위험성
- Risk for complicated grieving 복합적 슬픔 위험성
- Risk for compromised human dignity 인간 존엄성 손상 위험성
- Risk for infection 감염 위험성
- Risk for powerlessness 무력감 위험성
- Risk for compromised resilience 적응력 저하 위험성
- Situational low self-esteem 상황적 자존감 저하

Laser surgery 레이저 수술

- Impaired comfort 안위장애
- Constipation 변비
- Deficient knowledge 지식부족
- Acute pain 급성통증
- Risk for bleeding 출혈 위험성
- Risk for infection 감염 위험성
- Risk for injury 신체손상 위험성

Lasik eye surgery 라식눈수술

- Impaired comfort 안위장애

- Decisional conflict 의사결정 갈등
- Risk for infection 감염 위험성
- Readiness for enhanced self‒health management 자기건강관리 향상 가능성

Latex allergy 라텍스 알레르기

- Latex allergy response 라텍스 알레르기 반응
- Risk for latex allergy response 라텍스 알레르기 반응 위험성
- Readiness for enhanced knowledge 지식 향상 가능성

Laxative abuse 하제남용

- Perceived constipation 상상변비

Lead poisoning 납중독

- Contamination 오염
- Impaired home maintenance 가정유지 장애
- Risk for delayed development 발달지체 위험성

Left heart catheterization 좌심도자

Cardiac catheterization 참조

Legionnaires' disease 재향 군인병

- Contamination 오염

Pneumonia 참조

Lens implant 렌즈이식

Cataract extraction; vision impairment 참조

Lethargy/listlessness 기면/탈력a

- Adult failure to thrive 성인 성장 장애
- Fatigue 피로
- Insomnia 불면증

- Risk for ineffective cerebral tissue perfusion 비효율적 뇌조직 관류 위험성

Leukemia 백혈병a

- Ineffective protection 비효율적 방어
- Risk for imbalanced fluid volume 체액불균형 위험성
- Risk for infection 감염 위험성
- Risk for compromised resilience 적응력 저하 위험성

Cancer, chemotherapy 참조

Leukopenia 백혈구 감소

- Ineffective protection 비효율적 방어
- Risk for infection 감염 위험성

Level of consciousness, decreased 의식수준 감소

Confusion, acute; confusion, chronic 참조

Lice 이

- Impaired comfort 안위장애
- Impaired home maintenance 가정유지 장애
- Self‒neglect 자기무시
- Readiness for enhanced self‒health management 자기건강관리 향상 가능성

Communicable diseases, childhood 참조

Lifestyle, sedentary 비활동적 생활양식

- Sedentary lifestyle 비활동적 생활양식
- Risk for ineffective cerebral tissue perfusion 비효율적 뇌조직 관류 위험성

Limb reattachment procedures 의족부착 절차

- Anxiety 불안

- Disturbed body image 신체상 장애
- Grieving 슬픔
- Spiritual distress 영적 고뇌
- Stress overload 과잉 스트레스
- Risk for bleeding 출혈 위험성
- Risk for perioperative positioning injury 수술 중 체위 관련 손상 위험성
- Risk for peripheral neurovascular dysfunction 말초신경혈관 기능 장애 위험성
- Risk for powerlessness 무력감 위험성
- Risk for impaired religiosity 신앙심 손상 위험성

Surgery; postoperative care 참조

Liposuction 지방 흡입술

- Disturbed body image 신체상 장애
- Risk for compromised resilience 적응력 저하 위험성
- Readiness for enhanced decision-making 의사결정 향상 가능성
- Readiness for enhanced self-concept 자아개념 향상 가능성

Surgery; perioperative care; surgery; postoperative care; surgery; preoperative care 참조

Lithotripsy 쇄석술

- Readiness for enhanced self-health management 자기건강관리 향상 가능성

Kidney stone 참조

Liver biopsy 간생검

- Anxiety 불안
- Risk for deficient fluid volume 체액부족 위험성
- Risk for powerlessness 무력감 위험성

Liver cancer 간암

- Risk for ineffective gastrointestinal perfusion 비효율적 위장 관류 위험성
- Risk for impaired liver function 간 기능 장애 위험성
- Risk for compromised resilience 적응력 저하 위험성

Liver disease 간질환

Cirrhosis; hepatitis 참조

Liver function 간기능

- Risk for impaired liver function 간 기능 장애 위험성

Liver transplant 간이식

- Impaired comfort 안위장애
- Decisional conflict 의사결정 갈등
- Risk for impaired liver function 간 기능 장애 위험성
- Readiness for enhanced family processes 가족과정 향상 가능성
- Readiness for enhanced self-health management 자기건강관리 향상 가능성
- Readiness for enhanced spiritual well-being 영적 안녕증진 가능성

Surgery; perioperative care; surgery; postoperative care; surgery; preoperative care 참조

Living will 유언

- Moral distress 도덕적 고뇌
- Readiness for enhanced decision-making 의사결정 향상 가능성
- Readiness for enhanced relationship 관계 향상 가능성

- Readiness for enhanced religiosity 신앙심 향상 가능성
- Readiness for enhanced resilience 적응력 향상 가능성
- Readiness for enhanced spiritual well–being 영적 안녕증진 가능성

Lobectomy 폐엽 절제술

Thoracotomy 참조

Loneliness 고독

- Spiritual distress 영적 고뇌
- Risk for loneliness 외로움 위험성
- Risk for impaired religiosity 신앙심 손상 위험성
- Situational low self–esteem 상황적 자존감 저하
- Readiness for enhanced hope 희망증진 가능성
- Readiness for enhanced relationship 관계 향상 가능성

Loose stools (bowel movement) 설사 (장운동)

- Diarrhea 설사
- Risk for dysfunctional gastrointestinal mobility 위장관 운동 기능장애 위험성

Lou gehrig's disease 루게리그병

Amyotrophic lateral sclerosis (als) 참조

Low back pain 요통

- Impaired comfort 안위장애
- Ineffective health maintenance 비효율적 건강 유지
- Impaired physical mobility 신체 이동성 장애

- Chronic pain 만성통증
- Urinary retention 소변정체
- Powerlessness 무력감
- Readiness for enhanced self – health management 자기건강관리 향상 가능성

Low blood pressure 저혈압

Hypotension 참조

Low blood sugar 저혈당

Hypoglycemia 참조

Lower gi bleeding 위장출혈

Gi bleed (gastrointestinal bleeding) 참조

Lumbar puncture 요추 천자

- Anxiety 불안
- Deficient knowledge 지식부족
- Acute pain 급성통증
- Risk for infection 감염 위험성
- Risk for ineffective cerebral tissue perfusion 비효율적 뇌조직 관류 위험성

Lumpectomy 유방 종양 절제

- Decisional conflict 의사결정 갈등
- Readiness for enhanced knowledge 지식 향상 가능성
- Readiness for enhanced spiritual well–being 영적 안녕증진 가능성

Cancer 참조

Lung cancer 폐암

Cancer; chemotherapy; radiation therapy; thoracotomy 참조

Lung surgery 폐수술

Thoracotomy 참조

Lupus erythematosus 홍반성 낭창

- Disturbed body image 신체상 장애
- Fatigue 피로
- Ineffective health maintenance 비효율적 건강 유지
- Acute pain 급성통증
- Powerlessness 무력감
- Impaired religiosity 손상된 신앙심
- Chronic sorrow 만성 비탄
- Spiritual distress 영적 고뇌
- Risk for compromised resilience 적응력 저하 위험성
- Risk for impaired skin integrity 피부 통합성 장애 위험성
- Risk for decreased cardiac tissue perfusion 심장 조직 관류 감소 위험성

Lyme disease 라임병

- Impaired comfort 안위장애
- Fatigue 피로
- Deficient knowledge 지식부족
- Acute pain 급성통증
- Decreased cardiac output 심박출량 감소
- Powerlessness 무력감

Lymphedema 림프부종a

- Disturbed body image 신체상 장애
- Excess fluid volume 체액과다
- Deficient knowledge 지식부족
- Situational low self-esteem 상황적 자존감 저하

Lymphoma 림프종

Cancer 참조

M

Macular degeneration 시력감퇴

- Risk-prone health behavior 위험성향 건강행동
- Ineffective coping 비효율적 대응
- Compromised family coping 가족의 비효율적 대응
- Hopelessness 절망감
- Sedentary lifestyle 비활동적 생활양식
- Self-neglect 자기무시
- Social isolation 사회적 고립
- Risk for falls 낙상 위험성
- Risk for injury 신체손상 위험성
- Risk for powerlessness 무력감 위험성
- Impaired religiosity 손상된 신앙심
- Risk for compromised resilience 적응력 저하 위험성
- Readiness for enhanced self-health management 자기건강관리 향상 가능성

Magnetic resonance imaging (MRI) 자기 공명 영상법

Mri (magnetic resonance imaging) 참조

Major depressive disorder 주요우울질환

- Interrupted family processes 가족과정 중단
- Self-neglect 자기무시
- Risk for ineffective activity planning 비효율적 활동 계획 위험성
- Risk for ineffective childbearing process 비효율적 출산과정 위험성
- Risk for loneliness 외로움 위험성
- Risk for compromised resilience 적응력 저하 위험성

Depression (major depressive disorder) 참조

Malabsorption syndrome 흡수 불량 증후군

- Diarrhea 설사
- Dysfunctional gastrointestinal mobility 위장관 운동 기능장애
- Deficient knowledge 지식부족
- Imbalanced nutrition: less than body requirements 영양불균형: 영양부족
- Risk for electrolyte imbalance 전해질 불균형 위험성
- Risk for imbalanced fluid volume 체액불균형 위험성
- Risk for disproportionate growth 불균형적 성장 위험성

Abdominal distention 참조

Maladaptive behavior 부적응 행위

Crisis; post-trauma syndrome; suicide attempt 참조

Malaria 말라리아

- Contamination 오염
- Risk for contamination 오염 위험성
- Risk for impaired liver function 간 기능 장애 위험성
- Readiness for enhanced community coping 지역사회 대응 향상 가능성
- Readiness for enhanced immunization status 면역상태 향상 가능성
- Readiness for enhanced resilience 적응력 향상 가능성

Anemia 참조

Male infertility 남성불임

Erectile dysfunction (ed); infertility 참조

Malignancy 악성

Cancer 참조

Malignant hypertension (arteriolar nephrosclerosis) 악성 고혈압 (세동맥 신장경화증)

- Decreased cardiac output 심박출량 감소
- Fatigue 피로
- Excess fluid volume 체액과다
- Risk for acute confusion 급성혼동 위험성
- Risk for imbalanced fluid volume 체액불균형 위험성
- Risk for ineffective renal perfusion 비효율적 신장 관류 위험성
- Risk for ineffective cerebral tissue perfusion 비효율적 뇌조직 관류 위험성
- Readiness for enhanced self – health management 자기건강관리 향상 가능성

Malignant hyperthermia 악성 고체온

- Hyperthermia 고체온
- Risk for ineffective renal perfusion 비효율적 신장 관류 위험성
- Readiness for enhanced self – health management 자기건강관리 향상 가능성

Malnutrition 영양 부족

- Insufficient breast milk 불충분한 모유
- Adult failure to thrive 성인 성장 장애
- Deficient knowledge 지식부족
- Imbalanced nutrition: less than body requirements 영양불균형: 영양부족
- Ineffective protection 비효율적 방어
- Ineffective self – health management 비효율적 자기 건강관리
- Self – neglect 자기무시

- Risk for disproportionate growth 불균형적 성장 위험성
- Risk for powerlessness 무력감 위험성

Mammography 유선 조영 촬영

- Readiness for enhanced resilience 적응력 향상 가능성
- Readiness for enhanced self – health management 자기건강관리 향상 가능성

Manic disorder, bipolar i 양극성 조울증

- Anxiety 불안
- Ineffective coping 비효율적 대응
- Ineffective denial 비효율적 부정
- Interrupted family processes 가족과정 중단
- Risk – prone health behavior 위험성향 건강 행동
- Impaired home maintenance 가정유지 장애
- Disturbed personal identity 자아정체성 장애
- Insomnia 불면증
- Self – neglect 자기무시
- Noncompliance 불이행
- Imbalanced nutrition: less than body requirements 영양불균형: 영양부족
- Impaired individual resilience 개인 적응력 장애
- Ineffective role performance 비효율적 역할 수행
- Ineffective self – health management 비효율적 자기 건강관리
- Sleep deprivation 수면 박탈
- Ineffective activity planning 비효율적 활동 계획
- Risk for caregiver role strain 돌봄제공자 역할 부담감 위험성

341

- Risk for imbalanced fluid volume 체액불균형 위험성
- Risk for powerlessness 무력감 위험성
- Risk for impaired religiosity 신앙심 손상 위험성
- Risk for spiritual distress 영적고뇌 위험성
- Risk for suicide 자살 위험성
- Risk for other-directed violence 타인지향 폭력 위험성
- Risk for self-directed violence 본인지향 폭력 위험성
- Readiness for enhanced hope 희망증진 가능성

Manipulation of organs, surgical incision 외과적 장기수술

- Impaired comfort 안위장애
- Deficient knowledge 지식부족
- Urinary retention 소변정체
- Risk for infection 감염 위험성

Manipulative behavior 조작 행위

- Defensive coping 방어적 대응
- Ineffective coping 비효율적 대응
- Self-mutilation 자해
- Self-neglect 자기무시
- Impaired social interaction 사회적 상호작용 장애
- Risk for loneliness 외로움 위험성
- Situational low self-esteem 상황적 자존감 저하
- Risk for self-mutilation 자해 위험성

Marasmus 소모증

Failure to thrive, nonorganic 참조

Marfan syndrome 마르팡 증후군

- Decreased cardiac output 심박출량 감소
- Risk for decreased cardiac tissue perfusion 심장 조직 관류 감소 위험성
- Readiness for enhanced self-health management 자기건강관리 향상 가능성

Mitral valve prolapse: scoliosis 참조

Marshall-marchetti-krantz operation

수술전
- Stress urinary incontinence 복압성 요실금

수술후
- Impaired comfort 안위장애
- Deficient knowledge 지식부족
- Acute pain 급성통증
- Urinary retention 소변정체
- Risk for bleeding 출혈 위험성
- Risk for infection 감염 위험성

Mastectomy 유방 절제

- Disturbed body image 신체상 장애
- Impaired comfort 안위장애
- Death anxiety 죽음불안
- Fear 두려움
- Deficient knowledge 지식부족
- Nausea 오심
- Acute pain 급성통증
- Sexual dysfunction 성기능 장애
- Chronic sorrow 만성 비탄
- Spiritual distress 영적 고뇌
- Risk for infection 감염 위험성
- Impaired physical mobility 신체 이동성 장애
- Risk for post-trauma syndrome 외상 후 증후군 위험성
- Risk for powerlessness 무력감 위험성

- Risk for compromised resilience 적응력 저하 위험성

Cancer; modified radical mastectomy; surgery, perioperative; surgery, postoperative; surgery, preoperative 참조

Mastitis 유방염

- Anxiety 불안
- Ineffective breastfeeding 비효율적 모유수유
- Deficient knowledge 지식부족
- Acute pain 급성통증
- Ineffective role performance 비효율적 역할수행
- Risk for disturbed maternal – fetal dyad 모아관계 형성 장애 위험성

Maternal infection 모성감염

- Ineffective protection 비효율적 방어

Maturational issues, adolescent 청소년 성숙문제

- Ineffective childbearing process 비효율적 출산과정
- Ineffective coping 비효율적 대응
- Risk – prone health behavior 위험성향 건강행동
- Interrupted family processes 가족과정 중단
- Deficient knowledge 지식부족
- Impaired social interaction 사회적 상호작용 장애
- Social isolation 사회적 고립
- Risk for ineffective activity planning 비효율적 활동 계획 위험성
- Risk for injury 신체손상 위험성
- Risk for trauma 외상 위험성

- Disturbed personal identity 자아정체성 장애
- Risk for chronic low self – esteem 만성적 자존감 저하 위험성
- Risk for situational low self – esteem 상황적 자존감 저하 위험성
- Readiness for enhanced communication 의사소통 향상 가능성
- Readiness for enhanced relationship 관계 향상 가능성

Sexuality, adolescent; substance abuse 참조

MD (muscular dystrophy) 근위축증

Muscular dystrophy (md) 참조

Measles (rubeola) 홍역

Communicable disease, childhood 참조

Meconium aspiration 태변흡인

Respiratory conditions of the neonate 참조

Meconium delayed 지연 태변

- Risk for neonatal jaundice 신생아 황달 위험성

Melanoma 흑색종

- Disturbed body image 신체상 장애
- Fear 두려움
- Ineffective health maintenance 비효율적 건강 유지
- Acute pain 급성통증
- Readiness for enhanced self – health management 자기건강관리 향상 가능성

Melena 흑색변

- Fear 두려움

343

- Risk for imbalanced fluid volume 체액불균형 위험성

Gi bleed (gastrointestinal bleeding) 참조

Memory deficit 기억장애a

- Impaired memory 기억장애

Meniere's disease 메니에르병

- Risk for injury 신체손상 위험성
- Readiness for enhanced self – health management 자기건강관리 향상 가능성

Dizziness; nausea; vertigo 참조

Meningitis/encephalitis 뇌막염/뇌염

- Ineffective airway clearance 비효율적 기도 청결
- Impaired comfort 안위장애
- Excess fluid volume 체액과다
- Delayed growth and development 성장발달 지연
- Decreases intracranial adaptive capacity 두개 내압 적응력 감소
- Acute pain 급성통증
- Risk for aspiration 기도흡인 위험성
- Risk for acute confusion 급성혼동 위험성
- Risk for falls 낙상 위험성
- Risk for injury 신체손상 위험성
- Impaired individual resilience 개인 적응력 장애
- Risk for shock 쇼크 위험성
- Risk for ineffective cerebral tissue perfusion 비효율적 뇌조직 관류 위험성
- Readiness for enhanced immunization status 면역상태 향상 가능성

Hospitalized child 참조

Meningocele 수막류

Neural tube defects 참조

Menopause 폐경기

- Impaired comfort 안위장애
- Insomnia 불면증
- Impaired memory 기억장애
- Sexual dysfunction 성기능 장애
- Ineffective sexuality pattern 비효율적 성적 양상
- Ineffective thermoregulation 비효율적 체온 조절
- Risk for urge urinary incontinence 절박성(긴박성) 요실금 위험성
- Imbalanced nutrition: more than body requirements 영양불균형: 영양과다
- Risk for powerlessness 무력감 위험성
- Risk for compromised resilience 적응력 저하 위험성
- Risk for situational low self – esteem 상황적 자존감 저하 위험성
- Readiness for enhanced self – care 자가간호 향상 가능성
- Readiness for enhanced self – health management 자기건강관리 향상 가능성
- Readiness for enhanced spiritual well–being 영적 안녕증진 가능성

Menorrhagia 월경 과다

- Fear 두려움
- Risk for deficient fluid volume 체액부족 위험성

Mental illness 정신 질환

- Compromised family coping 가족의 비효율

적 대응
- Defensive coping 방어적 대응
- Disability family coping 가족 대응 불능
- Ineffective coping 비효율적 대응
- Ineffective denial 비효율적 부정
- Risk-prone health behavior 위험성향 건강 행동
- Disturbed personal identity 자아정체성 장애
- Ineffective relationship 비효율적 관계
- Chronic sorrow 만성 비탄
- Stress overload 과잉 스트레스
- Ineffective family therapeutic regimen management 비효율적 가족치료 요법 관리
- Risk for loneliness 외로움 위험성
- Risk for powerlessness 무력감 위험성
- Risk for compromised resilience 적응력 저하 위험성
- Risk for chronic low self-esteem 만성적 자존감 저하 위험성

Mental retardation 정신 지체

- Impaired verbal communication 언어소통 장애
- Interrupted family processes 가족과정 중단
- Grieving 슬픔
- Delayed growth and development 성장발달 지연
- Deficient community health 지역사회 건강 부족
- Impaired home maintenance 가정유지 장애
- Self-neglect 자기무시
- Self-care deficit 자가간호결핍
- Self-mutilation 자해
- Social isolation 사회적 고립
- Spiritual distress 영적 고뇌
- Stress overload 과잉 스트레스

- Impaired swallowing 연하장애
- Risk for ineffective activity planning 비효율적 활동 계획 위험성
- Risk for delayed development 발달지체 위험성
- Risk for disproportionate growth 불균형적 성장 위험성
- Risk for impaired religiosity 신앙심 손상 위험성
- Risk for self-mutilation 자해 위험성
- Readiness for enhanced coping 대응 향상 가능성

Metabolic acidosis 대사산증

Ketoacidosis, alcoholic; ketoacidosis, diabetic 참조

Metabolic alkalosis 대사알카리증

- Deficient fluid volume 체액부족

Metastasis 전이

Cancer 참조

Methicillin-resistant staphylococcus aureus (MRSA) 메티실린 저항성 황색 포도상 구균

Mrsa (methicillin-resistant staphylococcus aureus) 참조

MI (myocardial infaction) 심근경색

- Anxiety 불안
- Decreased cardiac output 심박출량 감소
- Constipation 변비
- Ineffective coping 비효율적 대응
- Death anxiety 죽음불안
- Ineffective denial 비효율적 부정

- Interrupted family processes 가족과정 중단
- Fear 두려움
- Ineffective health maintenance 비효율적 건강 유지
- Acute pain 급성통증
- Situational low self-esteem 상황적 자존감 저하
- Ineffective sexuality pattern 비효율적 성적 양상
- Risk for powerlessness 무력감 위험성
- Risk for shock 쇼크 위험성
- Risk for spiritual distress 영적고뇌 위험성
- Risk for decreased cardiac tissue perfusion 심장 조직 관류 감소 위험성
- Readiness for enhanced knowledge 지식 향상 가능성

Angioplasty (coronary); coronary artery bypass grafting (cabg) 참조

MIDCAB (minimally invasive direct coronary artery bypass) 최소침습 관상동맥 우회술

- Risk for bleeding 출혈 위험성
- Risk for infection 감염 위험성
- Readiness for enhanced self-health management 자기건강관리 향상 가능성

Angioplasty, coronary; coronary artery bypass grafting (cagb) 참조

Midlife crisis 중년의 위기

- Ineffective coping 비효율적 대응
- Powerlessness 무력감
- Spiritual distress 영적 고뇌
- Risk for disturbed personal identity 자아정체성 장애 위험성
- Risk for chronic low self-esteem 만성적 자존감 저하 위험성
- Readiness for enhanced relationship 관계 향상 가능성
- Readiness for enhanced spiritual well-being 영적 안녕증진 가능성

Migraine headache 편두통

- Impaired comfort 안위장애
- Disturbed energy field 에너지장 교류 장애
- Ineffective health maintenance 비효율적 건강 유지
- Acute pain 급성통증
- Risk for compromised resilience 적응력 저하 위험성
- Readiness for enhanced self-health management 자기건강관리 향상 가능성

Milk intolerance 유당과민증

Lactose intolerance 참조

Minimally invasive direct coronary artery bypass (MIDCAB)

Midcab (minimally invasive direct coronary artery bypass) 참조

Miscarriage 유산

Pregnancy loss 참조

Mitral stenosis 승모판협착증

- Activity intolerance 활동 지속성 장애
- Anxiety 불안
- Decreased cardiac output 심박출량 감소
- Fatigue 피로
- Ineffective health maintenance 비효율적 건강 유지

- Risk for infection 감염 위험성
- Risk for decreased cardiac tissue perfusion 심장 조직 관류 감소 위험성

Mitral valve prolapse 승모판탈출증

- Anxiety 불안
- Fatigue 피로
- Fear 두려움
- Ineffective health maintenance 비효율적 건강 유지
- Acute pain 급성통증
- Risk for infection 감염 위험성
- Risk for powerlessness 무력감 위험성
- Risk for ineffective cerebral tissue perfusion 비효율적 뇌조직 관류 위험성
- Readiness for enhanced knowledge 지식 향상 가능성

Mobility, impaired bed 침상 체위이동 장애

- Impaired bed mobility 침상 체위이동 장애
- Mobility, impaired physical 신체 이동성 장애
- Impaired physical mobility 신체 이동성 장애
- Risk for falls 낙상 위험성

Mobility, impaired wheelchair 휠체어 이동성 장애

- Impaired wheelchair mobility 휠체어 이동성 장애

Modified radical mastectomy 한정 유방절제

- Decisional conflict 의사결정 갈등
- Readiness for enhanced communication 의사소통 향상 가능성

Mononucleosis 단핵 백혈구 증가증

- Activity intolerance 활동 지속성 장애
- Impaired comfort 안위장애
- Fatigue 피로
- Ineffective health maintenance 비효율적 건강 유지
- Hyperthermia 고체온
- Acute pain 급성통증
- Impaired swallowing 연하장애
- Risk for injury 신체손상 위험성
- Risk for loneliness 외로움 위험성

Mood disorders 기분 장애

- Risk-prone health behavior 위험성향 건강 행동
- Caregiver role strain 돌봄제공자 역할 부담감
- Self-neglect 자기무시
- Social isolation 사회적 고립
- Risk for situational low self-esteem 상황적 자존감 저하 위험성
- Readiness for enhanced communication 의사소통 향상 가능성

Specific disorder: depression (major depressive disorder); dysthymic disorder; hypomania; manic disorder, bipolar ⅰ 참조

Moon face 둥근 얼굴

- Disturbed body image 신체상 장애
- Risk for situational low self-esteem 상황적 자존감 저하 위험성

Cushing's syndrome 참조

Moral/ethical dilemmas 도덕적 딜레마, 윤리적인 딜레마

- Decisional conflict 의사결정 갈등

- Moral distress 도덕적 고뇌
- Risk for powerlessness 무력감 위험성
- Risk for spiritual distress 영적고뇌 위험성
- Readiness for enhanced decision – making 의사결정 향상 가능성
- Readiness for enhanced religiosity 신앙심 향상 가능성
- Readiness for enhanced resilience 적응력 향상 가능성
- Readiness for enhanced spiritual well–being 영적 안녕증진 가능성

Morning sickness 이른 아침의 구토증

Hyperemesis gravidarum; pregnancy, normal 참조

Motion sickness 멀미

Labyrinthitis 참조

Mottling of peripheral skin 말초피부반점

- Ineffective peripheral tissue perfusion 비효율적 말초 조직 관류
- Risk for vascular trauma 혈관 외상 위험성

Mourning 애도

Grieving 참조

Mouth lesions 구강상처

Mucous membrane, impaired oral 참조

MRI (magnetic resonance imaging) 자기 공명 영상법

- Anxiety 불안
- Deficient knowledge 지식부족
- Readiness for enhanced knowledge 지식 향

상 가능성
- Readiness for enhanced self–health man–agement 자기건강관리 향상 가능성

MRSA (methicillin–resistant staphylococcus aureus) 메티실린 저항성 황색 포도상 구균

- Hyperthermia 고체온
- Impaired skin integrity 피부 통합성 장애
- Delayed surgical recovery 수술 후 회복 지연
- Impaired tissue integrity 조직 통합성 장애
- Risk for loneliness 외로움 위험성
- Risk for compromised resilience 적응력 저하 위험성
- Risk for shock 쇼크 위험성

Mucocutaneous lymph node syndrome 점막 피부 림프절 증후군

Kawasaki disease 참조

Mucous membrane, impaired oral 구강점막 손상

- Impaired oral mucous membrane 구강점막 손상

Multinfarct dementia 다경색 치매

Dementia 참조

Multiple gestation 다임신

- Anxiety 불안
- Insufficient breast milk 불충분한 모유
- Ineffective childbearing process 비효율적 출산과정
- Death anxiety 죽음불안
- Fatigue 피로
- Impaired home maintenance 가정유지 장애

- Stress urinary incontinence 복압성 요실금
- Insomnia 불면증
- Neonatal jaundice 신생아 황달
- Deficient knowledge 지식부족
- Impaired physical mobility 신체 이동성 장애
- Imbalanced nutrition: less than body re-quirements 영양불균형: 영양부족
- Stress overload 과잉 스트레스
- Impaired transfer ability 이동능력 장애
- Ineffective breastfeeding 비효율적 모유수유
- Risk for constipation 변비 위험성
- Risk for delayed development 발달지체 위험성
- Risk for disproportionate growth 불균형적 성장 위험성
- Neonatal jaundice 신생아 황달
- Ineffective childbearing process 비효율적 출산과정
- Readiness for enhanced family processes 가족과정 향상 가능성

Multiple personality disorder (dissociative identity disorder) 다중 인격 장애

- Anxiety 불안
- Disturbed body image 신체상 장애
- Defensive coping 방어적 대응
- Ineffective coping 비효율적 대응
- Hopelessness 절망감
- Disturbed personal identity 자아정체성 장애
- Chronic low self – esteem 만성적 자존감 저하
- Risk for self – mutilation 자해 위험성
- Readiness for enhanced communication 의사소통 향상 가능성

Dissociative identity disorder 참조

Multiple sclerosis (MS) 다발성 경화증

- Ineffective activity planning 비효율적 활동 계획
- Ineffective airway clearance 비효율적 기도 청결
- Disturbed energy field 에너지장 교류 장애
- Impaired physical mobility 신체 이동성 장애
- Self – neglect 자기무시
- Powerlessness 무력감
- Self – care deficit 자가간호결핍
- Sexual dysfunction 성기능 장애
- Chronic sorrow 만성 비탄
- Spiritual distress 영적 고뇌
- Urinary retention 소변정체
- Risk for latex allergy response 라텍스 알레르기 반응 위험성
- Risk for disuse syndrome 비사용 증후군 위험성
- Risk for injury 신체손상 위험성
- Risk for imbalanced nutrition: more than body requirements 영양불균형 위험성: 영양과다
- Risk for powerlessness 무력감 위험성
- Risk for impaired religiosity 신앙심 손상 위험성
- Risk for thermal injury 열 손상 위험성
- Readiness for enhanced self – care 자가간호 향상 가능성
- Readiness for enhanced self – health man-agement 자기건강관리 향상 가능성
- Readiness for enhanced spiritual well – being 영적 안녕증진 가능성

Neurologic disorder 참조

Mumps 유행성 이하선염

Communicable disorders 참조

Murmurs 잡음

- Decreased cardiac output 심박출량 감소
- Risk for decreased cardiac tissue perfusion 심장 조직 관류 감소 위험성

Muscular atrophy/weakness 근육위축/부진

- Activity intolerance 활동 지속성 장애
- Ineffective activity planning 비효율적 활동 계획
- Ineffective airway clearance 비효율적 기도 청결
- Constipation 변비
- Disturbed energy field 에너지장 교류 장애
- Fatigue 피로
- Imbalanced nutrition: less than body requirements 영양불균형: 영양부족
- Imbalanced nutrition: more than body requirements 영양불균형: 영양과다
- Self-care deficit 자가간호결핍
- Self-neglect (00193) 자기무시
- Impaired transfer ability 이동능력 장애
- Impaired walking 보행 장애
- Risk for aspiration 기도흡인 위험성
- Ineffective breathing pattern 비효율적 호흡 양상
- Risk for disuse syndrome 비사용 증후군 위험성
- Risk for falls 낙상 위험성
- Risk for powerlessness 무력감 위험성
- Impaired religiosity 손상된 신앙심
- Risk for compromised resilience 적응력 저하 위험성
- Risk for impaired skin integrity 피부 통합성 장애 위험성
- Risk for situational low self-esteem 상황적

자존감 저하 위험성
- Risk for decreased cardiac tissue perfusion 심장 조직 관류 감소 위험성
- Readiness for enhanced self-concept 자아 개념 향상 가능성

MVA (motor vehicle accident) 교통사고

Fracture; head injury; injury; pneumothorax 참조

Myasthenia gravis 중증 근무력증

- Ineffective airway clearance 비효율적 기도 청결
- Interrupted family processes 가족과정 중단
- Fatigue 피로
- Impaired physical mobility 신체 이동성 장애
- Imbalanced nutrition: less than body requirements 영양불균형: 영양부족
- Impaired swallowing 연하장애
- Risk for caregiver role strain 돌봄제공자 역할 부담감 위험성
- Risk for impaired religiosity 신앙심 손상 위험성
- Risk for compromised resilience 적응력 저하 위험성
- Readiness for enhanced spiritual well-being 영적 안녕증진 가능성

Neurologic disorder 참조

Mycoplasma pneumonia 미코플라스마 폐렴

Pneumonia 참조

Myelocele 척수류, 골수류

Neural tube defects 참조

Myelogram, contrast 척수 조영상

- Acute pain 급성통증
- Urinary retention 소변정체
- Risk for deficient fluid volume 체액부족 위험성
- Risk for ineffective cerebral tissue perfusion 비효율적 뇌조직 관류 위험성

Myelomeningocele 척수막탈출증

Neural tube defects 참조

Myocardial infarction 심근 경색

Mi (myocardial infaction) 참조

Myocarditis 심근염

- Activity intolerance 활동 지속성 장애
- Decreased cardiac output 심박출량 감소
- Deficient knowledge 지식부족
- Risk for decreased cardiac tissue perfusion 심장 조직 관류 감소 위험성
- Readiness for enhanced knowledge 지식 향상 가능성

Chf (congestive heart failure) 참조

Myringotomy 고막절개술

- Fear 두려움
- Ineffective health maintenance 비효율적 건강 유지
- Acute pain 급성통증
- Risk for infection 감염 위험성

Ear surgery 참조

Myxedema 점액 수종

Hypothyroidism 참조

N

Narcissistic personality disorder 자기애적 성격 장애

- Decisional conflict 의사결정 갈등
- Defensive coping 방어적 대응
- Interrupted family processes 가족과정 중단
- Disturbed personal identity 자아정체성 장애
- Ineffective relationship 비효율적 관계
- Impaired individual resilience 개인 적응력 장애
- Impaired social interaction 사회적 상호작용 장애
- Risk – prone health behavior 위험성향 건강 행동
- Risk for loneliness 외로움 위험성
- Risk for self – mutilation 자해 위험성

Narcolepsy 수면 발작

- Anxiety 불안
- Disturbed sleep pattern 수면 양상 장애
- Risk for trauma 외상 위험성
- Readiness for enhanced sleep 수면 향상 가능성

Narcotic use 마약사용

- Constipation 변비

Substance abuse 참조

Nasogastric suction 비위관 흡인

- Impaired oral mucous membrane 구강점막 손상
- Risk for imbalanced fluid volume 체액불균형 위험성
- Risk for dysfunctional gastrointestinal mobility 위장관 운동 기능장애 위험성

Nausea 오심

- Nausea 오심

Near – drowning 근접익사

- Ineffective airway clearance 비효율적 기도 청결
- Risk for aspiration 기도흡인 위험성
- Fear 두려움
- Impaired gas exchange 가스교환장애
- Grieving 슬픔
- Ineffective health maintenance 비효율적 건강 유지
- Hypothermia 저체온
- Risk for delayed development 발달지체 위험성
- Risk for disproportionate growth 불균형적 성장 위험성
- Risk for complicated grieving 복합적 슬픔 위험성
- Risk for infection 감염 위험성
- Risk for ineffective cerebral tissue perfusion 비효율적 뇌조직 관류 위험성
- Readiness for enhanced spiritual well – being 영적 안녕증진 가능성

Nearsightedness 근시

- Ineffective self – health management 비효율적 자기 건강관리

Nearsightedness: corneal surgery 근시: 각막 수술

Lasik eye surgery (laser–assisted in situ kerato-mileusis) 참조

Neck vein distention 경정맥 팽창

- Decreased cardiac output 심박출량 감소

- Excess fluid volume 체액과다

Chf (congestive heart failure) 참조

Necrosis, renal tubular; atn (acute tubular necrosis); necrosis, acute tubular 신세뇨관 괴사; 급성 세뇨관괴사

Renal failure 참조

Necrotizing Enterocolitis (NEC) 궤사성 전결장염

- Ineffective breathing pattern 비효율적 호흡 양상
- Diarrhea 설사
- Disturbed energy field 에너지장 교류 장애
- Deficient fluid volume 체액부족
- Neonatal jaundice 신생아 황달
- Imbalanced nutrition: less than body requirements 영양불균형: 영양부족
- Risk for infection 감염 위험성
- Risk for dysfunctional gastrointestinal mobility 위장관 운동 기능장애 위험성
- Risk for ineffective gastrointestinal perfusion 비효율적 위장 관류 위험성

Hospitalized child; premature infant (child) 참조

Necrotizing fascitis (flesh-eating bacteria) 궤사성 근막염

- Decreased cardiac output 심박출량 감소
- Fear 두려움
- Grieving 슬픔
- Hyperthermia 고체온
- Acute pain 급성통증
- Ineffective peripheral tissue perfusion 비효율적 말초 조직 관류
- Ineffective protection 비효율적 방어
- Risk for shock 쇼크 위험성

Renal failure; septicemia; shock, septic 참조

Negative feelings about self 자아 부정적 감정

- Self-neglect 자기무시
- Chronic low self-esteem 만성적 자존감 저하
- Situational low self-esteem 상황적 자존감 저하
- Readiness for enhanced self-concept 자아 개념 향상 가능성

Neglect, unilateral 편측성 지각 장애

- Unilateral neglect 편측성 지각 장애

Neglectful care of family member 가족의 태만한 돌봄

- Caregiver role strain 돌봄제공자 역할 부담감
- Disability family coping 가족 대응 불능
- Interrupted family processes 가족과정 중단
- Deficient knowledge 지식부족
- Impaired individual resilience 개인 적응력 장애
- Risk for compromised human dignity 인간 존엄성 손상 위험성

Neonatal jaundice 신생아 황달

- Neonatal jaundice 신생아 황달

Neonate 신생아

- Readiness for enhanced childbearing process 출산과정 향상 가능성

Newborn, normal; newborn, postmature; newborn, small for gestational age (sga) 참조

Neoplasm 신생물

- Fear 두려움

Nephrectomy 신장 절제

- Anxiety 불안
- Ineffective breathing pattern 비효율적 호흡양상
- Constipation 변비
- Acute pain 급성통증
- Spiritual distress 영적 고뇌
- Impaired urinary elimination 배뇨장애
- Risk for bleeding 출혈 위험성
- Risk for electrolyte imbalance 전해질 불균형 위험성
- Risk for deficient fluid volume 체액부족 위험성
- Risk for infection 감염 위험성
- Risk for ineffective renal perfusion 비효율적 신장 관류 위험성

Nephrostomy, percutaneous 경피적 신조루

- Acute pain 급성통증
- Impaired urinary elimination 배뇨장애
- Risk for infection 감염 위험성

Nephrotic syndrome 신장증후군

- Activity intolerance 활동 지속성 장애
- Disturbed body image 신체상 장애
- Excess fluid volume 체액과다
- Imbalanced nutrition: less than body requirements 영양불균형: 영양부족
- Imbalanced nutrition: more than body requirements 영양불균형: 영양과다
- Impaired social interaction 사회적 상호작용 장애
- Risk for infection 감염 위험성
- Risk for ineffective renal perfusion 비효율적 신장 관류 위험성

- Risk for impaired skin integrity 피부 통합성 장애 위험성

Neuralgia 신경통

Trigeminal neuralgia 참조

Neuritis (peripheral neuropathy) 신경염 (말초 신경 장애)

- Activity intolerance 활동 지속성 장애
- Ineffective health maintenance 비효율적 건강 유지
- Acute pain 급성통증

Neuropathy, peripheral 참조

Neurofibromatosis 신경섬유종증

- Disturbed energy field 에너지장 교류 장애
- Compromised family coping 가족의 비효율적 대응
- Impaired skin integrity 피부 통합성 장애
- Risk for delayed development 발달지체 위험성
- Risk for disproportionate growth 불균형적 성장 위험성
- Risk for injury 신체손상 위험성
- Risk for decreased cardiac tissue perfusion 심장 조직 관류 감소 위험성
- Impaired individual resilience 개인 적응력 장애
- Readiness for enhanced decision-making 의사결정 향상 가능성
- Readiness for enhanced self-health management 자기건강관리 향상 가능성

Neurogenic bladder 신경인성 방광

- Overflow urinary incontinence 익류성 요실금

- Reflex urinary incontinence 신경인성(반사성) 요실금
- Urinary retention 소변정체
- Risk for latex allergy response 라텍스 알레르기 반응 위험성

Neurologic disorders 신경계질환

- Ineffective airway clearance 비효율적 기도청결
- Acute confusion 급성혼동
- Ineffective coping 비효율적 대응
- Risk for dry eye 안구 건조 위험성
- Disturbed energy field 에너지장 교류 장애
- Interrupted family processes 가족과정 중단
- Grieving 슬픔
- Impaired home maintenance 가정유지 장애
- Impaired memory 기억장애
- Impaired physical mobility 신체 이동성 장애
- Imbalanced nutrition: less than body requirements 영양불균형: 영양부족
- Powerlessness 무력감
- Self-care deficit 자가간호결핍
- Sexual dysfunction 성기능 장애
- Social isolation 사회적 고립
- Impaired swallowing 연하장애
- Wandering 배회
- Risk for disuse syndrome 비사용 증후군 위험성
- Risk for injury 신체손상 위험성
- Risk for ineffective cerebral tissue perfusion 비효율적 뇌조직 관류 위험성
- Impaired religiosity 손상된 신앙심
- Impaired skin integrity 피부 통합성 장애

Neuropathy, peripheral 말초 신경 장애

- Chronic pain 만성통증

- Ineffective thermoregulation 비효율적 체온조절
- Risk for injury 신체손상 위험성
- Risk for thermal injury 열 손상 위험성

Peripheral vascular disease (pvd) 참조

Neurosurgery 신경 외과

Craneiectomy/craniotomy) 참조

Newborn, normal 정상 신생아

- Breastfeeding 모유수유
- Ineffective protection 비효율적 방어
- Ineffective thermoregulation 비효율적 체온조절
- Risk for sudden infant death syndrome 영아돌연사 증후군 위험성
- Risk for infection 감염 위험성
- Risk for injury 신체손상 위험성
- Ineffective childbearing process 비효율적 출산과정
- Disorganized infant behavior 영아의 비조직적 행위
- Readiness for enhanced parenting 부모 역할 향상 가능성

Newborn, postmature 과숙아

- Hypothermia 저체온
- Impaired skin integrity 피부 통합성 장애
- Ineffective airway clearance 비효율적 기도청결
- Risk for unstable blood glucose level 불안정한 혈당수치 위험성
- Risk for injury 신체손상 위험성

355

Newborn, small for gestational age (SGA) 미숙아

- Neonatal jaundice 신생아 황달
- Imbalanced nutrition: less than body requirements 영양불균형: 영양부족
- Ineffective thermoregulation 비효율적 체온 조절
- Risk for sudden infant death syndrome 영아 돌연사 증후군 위험성
- Risk for delayed development 발달지체 위험성
- Risk for disproportionate growth 불균형적 성장 위험성
- Risk for injury 신체손상 위험성

Nicotine addiction 니코틴 중독

- Risk-prone health behavior 위험성향 건강행동
- Ineffective health maintenance 비효율적 건강 유지
- Powerlessness 무력감
- Readiness for enhanced decision-making 의사결정 향상 가능성
- Readiness for enhanced self-health management 자기건강관리 향상 가능성

NIDDM (non-insulin-dependent diabetes mellitus) 인슐린 비의존형 당뇨병

- Readiness for enhanced self-health management 자기건강관리 향상 가능성

Diabetes mellitus 참조

Nightmares 악몽

- Disturbed energy field 에너지장 교류 장애
- Post-trauma syndrome 외상 후 증후군

Nipple soreness 유두궤양

- Impaired comfort 안위장애

Nocturia 야간뇨a

- Urge urinary incontinence 절박성(긴박성) 요실금
- Impaired urinary elimination 배뇨장애
- Powerlessness 무력감

Nocturnal myoclonus 야간 간대성 근경련증

Restless leg syndrome; stress 참조

Nocturnal paroxysmal dyspnea 야간 발작호흡곤란

Pnd (paradoxysmal nocturnal dyspnea) 참조

Noncompliance 불이행

- Noncompliance (00079) 불이행

Non-insulin-dependent diabetes mellitus (NIDDM) 인슐린 비의존성 당뇨병

Diabetes mellitus 참조

Normal pressure hydrocephalus (NPH) 표준압 뇌수종

- Impaired verbal communication 언어소통 장애
- Acute confusion 급성혼동
- Impaired memory 기억장애
- Risk for falls 낙상 위험성
- Risk for ineffective cerebral tissue perfusion 비효율적 뇌조직 관류 위험성

Nursing 수유

Breastfeeding, effective; breastfeeding, ineffective; breastfeeding, interrupted 참조

Nutrition 영양

- Readiness for enhanced nutrition 영양 향상
  을 위한 가능성

Nutrition, imbalanced 영양불균형

- Imbalanced nutrition: less than body re-
  quirements 영양불균형: 영양부족
- Imbalanced nutrition: more than body re-
  quirements 영양불균형: 영양과다
- Risk for imbalanced nutrition: more than
  body requirements 영양불균형 위험성: 영양
  과다

O

Obesity 비만

- Disturbed body image 신체상 장애
- Risk – prone health behavior 위험성향 건강 행동
- Imbalanced nutrition: more than body requirements 영양불균형: 영양과다
- Chronic low self – esteem 만성적 자존감 저하
- Risk for ineffective peripheral tissue perfusion 비효율적 말초조직 관류 위험성
- Readiness for enhanced nutrition 영양 향상을 위한 가능성

Obsessive – compulsive disorder (OCD) 강박장애

Ocd (obsessive – compulsive disorder) 참조

Obstructive sleep apnea 폐쇄적 수면 무호흡

- Insomnia 불면증
- Imbalanced nutrition: more than body requirements 영양불균형: 영양과다

Pnd (paroxysmal nocturnal dyspnea) 참조

OCD (Obsessive–compulsive disorder) 강박장애

- Ineffective activity planning 비효율적 활동 계획
- Anxiety 불안
- Decisional conflict 의사결정 갈등
- Ineffective coping 비효율적 대응
- Risk–prone health behavior 위험성향 건강 행동
- Powerlessness 무력감
- Impaired individual resilience 개인 적응력 장애

ODD (oppositional defiant disorder) 반항질환

- Anxiety 불안
- Ineffective coping 비효율적 대응
- Disability family coping 가족 대응 불능
- Risk – prone health behavior 위험성향 건강 행동
- Ineffective impulse control 비효율적 충동 조절
- Chronic low self – esteem 만성적 자존감 저하
- Situational low self – esteem 상황적 자존감 저하
- Impaired social interaction 사회적 상호작용 장애
- Ineffective family therapeutic regimen management 비효율적 가족치료 요법 관리
- Risk for ineffective activity planning 비효율적 활동 계획 위험성
- Risk for impaired parenting 부모 역할 장애 위험성
- Powerlessness 무력감
- Risk for spiritual distress 영적고뇌 위험성
- Risk for other – directed violence 타인지향 폭력 위험성

Oliguria 핍뇨

- Deficient fluid volume 체액부족

Omphalocele 배꼽탈출

Gastroschisis/omphalocele 참조

Open heart surgery 개심술

- Risk for decreased cardiac tissue perfusion 심장 조직 관류 감소 위험성

Coronary artery bypass grafting (cagb):
dysrhytymia 참조

Opiate use 마취제 사용

- Risk for constipation 변비 위험성
- Opportunistic infection 기회성 감염
- Delayed surgical recovery 수술 후 회복 지연
- Risk for infection 감염 위험성

Aids (acquired immunodeficiency syndrome):
hiv (human immunodeficiency virus) 참조

Oral mucous membrane, impaired 구강점막 손상

- Impaired oral mucous membrane 구강점막 손상

Oral thrush 구강 아구창

Candidiasis, oral 참조

Orchitis 고환염

- Readiness for enhanced self-health management 자기건강관리 향상 가능성

Epididymitis 참조

Organic mental disorders 장기 정신장애

- Adult failure to thrive 성인 성장 장애
- Impaired social interaction 사회적 상호작용 장애
- Risk for injury 신체손상 위험성
- Risk for disturbed personal identity 자아정체성 장애 위험성

Dementia 참조

Orthopedic traction 정형 외과 견인

- Ineffective role performance 비효율적 역할

수행
- Impaired social interaction 사회적 상호작용 장애
- Impaired transfer ability 이동능력 장애
- Risk for impaired religiosity 신앙심 손상 위험성

Orthopnea 기좌 호흡

- Ineffective breathing pattern 비효율적 호흡 양상
- Decreased cardiac output 심박출량 감소

Orthostatic hypotension 기립성 저혈압

Dizziness 참조

Osteoarthritis 골관절염

- Activity intolerance 활동 지속성 장애
- Acute pain 급성통증
- Impaired transfer ability 이동능력 장애

Arthritis 참조

Osteomyelitis 골수염

- Deficient diversional activity 여가활동 부족
- Fear 두려움
- Ineffective health maintenance 비효율적 건강 유지
- Hyperthermia 고체온
- Impaired physical mobility 신체 이동성 장애
- Acute pain 급성통증
- Risk for constipation 변비 위험성
- Risk for infection 감염 위험성
- Impaired skin integrity 피부 통합성 장애

Osteoporosis 골다공증

- Deficient knowledge 지식부족

- Impaired physical mobility 신체 이동성 장애
- Imbalanced nutrition: less than body requirements 영양불균형: 영양부족
- Acute pain 급성통증
- Risk for injury 신체손상 위험성
- Risk for powerlessness 무력감 위험성
- Readiness for enhanced self-health management 자기건강관리 향상 가능성

Ostomy 개구 수술

Colostomy; ileal conduit; ileostomy 참조

Otitis media 중이염

- Acute pain 급성통증
- Risk for delayed development 발달지체 위험성
- Risk for infection 감염 위험성
- Readiness for enhanced knowledge 지식 향상 가능성

Ovarian carcinoma 난소암

- Death anxiety 죽음불안
- Fear 두려움
- Ineffective health maintenance 비효율적 건강 유지
- Readiness for enhanced family processes 가족과정 향상 가능성
- Readiness for enhanced resilience 적응력 향상 가능성

P

Pacemaker 맥박 조정기

- Anxiety 불안
- Death anxiety 죽음불안
- Deficient knowledge 지식부족
- Acute pain 급성통증
- Risk for bleeding 출혈 위험성
- Risk for infection 감염 위험성
- Risk for decreased cardiac tissue perfusion 심장 조직 관류 감소 위험성
- Risk for powerlessness 무력감 위험성
- Readiness for enhanced self-health management 자기건강관리 향상 가능성

Paget's disease 변형성 골염

- Disturbed body image 신체상 장애
- Deficient knowledge 지식부족
- Chronic sorrow 만성 비탄
- Risk for trauma 외상 위험성

Pain, acute 급성통증

- Disturbed energy field 에너지장 교류 장애
- Acute pain 급성통증

Pain, chronic 만성통증

- Impaired comfort 안위장애
- Disturbed energy field 에너지장 교류 장애
- Chronic pain 만성통증

Painful breasts, engorgement 유방 통증, 충혈

- Impaired comfort 안위장애
- Acute pain 급성통증
- Ineffective role performance 비효율적 역할 수행
- Impaired tissue integrity 조직 통합성 장애

- Ineffective breastfeeding 비효율적 모유수유
- Risk for infection 감염 위험성
- Risk for disturbed maternal-fetal dyad 모아 관계 형성 장애 위험성

Painful breast, sore nipples 유방 통증, 궤양

- Ineffective breastfeeding 비효율적 모유수유
- Insufficient breast milk 불충분한 모유
- Impaired comfort 안위장애
- Acute pain 급성통증
- Ineffective role performance 비효율적 역할 수행
- Impaired skin integrity 피부 통합성 장애
- Risk for infection 감염 위험성

Pallor of extremities 사지 창백

- Ineffective peripheral tissue perfusion 비효율적 말초 조직 관류

Palpitations (heart palpitations) 빈맥

Dysrhythmia 참조

Pancreatic cancer 췌장암

- Death anxiety 죽음불안
- Disability family coping 가족 대응 불능
- Fear 두려움
- Grieving 슬픔
- Deficient knowledge 지식부족
- Spiritual distress 영적 고뇌
- Risk for impaired liver function 간 기능 장애 위험성

Cancer, chemotherapy; radiation therapy; surgery, postoperative; surgery, perioperative; surgery, preoperative 참조

361

Pancreatitis 췌장염

- Ineffective breathing pattern 비효율적 호흡 양상
- Ineffective denial 비효율적 부정
- Diarrhea 설사
- Adult failure to thrive 성인 성장 장애
- Deficient fluid volume 체액부족
- Ineffective health maintenance 비효율적 건강 유지
- Nausea 오심
- Imbalanced nutrition: less than body requirements 영양불균형: 영양부족
- Acute pain 급성통증
- Chronic sorrow 만성 비탄
- Readiness for enhanced comfort 안위 향상 가능성

Panic disorder (panic attacks) 공황장애

- Ineffective activity planning 비효율적 활동 계획
- Anxiety 불안
- Risk-prone health behavior 위험성향 건강 행동
- Ineffective coping 비효율적 대응
- Disturbed personal identity 자아정체성 장애
- Risk for post-trauma syndrome 외상 후 증후군 위험성
- Risk for powerlessness 무력감 위험성
- Readiness for enhanced coping 대응 향상 가능성

Anxiety; anxiety disorder 참조

Paralysis 마비

- Disturbed body image 신체상 장애
- Impaired comfort 안위장애

- Constipation 변비
- Ineffective health maintenance 비효율적 건강 유지
- Impaired home maintenance 가정유지 장애
- Reflex urinary incontinence 신경인성(반사성) 요실금
- Impaired physical mobility 신체 이동성 장애
- Impaired wheelchair mobility 휠체어 이동성 장애
- Self-neglect 자기무시
- Powerlessness 무력감
- Self-care deficit 자가간호결핍
- Sexual dysfunction 성기능 장애
- Chronic sorrow 만성 비탄
- Impaired transfer ability 이동능력 장애
- Risk for autonomic dysreflexia 자율신경 반사장애 위험성
- Risk for latex allergy response 라텍스 알레르기 반응 위험성
- Risk for disuse syndrome 비사용 증후군 위험성
- Risk for falls 낙상 위험성
- Risk for injury 신체손상 위험성
- Post-trauma syndrome 외상 후 증후군
- Impaired religiosity 손상된 신앙심
- Risk for compromised resilience 적응력 저하 위험성
- Risk for situational low self-esteem 상황적 자존감 저하 위험성
- Impaired skin integrity 피부 통합성 장애
- Risk for thermal injury 열 손상 위험성
- Readiness for enhanced self-care 자가간호 향상 가능성

Hemiplegia; hospitalized child; neural tube defects; spinal cord injury 참조

Paralytic ileus 마비성 장폐색

- Constipation 변비
- Deficient fluid volume 체액부족
- Dysfunctional gastrointestinal mobility 위장관 운동 기능장애
- Nausea 오심
- Impaired oral mucous membrane 구강점막 손상
- Acute pain 급성통증

Bowel obstruction 참조

Paranoid personality disorder 편집성 성격장애

- Ineffective activity planning 비효율적 활동 계획
- Anxiety 불안
- Risk – prone health behavior 위험성향 건강 행동
- Disturbed personal identity 자아정체성 장애
- Impaired individual resilience 개인 적응력 장애
- Chronic low self – esteem 만성적 자존감 저하
- Social isolation 사회적 고립
- Risk for loneliness 외로움 위험성
- Risk for post – trauma syndrome 외상 후 증후군 위험성
- Risk for suicide 자살 위험성
- Risk for other – directed violence 타인지향 폭력 위험성

Paraplegia 양측 하지 마비

Spinal cord injury 참조

Parathyroidectomy 상피 소체 적출

- Anxiety 불안
- Ineffective airway clearance 비효율적 기도

청결
- Risk for bleeding 출혈 위험성
- Impaired verbal communication 언어소통 장애
- Risk for infection 감염 위험성

Hypocalcemia 참조

Parent attachment 부모 애착

- Risk for impaired attachment 애착장애 위험성
- Readiness for enhanced childbearing process 출산과정 향상 가능성

Parental role conflict 참조

Parental role conflict 부모역할 갈등

- Parental role conflict 부모역할 갈등
- Ineffective relationship 비효율적 관계
- Chronic sorrow 만성 비탄
- Risk for spiritual distress 영적고뇌 위험성
- Readiness for enhanced parenting 부모 역할 향상 가능성

Parenting 부모 역할

- Readiness for enhanced parenting 부모 역할 향상 가능성

Parenting, impaired 부모 역할 장애

- Impaired parenting 부모 역할 장애
- Chronic sorrow 만성 비탄
- Risk for spiritual distress 영적고뇌 위험성

Parenting, risk for impaired 부모 역할 장애 위험성

- Risk for impaired parenting 부모 역할 장애 위험성

Parenting, impaired 참조

P

Paresthesia 지각 이상

- Risk for injury 신체손상 위험성
- Risk for impaired skin integrity 피부 통합성 장애 위험성
- Risk for thermal injury 열 손상 위험성

Parkinson's disease 파킨슨병

- Impaired verbal communication 언어소통 장애
- Constipation 변비
- Adult failure to thrive 성인 성장 장애
- Imbalanced nutrition: less than body re-quirements 영양불균형: 영양부족
- Chronic sorrow 만성 비탄
- Risk for injury 신체손상 위험성

Neurologic disorders 참조

Paroxysmal nocturnal dyspnea (PND) 발작성 야간 호흡 곤란

Pnd (paroxysmal nocturnal dyspnea) 참조

Patent ductus arteriosus (PDA) 동맥관 잔존증

Congenital heart disease/cardiac anomalies 참조

- Deficient knowledge 지식부족
- Readiness for enhanced decision – making 의사결정 향상 가능성
- Deficient knowledge 지식부족
- Readiness for enhanced knowledge 지식 향상 가능성
- Readiness for enhanced self – health man-agement 자기건강관리 향상 가능성
- Readiness for enhanced spiritual well – being 영적 안녕증진 가능성

PCA (patient—controlled analgesia) 진통제 자가조절

- Impaired comfort 안위장애
- Deficient knowledge 지식부족
- Nausea 오심
- Risk for injury 신체손상 위험성
- Risk for vascular trauma 혈관 외상 위험성
- Readiness for enhanced knowledge 지식 향상 가능성

Pectus excavatum 오목가슴

Marfan syndrome 참조

Pediculosis 이 기생증

Lice 참조

PEG (percutaneous endoscopic gastrostomy) 경피적 내시경 위루설치술

Tube feeding 참조

Pelvis infalmmatory disease (PID) 골반감염질환

Pid (pelvis infalmmatory disease) 참조

Penile prosthesis 음경 인공삽입물

- Ineffective sexuality pattern 비효율적 성적 양상
- Risk for infection 감염 위험성
- Risk for situational low self – esteem 상황적 자존감 저하 위험성
- Readiness for enhanced self – health man-agement 자기건강관리 향상 가능성

Erectile dysfunction (ed); impotence 참조

Peptic ulcer 소화성 궤양

Ulcer, peptic (duodenal or gastric) 참조

Percutaneous transluminal coronary Angioplasty (PTCA) 경피경 관상혈관 성형술

Angioplasty, coronary 참조

Pericardial friction rub 심장마찰음

- Decreased cardiac output 심박출량 감소
- Acute pain 급성통증
- Delayed surgical recovery 수술 후 회복 지연
- Risk for decreased cardiac tissue perfusion 심장 조직 관류 감소 위험성

Pericarditis 심막염

- Activity intolerance 활동 지속성 장애
- Decreased cardiac output 심박출량 감소
- Deficient knowledge 지식부족
- Acute pain 급성통증
- Delayed surgical recovery 수술 후 회복 지연
- Imbalanced nutrition: less than body requirements 영양불균형: 영양부족
- Risk for decreased cardiac tissue perfusion 심장 조직 관류 감소 위험성

Perioperative positioning 수술 중 체위

- Risk for perioperative positioning injury 수술 중 체위 관련 손상 위험성

Peripheral neurovascular dysfunction 말초 신경혈관 기능 장애

- Risk for peripheral neurovascular dysfunction 말초신경혈관 기능 장애 위험성

Neuropathy, peripheral; peripheral vascular disease (pvd) 참조

Peripheral vascular disease (PVD) 말초혈관 질환

- Activity intolerance 활동 지속성 장애
- Ineffective health maintenance 비효율적 건강 유지
- Chronic pain 만성통증
- Ineffective peripheral tissue perfusion 비효율적 말초 조직 관류
- Risk for falls 낙상 위험성
- Risk for injury 신체손상 위험성
- Risk for peripheral neurovascular dysfunction 말초신경혈관 기능 장애 위험성
- Risk for impaired skin integrity 피부 통합성 장애 위험성
- Readiness for enhanced self-health management 자기건강관리 향상 가능성

Neuropathy, peripheral; peripheral neurovascular dysfunction 참조

Pernicious anemia 악성 빈혈

- Diarrhea 설사
- Fatigue 피로
- Impaired memory 기억장애
- Nausea 오심
- Imbalanced nutrition: less than body requirements 영양불균형: 영양부족
- Impaired oral mucous membrane 구강점막 손상
- Risk for falls 낙상 위험성
- Risk for peripheral neurovascular dysfunction 말초신경혈관 기능 장애 위험성

Persistent fetal circulation 지속적 태아 순환

Congenital heart disease/cardiac anomalies 참조

365

Personal identity problems 자아정체성 문제

- Disturbed personal identity 자아정체성 장애
- Risk for disturbed personal identity 자아정체성 장애 위험성

Personality disorder 성격이상

- Ineffective activity planning 비효율적 활동 계획
- Impaired individual resilience 개인 적응력 장애

Specific disorder: antisocial personality disorder; borderline personality disorder; ocd (obsessive-compulsive disorder); paranoid personality disorder 참조

Pertussis (whooping cough) 백일해

Respiratory infection, acute childhood 참조

Pesticide contamination 살충제 오염

- Contamination 오염
- Risk for allergy response 알레르기 반응 위험성
- Risk for disproportionate growth 불균형적 성장 위험성

Petechiae 점상 출혈

Anticoagulant therapy; clotting disorder, dic (disseminated intravascular coagulation); hemophilia 참조

Petit mal seizure 소발작

- Readiness for enhanced self-health management 자기건강관리 향상 가능성

Epilepsy 참조

Pharyngitis 인두염

Sore throat 참조

Phenylketonuria (PKU) 페닐케톤뇨증

Pku (phenylketonuria) 참조

Pheochromocytoma 크롬친화 세포종

- Anxiety 불안
- Ineffective health maintenance 비효율적 건강 유지
- Insomnia 불면증
- Nausea 오심
- Risk for adverse reaction to iodinated contrast media 요오드 조영제 부작용 위험성
- Risk for decreased cardiac tissue perfusion 심장 조직 관류 감소 위험성

Surgery, perioperative; surgery, postoperative; surgery, preoperative 참조

Phlebitis 정맥염

Thrombopphelebitis 참조

Phobia (specific) 공포증

- Fear 두려움
- Powerlessness 무력감
- Impaired individual resilience 개인 적응력 장애
- Readiness for enhanced power 힘 향상 가능성

Anxiety; anxiety disorder, panic disorder (panic attacks) 참조

Photosensitivity 감광성

- Ineffective self-health management 비효율적 자기 건강관리

- Risk for dry eye 안구 건조 위험성
- Impaired skin integrity 피부 통합성 장애

Physical Abuse 신체적인 학대

Abuse, child; abuse, spouse, parent, or significant other 참조

PICA 이식증

- Anxiety 불안
- Imbalanced nutrition: less than body requirements 영양불균형: 영양부족
- Impaired parenting 부모 역할 장애
- Risk for constipation 변비 위험성
- Risk for infection 감염 위험성
- Risk for dysfunctional gastrointestinal mobility 위장관 운동 기능장애 위험성
- Risk for poisoning 중독 위험성

Anemia 참조

PID (pelvic inflammatory disease) 골반내 염증 질환

- Ineffective health maintenance 비효율적 건강 유지
- Acute pain 급성통증
- Ineffective sexuality pattern 비효율적 성적 양상
- Risk for urge urinary incontinence 절박성(긴박성) 요실금 위험성
- Risk for infection 감염 위험성

Maturational issues, adolescent; std (sexually transmitted disease)

PIH (pregnancy-induced hypertension/preeclampsia) 임신성 고혈압/자간전증

- Acute pain 급성통증

- Death anxiety 죽음불안
- Deficient diversional activity 여가활동 부족
- Interrupted family processes 가족과정 중단
- Impaired home maintenance 가정유지 장애
- Deficient knowledge 지식부족
- Impaired physical mobility 신체 이동성 장애
- Impaired parenting 부모 역할 장애
- Powerlessness 무력감
- Ineffective role performance 비효율적 역할 수행
- Situational low self-esteem 상황적 자존감 저하
- Risk for imbalanced fluid volume 체액불균형 위험성
- Risk for injury 신체손상 위험성
- Readiness for enhanced knowledge 지식 향상 가능성

Malignant hypertension (arteriolar nephrosclerosis) 참조

Piloerection 털세움

- Hypothermia 저체온

Pimples 여드름

Acne 참조

Pink eye 유행성 결막염

Conjuntivitis 참조

Pinworms 요충

- Impaired comfort 안위장애
- Impaired home maintenance 가정유지 장애
- Insomnia 불면증
- Readiness for enhanced self-health management 자기건강관리 향상 가능성

PKU (phenylketouria) 페닐케톤뇨증

- Risk for delayed development 발달지체 위험성
- Readiness for enhanced self – health management 자기건강관리 향상 가능성

Placenta abruption 태반조기박리

- Death anxiety 죽음불안
- Fear 두려움
- Ineffective health maintenance 비효율적 건강 유지
- Acute pain 급성통증
- Risk for bleeding 출혈 위험성
- Risk for deficient fluid volume 체액부족 위험성
- Risk for disturbed maternal – fetal dyad 모아 관계 형성 장애 위험성
- Risk for powerlessness 무력감 위험성
- Risk for shock 쇼크 위험성
- Risk for spiritual distress 영적고뇌 위험성

Placenta previa 전치태반

- Death anxiety 죽음불안
- Disturbed body image 신체상 장애
- Ineffective coping 비효율적 대응
- Deficient diversional activity 여가활동 부족
- Interrupted family processes 가족과정 중단
- Fear 두려움
- Impaired home maintenance 가정유지 장애
- Impaired physical mobility 신체 이동성 장애
- Ineffective role performance 비효율적 역할 수행
- Situational low self – esteem 상황적 자존감 저하
- Spiritual distress 영적 고뇌

- Risk for bleeding 출혈 위험성
- Constipation 변비
- Risk for deficient fluid volume 체액부족 위험성
- Risk for imbalanced fluid volume 체액불균형 위험성
- Risk for injury 신체손상 위험성
- Risk for disturbed maternal – fetal dyad 모아 관계 형성 장애 위험성
- Risk for impaired parenting 부모 역할 장애 위험성
- Risk for ineffective peripheral tissue perfusion 비효율적 말초조직 관류 위험성
- Risk for powerlessness 무력감 위험성
- Risk for shock 쇼크 위험성

Plantar fascitis 족저근막염

- Impaired comfort 안위장애
- Impaired physical mobility 신체 이동성 장애
- Acute pain 급성통증
- Chronic pain 만성통증

Pleural effusion 늑막삼출

- Ineffective breathing pattern 비효율적 호흡 양상
- Excess fluid volume 체액과다
- Hyperthermia 고체온
- Acute pain 급성통증

Pleural friction rub 늑막마찰음

- Ineffective breathing pattern 비효율적 호흡 양상
- Acute pain 급성통증

Pleurisy 늑막염

- Ineffective breathing pattern 비효율적 호흡 양상
- Impaired gas exchange 가스교환장애
- Acute pain 급성통증
- Ineffective airway clearance 비효율적 기도 청결
- Risk for infection 감염 위험성
- Impaired physical mobility 신체 이동성 장애

PMS (premenstrual tension syndrome) 월경 전 긴장증후군

- Fatigue 피로
- Excess fluid volume 체액과다
- Deficient knowledge 지식부족
- Acute pain 급성통증
- Powerlessness 무력감
- Impaired individual resilience 개인 적응력 장애
- Readiness for enhanced communication 의 사소통 향상 가능성
- Readiness for enhanced self-health man-agement 자기건강관리 향상 가능성

PND (paroxysmal nocturnal dyspnea) 발작 성 야간 호흡 곤란

- Anxiety 불안
- Ineffective breathing pattern 비효율적 호흡 양상
- Insomnia 불면증
- Sleep deprivation 수면 박탈
- Risk for decreased cardiac tissue perfusion 심장 조직 관류 감소 위험성
- Risk for powerlessness 무력감 위험성
- Readiness for enhanced sleep 수면 향상 가 능성

Pneumonectomy 폐절제

Thoracotomy 참조

Pneumonia 폐렴

- Activity intolerance 활동 지속성 장애
- Ineffective airway clearance 비효율적 기도 청결
- Impaired gas exchange 가스교환장애
- Ineffective self-health management 비효율 적 자기 건강관리
- Hyperthermia 고체온
- Deficient knowledge 지식부족
- Imbalanced nutrition: less than body re-quirements 영양불균형: 영양부족
- Impaired oral mucous membrane 구강점막 손상
- Risk for acute confusion 급성혼동 위험성
- Risk for deficient fluid volume 체액부족 위험성
- Risk for vascular trauma 혈관 외상 위험성
- Readiness for enhanced immunization status 면역상태 향상 가능성

Respiratory infection, acute childhood 참조

Pneumothorax 기흉

- Fear 두려움
- Impaired gas exchange 가스교환장애
- Acute pain 급성통증
- Risk for injury 신체손상 위험성

Chest tube 참조

Poisoning, risk for 중독 위험성

- Risk for poisoning 중독 위험성

Poliomyelitis 척수성 소아 마비

- Readiness for enhanced immunization status 면역상태 향상 가능성

Paralysis 참조

Polyphagia 다식증

- Readiness for enhanced nutrition 영양 향상을 위한 가능성

Diabetes mellitus 참조

Polyuria 다뇨증

- Readiness for enhanced urinary elimination 배뇨 향상 가능성

Diabetes mellitus 참조

Postoperative care 수술 후 간호

Surgery, postoperative 참조

Postpartum depression 산후 우울증

- Anxiety 불안
- Disturbed body image 신체상 장애
- Ineffective childbearing process 비효율적 출산과정
- Ineffective coping 비효율적 대응
- Fatigue 피로
- Risk – prone health behavior 위험성향 건강행동
- Impaired home maintenance 가정유지 장애
- Deficient knowledge 지식부족
- Impaired parenting 부모 역할 장애
- Ineffective role performance 비효율적 역할수행
- Sexual dysfunction 성기능 장애
- Sleep deprivation 수면 박탈
- Impaired social interaction 사회적 상호작용 장애

- Risk for disturbed personal identity 자아정체성 장애 위험성
- Risk for post – trauma syndrome 외상 후 증후군 위험성
- Risk for situational low self – esteem 상황적 자존감 저하 위험성
- Risk for spiritual distress 영적고뇌 위험성
- Readiness for enhanced hope 희망증진 가능성

Postpartum hemorrhage 분만후출혈

- Activity intolerance 활동 지속성 장애
- Death anxiety 죽음불안
- Disturbed body image 신체상 장애
- Interrupted breastfeeding 모유수유 장애
- Insufficient breast milk 불충분한 모유
- Decreased cardiac output 심박출량 감소
- Fear 두려움
- Deficient fluid volume 체액부족
- Impaired home maintenance 가정유지 장애
- Deficient knowledge 지식부족
- Acute pain 급성통증
- Ineffective peripheral tissue perfusion 비효율적 말초 조직 관류
- Risk for bleeding 출혈 위험성
- Risk for infection 감염 위험성
- Risk for disturbed maternal – fetal dyad 모아관계 형성 장애 위험성
- Impaired parenting 부모 역할 장애
- Powerlessness 무력감
- Risk for shock 쇼크 위험성

Postpartum, normal care 정상분만 후

- Anxiety 불안
- Readiness for enhanced breastfeeding 모유

수유 향상 가능성

- Constipation 변비
- Fatigue 피로
- Acute pain 급성통증
- Sexual dysfunction 성기능 장애
- Impaired skin integrity 피부 통합성 장애
- Sleep deprivation 수면 박탈
- Impaired urinary elimination 배뇨장애
- Risk for constipation 변비 위험성
- Risk for imbalanced fluid volume 체액불균형 위험성
- Risk for urge urinary incontinence 절박성(긴박성) 요실금 위험성
- Risk for infection 감염 위험성
- Readiness for enhanced family coping 가족 대응 향상 가능성
- Readiness for enhanced hope 희망증진 가능성
- Readiness for enhanced parenting 부모 역할 향상 가능성

Post-trauma syndrome 외상 후 증후군

- Post-trauma syndrome 외상 후 증후군

Post-trauma syndrome, risk for 외상 후 증후군 위험성

- Risk for post-trauma syndrome 외상 후 증후군 위험성

Post-traumatic stress disorder (PTSD) 외상 후 스트레스 장애

Ptsd (post-traumatic stress disorder) 참조

Potassium, increase/decrease 칼륨 증가/감소

Hyperkalemicia; hypokalemia 참조

Power/powerlessness 힘/무력감

- Powerlessness 무력감
- Risk for ineffective childbearing process 비효율적 출산과정 위험성
- Risk for powerlessness 무력감 위험성

Preeclampsia 자간전증

Pih (pregnancy-induced hypertension/pre-eclampsia) 참조

Pregnancy-induced hypertension/preeclampsia (PIH) 임신성 고혈압/자간전증

Pih 참조

Pregnancy loss 유산

- Anxiety 불안
- Compromised family coping 가족의 비효율적 대응
- Ineffective coping 비효율적 대응
- Grieving 슬픔
- Complicated grieving 복합적 슬픔
- Acute pain 급성통증
- Ineffective role performance 비효율적 역할 수행
- Ineffective sexuality pattern 비효율적 성적 양상
- Chronic sorrow 만성 비탄
- Spiritual distress 영적 고뇌
- Risk for bleeding 출혈 위험성
- Deficient fluid volume 체액부족
- Risk for complicated grieving 복합적 슬픔 위험성
- Risk for infection 감염 위험성
- Risk for powerlessness 무력감 위험성
- Risk for ineffective relationship 비효율적 관계 위험성

- Risk for spiritual distress 영적고뇌 위험성
- Readiness for enhanced communication 의사소통 향상 가능성
- Readiness for enhanced hope 희망증진 가능성
- Readiness for enhanced spiritual well-being 영적 안녕증진 가능성

Pregnancy, normal 정상임신

- Anxiety 불안
- Disturbed body image 신체상 장애
- Interrupted family processes 가족과정 중단
- Fatigue 피로
- Fear 두려움
- Deficient knowledge 지식부족
- Nausea 오심
- Imbalanced nutrition: less than body requirements 영양불균형: 영양부족
- Imbalanced nutrition: more than body requirements 영양불균형: 영양과다
- Sleep deprivation 수면 박탈
- Impaired urinary elimination 배뇨장애
- Risk for constipation 변비 위험성
- Sexual dysfunction 성기능 장애
- Readiness for enhanced childbearing process 출산과정 향상 가능성
- Readiness for enhanced family coping 가족 대응 향상 가능성
- Readiness for enhanced family processes 가족과정 향상 가능성
- Readiness for enhanced nutrition 영양 향상을 위한 가능성
- Readiness for enhanced parenting 부모 역할 향상 가능성
- Readiness for enhanced relationship 관계

향상 가능성
- Readiness for enhanced self-health management 자기건강관리 향상 가능성
- Readiness for enhanced spiritual well-being 영적 안녕증진 가능성

Discomforts of pregnancy 참조

Premature dilation of the cervix (incompetent cervix) 자궁경부 조기확장 (자궁경부 무력)

- Activity intolerance 활동 지속성 장애
- Ineffective coping 비효율적 대응
- Deficient diversional activity 여가활동 부족
- Fear 두려움
- Grieving 슬픔
- Deficient knowledge 지식부족
- Impaired physical mobility 신체 이동성 장애
- Powerlessness 무력감
- Ineffective role performance 비효율적 역할수행
- Situational low self-esteem 상황적 자존감 저하
- Sexual dysfunction 성기능 장애
- Impaired social interaction 사회적 상호작용 장애
- Risk for infection 감염 위험성
- Risk for injury 신체손상 위험성
- Risk for compromised resilience 적응력 저하 위험성
- Risk for spiritual distress 영적고뇌 위험성

Premature infant (child) 미숙아 (아동)

- Insufficient breast milk 불충분한 모유
- Impaired gas exchange 가스교환장애
- Disorganized infant behavior 영아의 비조직적 행위

- Insomnia 불면증
- Neonatal jaundice 신생아 황달
- Risk for neonatal jaundice 신생아 황달 위험성
- Imbalanced nutrition: less than body requirements 영양불균형: 영양부족
- Impaired swallowing 연하장애
- Ineffective thermoregulation 비효율적 체온 조절
- Risk for delayed development 발달지체 위험성
- Risk for disproportionate growth 불균형적 성장 위험성
- Risk for infection 감염 위험성
- Risk for injury 신체손상 위험성
- Readiness for enhanced organized infant behavior 영아의 조직적 행위 향상

Premature infant (parent) 미숙아 (부모)

- Ineffective breastfeeding 비효율적 모유수유
- Decisional conflict 의사결정 갈등
- Parental role conflict 부모역할 갈등
- Compromised family coping 가족의 비효율적 대응
- Grieving 슬픔
- Complicated grieving 복합적 슬픔
- Chronic sorrow 만성 비탄
- Spiritual distress 영적 고뇌
- Risk for impaired attachment 애착장애 위험성
- Risk for disturbed maternal – fetal dyad 모아 관계 형성 장애 위험성
- Risk for powerlessness 무력감 위험성
- Risk for compromised resilience 적응력 저하 위험성
- Risk for spiritual distress 영적고뇌 위험성

- Readiness for enhanced family processes 가족과정 향상 가능성

Premature rupture of membranes 양막 조기 파열

- Anxiety 불안
- Disturbed body image 신체상 장애
- Ineffective coping 비효율적 대응
- Grieving 슬픔
- Situational low self – esteem 상황적 자존감 저하
- Risk for infection 감염 위험성
- Risk for injury 신체손상 위험성
- Risk for disturbed maternal – fetal dyad 모아 관계 형성 장애 위험성

Premenstrual tension syndrome (PMS) 월경전 긴장증후군

Pms (premenstrual tension syndrome) 참조

Prenatal care, normal 정상 산전 간호

- Readiness for enhanced childbearing process 출산과정 향상 가능성
- Readiness for enhanced knowledge 지식 향상 가능성
- Readiness for enhanced spiritual well-being 영적 안녕증진 가능성

Pregnancy, normal 참조

Prenatal testing 산전 검사

- Anxiety 불안
- Acute pain 급성통증
- Risk for infection 감염 위험성
- Risk for injury 신체손상 위험성

Preoperative teaching 수술 전 교육

Surgery, preoperative care 참조

Pressure ulcer 욕창

- Impaired comfort 안위장애
- Impaired bed mobility 침상 체위이동 장애
- Imbalanced nutrition: less than body requirements 영양불균형: 영양부족
- Acute pain 급성통증
- Impaired skin integrity 피부 통합성 장애
- Impaired tissue integrity 조직 통합성 장애
- Risk for infection 감염 위험성

Preterm labor 조기분만

- Anxiety 불안
- Ineffective coping 비효율적 대응
- Deficient diversional activity 여가활동 부족
- Grieving 슬픔
- Impaired home maintenance 가정유지 장애
- Impaired physical mobility 신체 이동성 장애
- Ineffective role performance 비효율적 역할 수행
- Situational low self-esteem 상황적 자존감 저하
- Sexual dysfunction 성기능 장애
- Sleep deprivation 수면 박탈
- Impaired social interaction 사회적 상호작용 장애
- Risk for injury 신체손상 위험성
- Risk for powerlessness 무력감 위험성
- Risk for vascular trauma 혈관 외상 위험성
- Readiness for enhanced childbearing process 출산과정 향상 가능성
- Readiness for enhanced comfort 안위 향상 가능성

- Readiness for enhanced communication 의사소통 향상 가능성

Projection 투사

- Anxiety 불안
- Defensive coping 방어적 대응
- Chronic low self-esteem 만성적 자존감 저하
- Impaired social interaction 사회적 상호작용 장애
- Risk for loneliness 외로움 위험성
- Risk for post-trauma syndrome 외상 후 증후군 위험성

Paranoid personality disorder 참조

Prolapsed umbilical cord 제대탈출

- Fear 두려움
- Ineffective peripheral tissue perfusion 비효율적 말초 조직 관류
- Risk for injury 신체손상 위험성

Prostatectomy 전립선 절제술

Turp (transurethral resection of the prostate) 참조

Prostatic hypertrophy 전립샘비대

- Ineffective health maintenance 비효율적 건강 유지
- Insomnia 불면증
- Urinary retention 소변정체
- Risk for urge urinary incontinence 절박성(긴박성) 요실금 위험성
- Risk for infection 감염 위험성

Prostatitis 전립선염

- Impaired comfort 안위장애

- Ineffective health maintenance 비효율적 건강 유지
- Urge urinary incontinence 절박성(긴박성) 요실금
- Ineffective protection 비효율적 방어

Pruritus 소양증

- Impaired comfort 안위장애
- Deficient knowledge 지식부족
- Risk for impaired skin integrity 피부 통합성 장애 위험성

Psoriasis 건선

- Disturbed body image 신체상 장애
- Impaired comfort 안위장애
- Ineffective health maintenance 비효율적 건강 유지
- Powerlessness 무력감
- Impaired skin integrity 피부 통합성 장애

Psychosis 정신 이상

- Ineffective activity planning 비효율적 활동 계획
- Ineffective health maintenance 비효율적 건강 유지
- Self-neglect 자기무시
- Impaired individual resilience 개인 적응력 장애
- Situational low self-esteem 상황적 자존감 저하
- Post-trauma syndrome 외상 후 증후군
Schizophrenia 참조

PTCA (percutaneous transluminal coronary angioplasty) 경피경 관상혈관 성형술

Angioplasty, coronary 참조

PTSD (post-traumatic stress disorder) 외상 후 스트레스 장애

- Anxiety 불안
- Death anxiety 죽음불안
- Ineffective breathing pattern 비효율적 호흡 양상
- Ineffective coping 비효율적 대응
- Disturbed energy field 에너지장 교류 장애
- Ineffective impulse control 비효율적 충동 조절
- Insomnia 불면증
- Post-trauma syndrome 외상 후 증후군
- Sleep deprivation 수면 박탈
- Spiritual distress 영적 고뇌
- Risk for powerlessness 무력감 위험성
- Risk for ineffective relationship 비효율적 관계 위험성
- Risk for self-directed violence 본인지향 폭력 위험성
- Risk for other-directed violence 타인지향 폭력 위험성
- Readiness for enhanced comfort 안위 향상 가능성
- Readiness for enhanced communication 의사소통 향상 가능성
- Readiness for enhanced spiritual well-being 영적 안녕증진 가능성

Pulmonary Edema 폐수종

- Anxiety 불안
- Ineffective breathing pattern 비효율적 호흡 양상
- Impaired gas exchange 가스교환장애
- Ineffective health maintenance 비효율적 건강 유지
- Sleep deprivation 수면 박탈

- Risk for decreased cardiac tissue perfusion 심장 조직 관류 감소 위험성

Pulmonary embolism 폐색전

- Decreased cardiac output 심박출량 감소
- Fear 두려움
- Impaired gas exchange 가스교환장애
- Deficient knowledge 지식부족
- Acute pain 급성통증
- Ineffective peripheral tissue perfusion 비효율적 말초 조직 관류
- Delayed surgical recovery 수술 후 회복 지연

Anticoagulant therapy 참조

Pulmonary stenosis 폐협착

Congenital heart disease/cardiac anomalies 참조

Pulse deficit 맥박결손

- Decreased cardiac output 심박출량 감소

Dysrhythmia 참조

Pulse oximetry 맥박산소측정

- Readiness for enhanced knowledge 지식 향상 가능성

Hypoxia 참조

Pulse pressure, increased 맥압 상승

Intracranial pressure, increased 참조

Pulse pressure, narrowed 좁은 맥압

Shock, hypovolemic 참조

Pulse, absent of diminished peripheral 말초 맥박 부재

- Ineffective peripheral tissue perfusion 비효율적 말초 조직 관류
- Risk for peripheral neurovascular dysfunction 말초신경혈관 기능 장애 위험성

Purpura 자반병

Clotting disorder 참조

Pyelonephritis 신우신염

- Ineffective health maintenance 비효율적 건강 유지
- Insomnia 불면증
- Acute pain 급성통증
- Impaired urinary elimination 배뇨장애
- Risk for urge urinary incontinence 절박성(긴박성) 요실금 위험성
- Risk for ineffective renal perfusion 비효율적 신장 관류 위험성

Pyloric stenosis 유문협착

- Imbalanced nutrition: less than body requirements 영양불균형: 영양부족
- Acute pain 급성통증
- Risk for imbalanced fluid volume 체액불균형 위험성

Hospitalized child 참조

Pyloromyotomy (pyloric stenosis repair) 유문근절개술 (유문협착 치료)

Surgery preoperative, perioperative, postoperative 참조

R

RA (rheumatoid arthritis) 류머티즘성 관절염

- Ineffective health maintenance 비효율적 건강 유지
- Acute pain 급성통증

Radiation therapy 방사선 요법

- Activity intolerance 활동 지속성 장애
- Disturbed body image 신체상 장애
- Diarrhea 설사
- Fatigue 피로
- Deficient knowledge 지식부족
- Nausea 오심
- Imbalanced nutrition: less than body requirements 영양불균형: 영양부족
- Impaired oral mucous membrane 구강점막 손상
- Ineffective protection 비효율적 방어
- Risk for powerlessness 무력감 위험성
- Risk for compromised resilience 적응력 저하 위험성
- Impaired skin integrity 피부 통합성 장애
- Risk for spiritual distress 영적고뇌 위험성

Rage 분노

- Risk-prone health behavior 위험성향 건강 행동
- Impaired individual resilience 개인 적응력 장애
- Stress overload 과잉 스트레스
- Self-mutilation 자해
- Risk for suicide 자살 위험성
- Risk for other-directed violence 타인지향 폭력 위험성

Rape-trauma syndrome 강간 상해 증후군

- Rape-trauma syndrome 강간 상해 증후군
- Chronic sorrow 만성 비탄
- Ineffective childbearing process 비효율적 출산과정
- Risk for chronic low self-esteem 만성적 자존감 저하 위험성
- Risk for ineffective relationship 비효율적 관계 위험성
- Risk for post-trauma syndrome 외상 후 증후군 위험성
- Risk for powerlessness 무력감 위험성
- Risk for spiritual distress 영적고뇌 위험성

Rash 발진

- Impaired comfort 안위장애
- Impaired skin integrity 피부 통합성 장애
- Risk for latex allergy response 라텍스 알레르기 반응 위험성
- Risk for infection 감염 위험성
- Readiness for enhanced immunization status 면역상태 향상 가능성

Rationalization 합리화

- Defensive coping 방어적 대응
- Ineffective denial 비효율적 부정
- Impaired individual resilience 개인 적응력 장애
- Risk for post-trauma syndrome 외상 후 증후군 위험성
- Readiness for enhanced communication 의사소통 향상 가능성
- Readiness for enhanced spiritual well-being 영적 안녕증진 가능성

Raynaud's disease 레이노병

- Deficient knowledge 지식부족
- Ineffective peripheral tissue perfusion 비효율적 말초 조직 관류

RDS (respiratory distress syndrome) 호흡 장애 증후군

Respiratory conditions of the neonate 참조

Rectal fullness 직장 팽만

- Constipation 변비
- Risk for constipation 변비 위험성

Rectal lumps 직장 덩어리

Hemorrhoids 참조

Rectal pain/bleeding 직장 통증/출혈

- Constipation 변비
- Deficient knowledge 지식부족
- Acute confusion 급성혼동
- Risk for bleeding 출혈 위험성

Rectal surgery 직장 수술

Hemorrhoidectomy 참조

Rectocele repair 직장 탈장 치료

- Constipation 변비
- Ineffective health maintenance 비효율적 건강 유지
- Acute pain 급성통증
- Urinary retention 소변정체
- Risk for bleeding 출혈 위험성
- Risk for urge urinary incontinence 절박성(긴박성) 요실금 위험성
- Risk for infection 감염 위험성

Reflex 반사

- Reflex urinary incontinence 신경인성(반사성) 요실금

Regression 퇴행

- Anxiety 불안
- Defensive coping 방어적 대응
- Self-neglect 자기무시
- Powerlessness 무력감
- Impaired individual resilience 개인 적응력 장애
- Ineffective role performance 비효율적 역할 수행

Rehabilitation 재활

- Ineffective coping 비효율적 대응
- Impaired physical mobility 신체 이동성 장애
- Self-care deficit 자가간호 결핍
- Readiness for enhanced comfort 안위 향상 가능성
- Readiness for enhanced self-concept 자아개념 향상 가능성
- Readiness for enhanced self-health management 자기건강관리 향상 가능성

Relationship 관계

- Ineffective relationship 비효율적 관계
- Risk for ineffective relationship 비효율적 관계 위험성

Relaxation techniques 이완요법

- Anxiety 불안
- Readiness for enhanced comfort 안위 향상 가능성
- Readiness for enhanced resilience 적응력

향상 가능성

- Readiness for enhanced self – concept 자아 개념 향상 가능성
- Readiness for enhanced self – health man- agement 자기건강관리 향상 가능성
- Readiness for enhanced spiritual well – being 영적 안녕증진 가능성

Religiosity 신앙심

- Impaired religiosity 손상된 신앙심
- Readiness for enhanced religiosity 신앙심 향상 가능성
- Risk for impaired religiosity 신앙심 손상 위험성

Religious concerns 신앙관련

- Spiritual distress 영적 고뇌
- Risk for spiritual distress 영적고뇌 위험성
- Readiness for enhanced spiritual well – being 영적 안녕증진 가능성
- Risk for impaired religiosity 신앙심 손상 위험성

Relocation stress syndrome 환경변화 스트레스 증후군

- Relocation stress syndrome 환경변화 스트레스 증후군
- Risk for relocation stress syndrome 환경변화 스트레스 증후군 위험성

Renal failure 신부전

- Activity intolerance 활동 지속성 장애
- Death anxiety 죽음불안
- Decreased cardiac output 심박출량 감소
- Impaired comfort 안위장애

- Ineffective coping 비효율적 대응
- Fatigue 피로
- Excess fluid volume 체액과다
- Noncompliance 불이행
- Imbalanced nutrition : less than body re- quirements 영양불균형 : 영양부족
- Impaired oral mucous membrane 구강점막 손상
- Chronic sorrow 만성 비탄
- Spiritual distress 영적 고뇌
- Impaired urinary elimination 배뇨장애
- Risk for electrolyte imbalance 전해질 불균형 위험성
- Risk for infection 감염 위험성
- Risk for injury 신체손상 위험성
- Risk for ineffective renal perfusion 비효율적 신장 관류 위험성
- Risk for powerlessness 무력감 위험성
- Risk for shock 쇼크 위험성

Renal failure, acute/chronic, child 아동 급성/만성 신부전

- Disturbed body image 신체상 장애
- Deficient diversional activity 여가활동 부족

Child with chronic condition ; hospitalized child ; renal failure 참조

Renal failure, nonoliguric 비핍뇨성 신부전

- Anxiety 불안
- Risk for deficient fluid volume 체액부족 위험성

Renal transplantation, donor 신장이식 제공자

- Decisional conflict 의사결정 갈등
- Moral distress 도덕적 고뇌

- Spiritual distress 영적 고뇌
- Readiness for enhanced communication 의 사소통 향상 가능성
- Readiness for enhanced decision – making 의사결정 향상 가능성
- Readiness for enhanced resilience 적응력 향상 가능성

Nephrectomy 참조

Renal transplantation, recipient 신장이식 수혜자

- Anxiety 불안
- Ineffective health maintenance 비효율적 건강 유지
- Deficient knowledge 지식부족
- Ineffective protection 비효율적 방어
- Impaired urinary elimination 배뇨장애
- Risk for bleeding 출혈 위험성
- Risk for infection 감염 위험성
- Risk for ineffective renal perfusion 비효율적 신장 관류 위험성
- Risk for shock 쇼크 위험성
- Risk for spiritual distress 영적고뇌 위험성
- Readiness for enhanced spiritual well – being 영적 안녕증진 가능성

Kidney transplant 참조

Respiratory acidosis 호흡산증

Acidosis, respiratory 참조

(Respiratory distress syndrome [RSD], meconium aspiration, diaphragmatic hernia) 신생아 호흡 조건 (호흡 장애 증후군, 태변 흡인, 횡격막탈)

- Ineffective airway clearance 비효율적 기도

청결

- Ineffective breathing pattern 비효율적 호흡 양상
- Fatigue 피로
- Impaired gas exchange 가스교환장애
- Risk for infection 감염 위험성

Bronchopulmonary dysplasia: hospitalized child: premature infant, child 참조

Respiratory distress 호흡 장애

Dyspnea 참조

Respiratory distress syndrome (RDS) 호흡 장애 증후군

Respiratory conditions of the neonate 참조

Respiratory infections, acute childhood (croup, epiglottitis, pertussis, pneumonia, respiratory syncytial virus) 아동의 급성 호흡기 감염 (크루프, 후두덮개염, 백일해, 폐렴, 호흡기 합포체 바이러스)

- Activity intolerance 활동 지속성 장애
- Ineffective airway clearance 비효율적 기도 청결
- Anxiety 불안
- Fear 두려움
- Ineffective breathing pattern 비효율적 호흡 양상
- Deficient fluid volume 체액부족
- Impaired gas exchange 가스교환장애
- Hyperthermia 고체온
- Imbalanced nutrition: less than body requirements 영양불균형: 영양부족
- Risk for aspiration 기도흡인 위험성
- Risk for infection 감염 위험성

- Risk for injury 신체손상 위험성
- Risk for suffocation 질식 위험성

Hospitalized child 참조

Respiratory syncytial virus 호흡기 합포체 바이러스

Respiratory infections, acute childhood 참조

Restless leg syndrome 하지불온상태 증후군

- Insomnia 불면증
- Sleep deprivation 수면 박탈

Stress 참조

Retarded growth and development 성장 발달 지연

Growth and development lag 참조

Retching 구역질

- Nausea 오심
- Imbalanced nutrition: less than body requirements 영양불균형: 영양부족

Retinal detachment 망막 박리

- Anxiety 불안
- Deficient knowledge 지식부족
- Impaired home maintenance 가정유지 장애
- Risk for compromised resilience 적응력 저하 위험성

Retinopathy, diabetic 당뇨성 망막

Diabetic retinopathy 참조

Retinopathy of prematurity (ROP) 미숙아 망막증

- Risk for injury 신체손상 위험성

Retinal detachment 참조

Reye's syndrome 레이 증후군

- Ineffective breathing pattern 비효율적 호흡 양상
- Compromised family coping 가족의 비효율적 대응
- Deficient fluid volume 체액부족
- Excess fluid volume 체액과다
- Impaired gas exchange 가스교환장애
- Grieving 슬픔
- Ineffective health maintenance 비효율적 건강 유지
- Imbalanced nutrition: less than body requirements 영양불균형: 영양부족
- Situational low self-esteem 상황적 자존감 저하
- Impaired skin integrity 피부 통합성 장애
- Risk for injury 신체손상 위험성
- Risk for impaired liver function 간 기능 장애 위험성
- Risk for ineffective cerebral tissue perfusion 비효율적 뇌조직 관류 위험성

Hospitalized child 참조

RH factor incompatibility RH인자 불일치

- Anxiety 불안
- Neonatal jaundice 신생아 황달
- Risk for neonatal jaundice 신생아 황달 위험성
- Deficient knowledge 지식부족
- Risk for injury 신체손상 위험성
- Powerlessness 무력감
- Readiness for enhanced self-health management 자기건강관리 향상 가능성

381

Rhabdomyolysis 횡문근융해

- Ineffective coping 비효율적 대응
- Impaired physical mobility 신체 이동성 장애
- Impaired urinary elimination 배뇨장애
- Risk for deficient fluid volume 체액부족 위험성
- Risk for ineffective renal perfusion 비효율적 신장 관류 위험성
- Risk for shock 쇼크 위험성
- Readiness for enhanced self – health management 자기건강관리 향상 가능성

Rheumatic fever 류머티즘열

Endocarditis 참조

Rheumatoid arthritis (RA) 류머티즘성 관절염

- Imbalanced nutrition: less than body requirements 영양불균형: 영양부족
- Risk for compromised resilience 적응력 저하 위험성

Arthritis: jra (juvenile rheumatoid arthritis) 참조

Rib fracture 갈비뼈 골절

- Ineffective breathing pattern 비효율적 호흡 양상
- Acute pain 급성통증

Ridicule of others 타인의 조롱

- Defensive coping 방어적 대응
- Risk for post – trauma syndrome 외상 후 증후군 위험성

Ringworm of body 신체 백선

- Impaired comfort 안위장애

Impaired skin integrity 피부 통합성 장애

Itching; pruritis 참조

Ringworm of Nails 손톱 백선

- Disturbed body image 신체상 장애

Ovarian carcinoma 난소암

- Ringworm of scalp 두피 백선
- Disturbed body image 신체상 장애

Role performance, altered 역할 수행 변화

- Ineffective role performance 비효율적 역할 수행

ROP (retinopathy of prematurity) 미숙아 망막증

- Risk for dry eye 안구 건조 위험성

Retinopathy of prematurity (rop) 참조

RSV (respiratory syncytial virus) 호흡성 합보체 바이러스

Respiratory infection, acute childhood 참조

Rubella 풍진

Communicable diseases, childhood 참조

Rubor of extremities 사지발적

- Ineffective peripheral tissue perfusion 비효율적 말초 조직 관류

Peripheral vascular disease (pvd) 참조

Ruptured disk 추간판 파열

Low back pain 참조

S

SAD (seasonal affective disorder) 계절성 정서 장애

- Readiness for enhanced resilience 적응력 향상 가능성

Depression 참조

Sadness 슬픔

- Complicated grieving 복합적 슬픔
- Spiritual distress 영적 고뇌
- Risk for powerlessness 무력감 위험성
- Risk for spiritual distress 영적고뇌 위험성
- Readiness for enhanced communication 의사소통 향상 가능성
- Readiness for enhanced spiritual well – being 영적 안녕증진 가능성

Depression (major depressive disorder); major depressive disorder 참조

Safe sex 안전한 성교

- Readiness for enhanced self–health management (00162) 자기건강관리 향상 가능성

Sexuality, adolescent; std (sexuality transmitted disease) 참조

Safety, childhood 아동 안전

- Deficient knowledge 지식부족
- Risk for aspiration 기도흡인 위험성
- Risk for injury 신체손상 위험성
- Risk for trauma 외상 위험성
- Risk for impaired parenting 부모 역할 장애 위험성
- Risk for poisoning 중독 위험성
- Risk for thermal injury 열 손상 위험성
- Readiness for enhanced childbearing process

출산과정 향상 가능성
- Readiness for enhanced immunization status 면역상태 향상 가능성

Salmonella 살모넬라

- Impaired home maintenance 가정유지 장애
- Risk for electrolyte imbalance 전해질 불균형 위험성
- Readiness for enhanced self – health management 자기건강관리 향상 가능성

Gastroenteritis; gastroenteritis, child 참조

Salpingectomy 난관 절제

- Decisional conflict 의사결정 갈등
- Grieving 슬픔
- Impaired urinary elimination 배뇨장애

Hysterectomy; surgery, perioperative care; surgery, postoperative care; surgery, preoperative care 참조

Sarcoidosis 유육종증

- Anxiety 불안
- Impaired gas exchange 가스교환장애
- Ineffective health maintenance 비효율적 건강 유지
- Acute pain 급성통증
- Ineffective protection 비효율적 방어
- Risk for decreased cardiac tissue perfusion 심장 조직 관류 감소 위험성
- Risk for impaired skin integrity 피부 통합성 장애 위험성

SARS (severe acute respiratory syndrome) 중증 급성 호흡기 증후군

- Risk for infection 감염 위험성

383

- Readiness for enhanced knowledge 지식 향상 가능성

Pneumonia 참조

SBE (self-breast examination) 유방 자가검진

- Readiness for enhanced knowledge 지식 향상 가능성
- Readiness for enhanced self-health management 자기건강관리 향상 가능성

Scabies 옴

Communicable disease, childhood 참조

Scared 공포

- Anxiety 불안
- Death anxiety 죽음불안
- Fear 두려움
- Impaired individual resilience 개인 적응력 장애
- Readiness for enhanced communication 의사소통 향상 가능성

Schizophrenia 정신 분열증

- Ineffective activity planning 비효율적 활동 계획
- Anxiety 불안
- Impaired verbal communication 언어소통 장애
- Ineffective coping 비효율적 대응
- Deficient diversional activity 여가활동 부족
- Interrupted family processes 가족과정 중단
- Fear 두려움
- Ineffective health maintenance 비효율적 건강 유지
- Impaired home maintenance 가정유지 장애

- Hopelessness 절망감
- Disturbed personal identity 자아정체성 장애
- Insomnia 불면증
- Impaired memory 기억장애
- Self-neglect 자기무시
- Imbalanced nutrition: less than body requirements 영양불균형: 영양부족
- Impaired individual resilience 개인 적응력 장애
- Self-care deficit 자가간호 결핍
- Sleep deprivation 수면 박탈
- Impaired social interaction 사회적 상호작용 장애
- Social isolation 사회적 고립
- Chronic sorrow 만성 비탄
- Spiritual distress 영적 고뇌
- Ineffective family therapeutic regimen management 비효율적 가족치료 요법 관리
- Risk for caregiver role strain 돌봄제공자 역할 부담감 위험성
- Risk for compromised human dignity 인간 존엄성 손상 위험성
- Risk for loneliness 외로움 위험성
- Risk for post-trauma syndrome 외상 후 증후군 위험성
- Risk for powerlessness 무력감 위험성
- Risk for impaired religiosity 신앙심 손상 위험성
- Risk for suicide 자살 위험성
- Risk for other-directed violence 타인지향 폭력 위험성
- Risk for self-directed violence 본인지향 폭력 위험성
- Readiness for enhanced hope 희망증진 가능성

• Readiness for enhanced power 힘 향상 가능성

Sciatica 좌골 신경통

Neurophathy, peripheral 참조

Scoliosis 척추측만

• Risk-prone health behavior 위험성향 건강 행동
• Disturbed body image 신체상 장애
• Ineffective breathing pattern 비효율적 호흡 양상
• Impaired comfort 안위장애
• Impaired gas exchange 가스교환장애
• Impaired physical mobility 신체 이동성 장애
• Acute pain 급성통증
• Impaired skin integrity 피부 통합성 장애
• Chronic sorrow 만성 비탄
• Ineffective health maintenance 비효율적 건강 유지
• Risk for infection 감염 위험성
• Risk for perioperative positioning injury 수술 중 체위 관련 손상 위험성
• Risk for compromised resilience 적응력 저하 위험성
• Readiness for enhanced self-health management 자기건강관리 향상 가능성

Hospitalized child; maturational issues, adolescent 참조

Sedentary lifestyle 비활동적 생활양식

• Activity intolerance 활동 지속성 장애
• Sedentary lifestyle
• Readiness for enhanced coping 대응 향상 가능성

Seizure disorders, adult 성인 발작 질환

• Acute confusion 급성혼동
• Social isolation 사회적 고립
• Ineffective airway clearance 비효율적 기도 청결
• Risk for falls 낙상 위험성
• Risk for unstable blood glucose level 불안정한 혈당수치 위험성
• Risk for powerlessness 무력감 위험성
• Risk for compromised resilience 적응력 저하 위험성
• Readiness for enhanced knowledge 지식 향상 가능성
• Readiness for enhanced self-care 자가간호 향상 가능성

Epilepsy 참조

Seizure disorders, childhood (epilepsy, febrile seizures, infantile spasms) 성인 발작 질환 (간질, 열성 경련, 유아성 경련

• Ineffective self-health management 비효율적 자기 건강관리
• Social isolation 사회적 고립
• Ineffective airway clearance 비효율적 기도 청결
• Risk for delayed development 발달지체 위험성
• Risk for disproportionate growth 불균형적 성장 위험성
• Risk for falls (00155) 낙상 위험성
• Risk for injury (00035) 신체손상 위험성

Epilepsy 참조

Self-breast examination (SBE) 유방자가검진

Sbe (self-breast examination) 참조

Self-care 자가간호

- Readiness for enhanced self-care 자가간호 향상 가능성
- Bathing self-care deficit 목욕 자가간호 결핍
- Dressing self-care deficit 옷 입기 자가간호 결핍
- Feeding self-care deficit 음식섭취 자가간호 결핍
- Toileting self-care deficit 용변 자가간호 결핍

Self-concept 자아개념

- Readiness for enhanced self-concept 자아개념 향상 가능성

Self-destructive behavior 자기 파괴 행위

- Post-trauma syndrome 외상 후 증후군
- Risk for self-mutilation 자해 위험성
- Risk for suicide 자살 위험성
- Risk for self-directed violence 본인지향 폭력 위험성

Self-esteem, chronic low 만성적 자존감 저하

- Chronic low self-esteem 만성적 자존감 저하
- Risk for disturbed personal identity 자아정체성 장애 위험성

Self-esteem, situational low 상황적 자존감 저하

- Situational low self-esteem 상황적 자존감 저하
- Risk for situational low self-esteem 상황적 자존감 저하 위험성

Self-health management, readiness for enhanced 자기건강관리 향상 가능성

- Readiness for enhanced self-health management 자기건강관리 향상 가능성

Self-mutilation, risk for 자해 위험성

- Self-mutilation 자해
- Risk for self-mutilation 자해 위험성
- Ineffective impulse control 비효율적 충동 조절

Senile dementia 노인성 치매증

- Sedentary lifestyle 비활동적 생활양식
- Ineffective relationship 비효율적 관계

Dementia 참조

Separation anxiety 분리불안

- Ineffective coping 비효율적 대응
- Insomnia 불면증
- Risk for impaired attachment 애착장애 위험성

Hospitalized child 참조

Sepsis, child 아동 패혈증

- Imbalanced nutrition: less than body requirements 영양불균형: 영양부족
- Ineffective peripheral tissue perfusion 비효율적 말초 조직 관류
- Delayed surgical recovery 수술 후 회복 지연
- Ineffective thermoregulation 비효율적 체온 조절
- Impaired skin integrity 피부 통합성 장애

Hospitalized child ; premature infant, child 참조

Septicemia 패혈증

- Imbalanced nutrition: less than body requirements 영양불균형: 영양부족
- Ineffective peripheral tissue perfusion 비효율적 말초 조직 관류

- Risk for imbalanced fluid volume 체액불균형 위험성
- Risk for shock 쇼크 위험성

Sepsis, child; chock, septic 참조

Severe acute respiratory syndrome (SARS) 중증 급성 호흡기 증후군

Sars (severe acute respiratory syndrome); pneumonia 참조

Sexual dysfunction 성기능 장애

- Sexual dysfunction 성기능 장애
- Ineffective relationship 비효율적 관계
- Chronic sorrow 만성 비탄
- Risk for chronic low self – esteem 만성적 자존감 저하 위험성

Erectile dysfunction (ed) 참조

Sexuality, adolescent 청소년 성

- Disturbed body image 신체상 장애
- Decisional conflict 의사결정 갈등
- Ineffective impulse control 비효율적 충동 조절
- Deficient knowledge 지식부족

Maturational issues, adolescent 참조

Sexuality pattern, ineffective 비효율적 성적 양상

- Ineffective sexuality pattern 비효율적 성적 양상

Sexually transmitted disease (STD) 성병

Std (sexually transmitted disease) 참조

Shaken baby syndrome 뇌 · 눈의 내출혈

- Decreases intracranial adaptive capacity 두

개 내압 적응력 감소
- Impaired parenting 부모 역할 장애
- Impaired individual resilience 개인 적응력 장애
- Stress overload 과잉 스트레스
- Risk for other – directed violence 타인지향 폭력 위험성

Child abuse; suspected child abuse and neglect (scan), child; suspected child abuse and neglect (scan), parent 참조

Shame 수치심

- Situational low self–esteem 상황적 자존감 저하

Shingles 대상 포진

- Impaired comfort 안위장애
- Acute pain 급성통증
- Ineffective protection 비효율적 방어
- Social isolation 사회적 고립
- Risk for infection 감염 위험성
- Readiness for enhanced immunization status 면역상태 향상 가능성

Shivering 전율

- Impaired comfort 안위장애
- Fear 두려움
- Hypothermia 저체온
- Risk for injury 신체손상 위험성
- Risk for decreased cardiac tissue perfusion 심장 조직 관류 감소 위험성
- Risk for ineffective renal perfusion 비효율적 신장 관류 위험성
- Risk for shock 쇼크 위험성

Shock, cardiogenic; shock, hypovolemic; shock, septic 참조

S

Shock, cardiogenic 심장인성 쇼크

- Decreased cardiac output 심박출량 감소

Shock, hypovolemic 저혈량성 쇼크

- Deficient fluid volume 체액부족
- Ineffective protection 비효율적 방어

Sepsis, child; septicemia 참조

Shoulder repair 어깨 치유

- Bathing self-care deficit 목욕 자가간호 결핍
- Dressing self-care deficit 옷 입기 자가간호 결핍
- Feeding self-care deficit 음식섭취 자가간호 결핍
- Risk for perioperative positioning injury 수술 중 체위 관련 손상 위험성

Surgery, preoperative; surgery, perioperative; surgery, postoperative; total joint replacement (total hip/total knee/shoulder) 참조

Sickle cell anemia/crisis 겸상 적혈구성 빈혈

- Activity intolerance 활동 지속성 장애
- Impaired comfort 안위장애
- Deficient fluid volume 체액부족
- Impaired physical mobility 신체 이동성 장애
- Acute pain 급성통증
- Ineffective peripheral tissue perfusion 비효율적 말초 조직 관류
- Risk for disproportionate growth 불균형적 성장 위험성
- Risk for infection 감염 위험성
- Risk for decreased cardiac tissue perfusion 심장 조직 관류 감소 위험성
- Risk for ineffective cerebral tissue perfusion 비효율적 뇌조직 관류 위험성

- Risk for compromised resilience 적응력 저하 위험성
- Readiness for enhanced immunization status 면역상태 향상 가능성

SIDS (sudden infant death syndrome) 유아 돌연사 증후군

- Anxiety 불안
- Fear 두려움
- Interrupted family processes 가족과정 중단
- Grieving 슬픔
- Insomnia 불면증
- Deficient knowledge 지식부족
- Impaired individual resilience 개인 적응력 장애
- Risk for sudden infant death syndrome 영아 돌연사 증후군 위험성
- Risk for powerlessness 무력감 위험성

Situational crisis 상황적 위기

- Ineffective coping 비효율적 대응
- Interrupted family processes 가족과정 중단
- Ineffective activity planning 비효율적 활동 계획
- Disturbed personal identity 자아정체성 장애
- Readiness for enhanced communication 의사소통 향상 가능성
- Readiness for enhanced religiosity 신앙심 향상 가능성
- Readiness for enhanced resilience 적응력 향상 가능성
- Readiness for enhanced spiritual well-being 영적 안녕증진 가능성

SJS (stevens-johnson syndrome) 스티븐스존 슨증후군

Stevens-johnson syndrome (sjs) 참조

Skin cancer 피부암

- Ineffective health maintenance 비효율적 건강 유지
- Ineffective protection 비효율적 방어
- Impaired skin integrity 피부 통합성 장애
- Readiness for enhanced knowledge 지식 향상 가능성
- Readiness for enhanced self – health management 자기건강관리 향상 가능성

Skin disorders 피부질환

- Impaired skin integrity 피부 통합성 장애

Skin integrity, risk for impaired 피부 통합성 장애 위험성

- Risk for impaired skin integrity 피부 통합성 장애 위험성

Skin turgor, change in elasticity 피부 긴장도 변화

- Deficient fluid volume 체액부족

Sleep 수면

- Readiness for enhanced sleep 수면 향상 가능성

Sleep apnea 수면 무호흡

Pnd (paroxysmal nocturnal dyspnea) 참조

Sleep deprivation 수면박탈

- Fatigue 피로
- Sleep deprivation 수면 박탈

Sleep pattern disorders 수면 양상 장애

- Insomnia 불면증

Slurring of speech 언어 장애

- Impaired verbal communication 언어소통 장애
- Situational low self – esteem 상황적 자존감 저하

Communication problem 참조

Small bowel resection 소장절제

Abdominal surgery 참조

Smell, loss of ability to 후각 상실

- Risk for injury 신체손상 위험성

Anosmia 참조

Smoke inhalation 연기흡입

- Ineffective airway clearance 비효율적 기도 청결
- Impaired gas exchange 가스교환장애
- Acute confusion 급성혼동
- Risk for poisoning 중독 위험성
- Readiness for enhanced self – health management 자기건강관리 향상 가능성

Smoking behavior 흡연 행위

- Insufficient breast milk 불충분한 모유
- Risk – prone health behavior 위험성향 건강 행동
- Ineffective health maintenance 비효율적 건강 유지
- Readiness for enhanced knowledge 지식 향상 가능성
- Risk for dry eye 안구 건조 위험성
- Risk for ineffective peripheral tissue perfusion 비효율적 말초조직 관류 위험성
- Risk for thermal injury 열 손상 위험성

Social interaction, impaired 사회적 상호작용 장애

- Impaired social interaction 사회적 상호작용 장애

Social isolation 사회적 고립

- Social isolation 사회적 고립

Sociopathic personality 반사회적 성격

Antisocial personality disorder 참조

Sodium, decrease/increase 나트륨 증가/감소

Hyponatremia; hypernatremia 참조

Somatization disorder 신체증상화 질환

- Anxiety 불안
- Ineffective coping 비효율적 대응
- Ineffective denial 비효율적 부정
- Nausea 오심
- Chronic pain 만성통증
- Impaired individual resilience 개인 적응력 장애

Sore nipples, breastfeeding 모유수유 유두 궤양

- Ineffective breastfeeding 비효율적 모유수유
Painful breast, sore nipple 참조

Sore throat 인후염

- Impaired comfort 안위장애
- Deficient knowledge 지식부족
- Impaired oral mucous membrane 구강점막 손상
- Impaired swallowing 연하장애

Sorrow 비탄a

- Grieving 슬픔

- Chronic sorrow 만성 비탄
- Readiness for enhanced communication 의 사소통 향상 가능성
- Readiness for enhanced spiritual well-being 영적 안녕증진 가능성

Spastic colon 경련성 결장

Ibs (irritable bowel syndrome) 참조

Speech disorders 언어 장애

- Anxiety 불안
- Impaired verbal communication 언어소통 장애
- Delayed growth and development 성장발달 지연

Spina bifida 척추 파열

Neural tube defects 참조

Spinal cord injury 척수 손상a

- Deficient diversional activity 여가활동 부족
- Fear 두려움
- Complicated grieving 복합적 슬픔
- Sedentary lifestyle 비활동적 생활양식
- Impaired wheelchair mobility 휠체어 이동성 장애
- Urinary retention 소변정체
- Latex allergy response 라텍스 알레르기 반응
- Risk for autonomic dysreflexia 자율신경 반 사장애 위험성
- Ineffective breathing pattern 비효율적 호흡 양상
- Risk for infection 감염 위험성
- Risk for loneliness 외로움 위험성
- Risk for powerlessness 무력감 위험성

Spinal fusion 척추유합술

- Impaired bed mobility 침상 체위이동 장애
- Impaired physical mobility 신체 이동성 장애
- Readiness for enhanced knowledge 지식 향상 가능성

Acute back; back pain; scoliosis; surgery, pre-operative care; surgery, perioperative care; surgery, postoperative care 참조

Spiritual distress 영적 고뇌

- Spiritual distress 영적 고뇌
- Risk for chronic low self-esteem 만성적 자존감 저하 위험성
- Risk for spiritual distress 영적고뇌 위험성

Spiritual well-being 영적 안녕

- Readiness for enhanced spiritual well-being 영적 안녕증진 가능성

Splenectomy 비장 절제술

Abdominal surgery 참조

Sprains 염좌

- Acute pain 급성통증
- Impaired physical mobility 신체 이동성 장애

Stapedectomy 등골 적출

- Acute pain 급성통증
- Risk for falls 낙상 위험성
- Risk for infection 감염 위험성

Stasis ulcer 울혈궤양

- Impaired tissue integrity 조직 통합성 장애

Chf (congestive heart failure); varicose vein 참조

STD (sexuality transmitted disease) 성행위 감염증

- Impaired comfort 안위장애
- Fear 두려움
- Ineffective health maintenance 비효율적 건강 유지
- Ineffective sexuality pattern 비효율적 성적 양상
- Social isolation 사회적 고립
- Risk for infection 감염 위험성
- Readiness for enhanced knowledge 지식 향상 가능성

Stent (coronary artery stent) 스텐트 (관상동맥 스텐트)

- Risk for injury 신체손상 위험성
- Risk for decreased cardiac tissue perfusion 심장 조직 관류 감소 위험성
- Risk for vascular trauma 혈관 외상 위험성
- Readiness for enhanced decision-making 의사결정 향상 가능성

Angioplasty, coronary; cardiac catheterization 참조

Sterilization surgery 불임수술

- Decisional conflict 의사결정 갈등

Surgery, perioperative; surgery, postoperative; surgery, preoperative 참조

Stertorous respirations 천식 호흡

- Ineffective airway clearance 비효율적 기도 청결
- Acute pain 급성통증
- Impaired skin integrity 피부 통합성 장애
- Risk for acute confusion 급성혼동 위험성

- Risk for imbalanced fluid volume 체액불균형 위험성
- Risk for infection 감염 위험성
- Risk for impaired liver function 간 기능 장애 위험성

Stillbirth 사산

Pregnancy loss 참조

Stoma 개구

Colostomy; ileostomy 참조

Stomatitis 구내염

- Impaired oral mucous membrane 구강점막 손상

Stone, kidney 신장 결석

Kidney stone 참조

Stool, hard/dry 변비

- Constipation 변비

Straining with Defecation

- Decreased cardiac output 심박출량 감소
- Constipation 변비

Strep throat 급성 인후염증

- Risk for infection 감염 위험성

Sore throat 참조

Stress 스트레스a

- Anxiety 불안
- Ineffective coping 비효율적 대응
- Disturbed energy field 에너지장 교류 장애
- Fear 두려움

- Stress overload 과잉 스트레스
- Risk for post–trauma syndrome 외상 후 증후군 위험성
- Readiness for enhanced communication 의사소통 향상 가능성

Anxiety 참조

Stress urinary incontinence 복압성 요실금

- Stress urinary incontinence 복압성 요실금
- Risk for urge urinary incontinence 절박성(긴박성) 요실금 위험성

Incontinence of urine 참조

Stridor 천명

- Ineffective airway clearance 비효율적 기도 청결

Stroke 뇌졸중

Cva (cerebrovascular accident) 참조

Stuttering 어눌

- Anxiety 불안
- Impaired verbal communication 언어소통 장애

Subarachnoid hemorrhage 지주막하 출혈

- Acute pain 급성통증
- Risk for ineffective cerebral tissue perfusion 비효율적 뇌조직 관류 위험성

Intracranial pressure, increased 참조

Substance abuse 물질 남용

- Compromised family coping 가족의 비효율적 대응
- Defensive coping 방어적 대응
- Disability family coping 가족 대응 불능

- Ineffective coping 비효율적 대응
- Ineffective denial 비효율적 부정
- Dysfunctional family processes 가족과정 기능 장애
- Deficient community health 지역사회 건강 부족
- Ineffective impulse control 비효율적 충동 조절
- Ineffective relationship 비효율적 관계
- Insomnia 불면증
- Risk for impaired attachment 애착장애 위험성
- Risk for disturbed personal identity 자아정체성 장애 위험성
- Risk for chronic low self-esteem 만성적 자존감 저하 위험성
- Risk for thermal injury 열 손상 위험성
- Risk for vascular trauma 혈관 외상 위험성
- Risk for other-directed violence 타인지향 폭력 위험성
- Readiness for enhanced coping 대응 향상 가능성
- Readiness for enhanced self-concept 자아개념 향상 가능성

Substance abuse, adolescent 청소년기 물질 남용

Alcohol withdrawal; maturational issues, adolescent; substance abuse 참조

Substance abuse in pregnancy 임신중 물질 남용

- Ineffective childbearing process 비효율적 출산과정
- Defensive coping 방어적 대응
- Ineffective health maintenance 비효율적 건강 유지
- Deficient knowledge 지식부족
- Noncompliance 불이행

- Risk for impaired attachment 애착장애 위험성
- Risk for infection 감염 위험성
- Risk for injury 신체손상 위험성
- Risk for impaired parenting 부모 역할 장애 위험성

Sucking reflex 빨기반사

- Ineffective breastfeeding 비효율적 모유수유

Sudden infant death syndrome (sids) 영아 돌연사 증후군

Sids (sudden infant death syndrome) 참조

Suffocation, risk for 질식 위험성

- Risk for suffocation 질식 위험성

Suicide attempt 자살 시도

- Risk-prone health behavior 위험성향 건강행동
- Ineffective coping 비효율적 대응
- Hopelessness 절망감
- Ineffective impulse control 비효율적 충동 조절
- Post-trauma syndrome 외상 후 증후군
- Impaired individual resilience 개인 적응력 장애
- Situational low self-esteem 상황적 자존감 저하
- Social isolation 사회적 고립
- Spiritual distress 영적 고뇌
- Risk for post-trauma syndrome 외상 후 증후군 위험성
- Risk for suicide 자살 위험성
- Readiness for enhanced communication 의사소통 향상 가능성
- Readiness for enhanced spiritual well-being

영적 안녕증진 가능성
Violent behavior 참조

Support system 지지체계

- Readiness for enhanced family coping 가족 대응 향상 가능성
- Readiness for enhanced family processes 가족과정 향상 가능성
- Readiness for enhanced parenting 부모 역할 향상 가능성

Supression of labor 분만 억제

Preterm labor; tocolytic therapy 참조

Surgery, perioperative care 수술 중 간호

- Risk for imbalanced fluid volume 체액불균형 위험성
- Risk for perioperative positioning injury 수술 중 체위 관련 손상 위험성

Surgery, postoperative care 수술 후 간호

- Activity intolerance 활동 지속성 장애
- Anxiety 불안
- Deficient knowledge 지식부족
- Nausea 오심
- Imbalanced nutrition: less than body requirements 영양불균형: 영양부족
- Ineffective peripheral tissue perfusion 비효율적 말초 조직 관류
- Acute pain 급성통증
- Delayed surgical recovery 수술 후 회복 지연
- Urinary retention 소변정체
- Risk for bleeding 출혈 위험성
- Ineffective breathing pattern 비효율적 호흡양상

- Risk for constipation 변비 위험성
- Risk for imbalanced fluid volume 체액불균형 위험성
- Risk for infection 감염 위험성

Surgery, pretoperative care 수술 전 간호

- Anxiety 불안
- Insomnia 불면증
- Deficient knowledge 지식부족
- Readiness for enhanced knowledge 지식 향상 가능성

Surgical recovery, delayed 수술 후 회복 지연

- Delayed surgical recovery 수술 후 회복 지연

Suspected child abuse and neglect (SCAN), Child 아동학대와 방치 (아동)

- Ineffective activity planning 비효율적 활동 계획
- Anxiety 불안
- Fear 두려움
- Deficient community health 지역사회 건강 부족
- Disturbed personal identity 자아정체성 장애
- Rape – trauma syndrome 강간 상해 증후군
- Risk for compromised resilience 적응력 저하 위험성
- Readiness for enhanced community coping 지역사회 대응 향상 가능성

Child abuse; hospitalized child; maturational issues, adolescent 참조

Suspected child abuse and neglect (SCAN), Parent 아동학대와 방치 (부모)

- Disability family coping 가족 대응 불능

- Dysfunctional family processes 가족과정 기능 장애
- Ineffective health maintenance 비효율적 건강 유지
- Impaired home maintenance 가정유지 장애
- Ineffective impulse control 비효율적 충동 조절
- Impaired parenting 부모 역할 장애
- Powerlessness 무력감
- Impaired individual resilience 개인 적응력 장애
- Chronic low self – esteem 만성적 자존감 저하
- Risk for other – directed violence 타인지향 폭력 위험성

Suspicion 의심

- Disturbed personal identity 자아정체성 장애
- Powerlessness 무력감
- Impaired social interaction 사회적 상호작용 장애
- Risk for other – directed violence 타인지향 폭력 위험성
- Risk for self – directed violence 본인지향 폭력 위험성

Swallowing difficulties 연하곤란

- Impaired swallowing 연하장애

Swine flu (H1N1) 돼지 인플루엔자

Influenza 참조

Syncope 실신

- Anxiety 불안
- Decreased cardiac output 심박출량 감소
- Impaired physical mobility 신체 이동성 장애
- Social isolation 사회적 고립

- Risk for falls 낙상 위험성
- Risk for injury 신체손상 위험성
- Risk for ineffective cerebral tissue perfusion 비효율적 뇌조직 관류 위험성

Syphilis 매독

Std (sexually transmitted disease) 참조

Systemic lupus erythematosus 전신성 홍반성 낭창

Lupus erythematosus 참조

T

T&A (tonsillectomy and adenoidectomy) 편도 절제 & 아데노이드 절제

- Ineffective airway clearance 비효율적 기도청결
- Deficient knowledge 지식부족
- Nausea 오심
- Acute pain 급성통증
- Risk for aspiration 기도흡인 위험성
- Risk for suffocation 질식 위험성
- Deficient fluid volume 체액부족
- Imbalanced nutrition: less than body requirements 영양불균형: 영양부족

Tachycardia 빈맥

Dysrhythmia 참조

Tachypnea 빈호흡

- Ineffective breathing pattern 비효율적 호흡양상

Tardive dyskinesia 지발성 운동 이상

- Ineffective self-health management 비효율적 자기 건강관리
- Deficient knowledge 지식부족
- Risk for injury 신체손상 위험성

Taste abnormality 미각 이상

- Adult failure to thrive 성인 성장 장애
- Ineffective breathing pattern 비효율적 호흡양상
- Fatigue 피로
- Impaired gas exchange 가스교환장애
- Ineffective self-health management 비효율적 자기 건강관리

- Impaired home maintenance 가정유지 장애
- Hyperthermia 고체온
- Risk for infection 감염 위험성
- Readiness for enhanced self-health management 자기건강관리 향상 가능성

TBI (traumatic brain injury) 외상성 뇌손상

- Interrupted family processes 가족과정 중단
- Chronic sorrow 만성 비탄
- Risk for post-trauma syndrome 외상 후 증후군 위험성
- Risk for impaired religiosity 신앙심 손상 위험성
- Risk for compromised resilience 적응력 저하 위험성

Head injury; neurologic disorder 참조

TD (traveler's diarrhea) 여행자 설사

- Diarrhea 설사
- Deficient fluid volume 체액부족
- Risk for infection 감염 위험성

Temperature, decreased 체온 감소

- Hypothermia 저체온

Temperature, increased 체온 상승

- Hyperthermia 고체온

TEN (toxic epidermal necrolysis) 독성 표피괴사용해

Toxic epidermal necrolysis (ten) 참조

Tension 긴장

- Anxiety 불안
- Disturbed energy field 에너지장 교류 장애

- Readiness for enhanced communication 의사소통 향상 가능성

Stress 참조

Terminally ill adult 성인 말기 환자

- Death anxiety 죽음불안
- Disturbed energy field 에너지장 교류 장애
- Risk for spiritual distress 영적고뇌 위험성
- Readiness for enhanced religiosity 신앙심 향상 가능성
- Readiness for enhanced spiritual well – being 영적 안녕증진 가능성

Terminally ill child/death of child, parent 참조

Terminally ill child, adolescent 아동청소년 말기 환자

- Disturbed body image 신체상 장애
- Ineffective coping 비효율적 대응
- Impaired social interaction 사회적 상호작용 장애
- Social isolation 사회적 고립

Terminally ill child, infant/toddler 영유아 말기 환자

- Ineffective coping 비효율적 대응

Child with chronic condition, terminally ill child/death of child, parent 참조

Terminally ill child, preschool child 학령전기 말기 환자

- Fear 두려움

Child with chronic condition, terminally ill child/death of child, parent 참조

Terminally ill child/death of child, parent 아동청소년 말기/사망 환자 부모

- Compromised family coping 가족의 비효율적 대응
- Decisional conflict 의사결정 갈등
- Ineffective denial 비효율적 부정
- Interrupted family processes 가족과정 중단
- Grieving 슬픔
- Hopelessness 절망감
- Insomnia 불면증
- Impaired parenting 부모 역할 장애
- Powerlessness 무력감
- Impaired social interaction 사회적 상호작용 장애
- Social isolation 사회적 고립
- Spiritual distress 영적 고뇌
- Risk for complicated grieving 복합적 슬픔 위험성
- Risk for compromised resilience 적응력 저하 위험성
- Readiness for enhanced family coping 가족 대응 향상 가능성

Tetralogy of fallot 팔로4징후

Congenital heart disease/cardiac anomalies 참조

Tetraplegia 사지 마비

- Autonomic dysreflexia 자율신경 반사장애
- Grieving 슬픔
- Risk for aspiration 기도흡인 위험성
- Risk for imbalanced body temperature 체온 불균형 위험성
- Risk for infection 감염 위험성
- Powerlessness 무력감

- Risk for impaired skin integrity 피부 통합성 장애 위험성

Therapeutic regimen management, ineffective: family 비효율적 가족치료 요법 관리

- Ineffective family therapeutic regimen management 비효율적 가족치료 요법 관리

Therapeutic touch 치료적 접촉

- Disturbed energy field 에너지장 교류 장애

Thermoregulation, ineffective 비효율적 체온조절

- Ineffective thermoregulation 비효율적 체온조절

Thoracentesis 흉강천자

Pleural effusion 참조

Thoracotomy 개흉

- Activity intolerance 활동 지속성 장애
- Ineffective airway clearance 비효율적 기도 청결
- Ineffective breathing pattern 비효율적 호흡 양상
- Deficient knowledge 지식부족
- Acute pain 급성통증
- Risk for bleeding 출혈 위험성
- Risk for infection 감염 위험성
- Risk for injury 신체손상 위험성
- Risk for perioperative positioning injury 수술 중 체위 관련 손상 위험성
- Risk for vascular trauma 혈관 외상 위험성

Thought disorders 사고질환

Schizophrenia 참조

Thrombocytopenic purpura 혈소판감소 자색반

Itp (idiopathic thrombocytopenic purpura) 참조

Thrombophlebitis 혈전성 정맥염

- Constipation 변비
- Deficient diversional activity 여가활동 부족
- Deficient knowledge 지식부족
- Sedentary lifestyle 비활동적 생활양식
- Impaired physical mobility 신체 이동성 장애
- Acute pain 급성통증
- Ineffective peripheral tissue perfusion 비효율적 말초 조직 관류
- Delayed surgical recovery 수술 후 회복 지연
- Risk for bleeding 출혈 위험성
- Risk for injury 신체손상 위험성
- Risk for vascular trauma 혈관 외상 위험성

Anticoagulant therapy 참조

Thyroidectomy 갑상선 적출

- Ineffective airway clearance 비효율적 기도 청결
- Impaired verbal communication 언어소통 장애
- Risk for injury 신체손상 위험성

Surgery, perioperative; surgery, postoperative; surgery, preoperative 참조

TIA (transient ischemic attack) 일과성 뇌허혈 발작

- Acute confusion 급성혼동
- Readiness for enhanced self-health management 자기건강관리 향상 가능성

Syncope 참조

Tic disorder 틱 질환

Tourette's syndrome (ts) 참조

Tinea capitis 두부백선

- Impaired comfort 안위장애

Ringworm of scalp 참조

Tinea corporis 체부백선

Ringworm of body 참조

Tinea cruris 완선

Jock itch; itching; pruritis 참조

Tinea unguium (onychomycosis) 손톱(조갑) 백선

Ringworm of nails 참조

Tinnitus 이명

- Ineffective health maintenance 비효율적 건 강 유지

Tissue perfusion, ineffective peripheral 비 효율적 말초 조직 관류

- Ineffective peripheral tissue perfusion 비효 율적 말초 조직 관류
- Risk for ineffective peripheral tissue perfusion 비효율적 말초조직 관류 위험성

Toileting problems 용변 문제

- Toileting self-care deficit 용변 자가간호 결핍
- Impaired transfer ability 이동능력 장애

Toilet training 용변 교육

- Deficient knowledge 지식부족
- Risk for constipation 변비 위험성
- Risk for infection 감염 위험성

Tonsillectomy and adenoidectomy (T&A) 편 도 절제 & 아데노이드 절제

T&a (tonsillectomy and adenoidectomy) 참조

Toothache 치통

- Impaired dentition 치아상태 불량
- Acute pain 급성통증

Total joint replacement (total hip/total knee/shoulder) 전 관절 치환 (고관절/무릎/어깨)

- Disturbed body image 신체상 장애
- Impaired physical mobility 신체 이동성 장애
- Risk for injury 신체손상 위험성
- Risk for peripheral neurovascular dys-function 말초신경혈관 기능 장애 위험성
- Ineffective peripheral tissue perfusion 비효 율적 말초 조직 관류

Surgery, perioperative; surgery, postopera-tive; surgery, preoperative 참조

Total parenteral nutrition 완전 비경구 영양

Tpn (total parenteral nutrition) 참조

Tourette's syndrome (TS) 투렛 증후군

- Hopelessness 절망감
- Impaired individual resilience 개인 적응력 장애
- Risk for situational low self-esteem 상황적 자존감 저하 위험성

Toxemia 독혈증

Pih (pregnancy-induced hypertension/pre-eclampsia) 참조

399

Toxic epidermal necrolysis (TEN) (erythema multiforme) 독성 표피괴사용해 (다형홍반)

- Death anxiety 죽음불안

TPN (total parenteral nutrition) 완전 비경구 영양a

- Imbalanced nutrition: less than body requirements 영양불균형: 영양부족
- Risk for unstable blood glucose level 불안정한 혈당수치 위험성
- Risk for electrolyte imbalance 전해질 불균형 위험성
- Excess fluid volume 체액과다
- Risk for infection 감염 위험성
- Risk for vascular trauma 혈관 외상 위험성

Tracheoesophageal fistula 기관식도누공

- Ineffective airway clearance 비효율적 기도청결
- Imbalanced nutrition: less than body requirements 영양불균형: 영양부족
- Risk for aspiration 기도흡인 위험성
- Risk for vascular trauma 혈관 외상 위험성

Tracheostomy 기관절개

- Ineffective airway clearance 비효율적 기도청결
- Anxiety 불안
- Disturbed body image 신체상 장애
- Impaired verbal communication 언어소통 장애
- Deficient knowledge 지식부족
- Acute pain 급성통증
- Risk for aspiration 기도흡인 위험성
- Risk for bleeding 출혈 위험성
- Risk for infection 감염 위험성

Traction and casts 견인/석고붕대

- Constipation 변비
- Deficient diversional activity 여가활동 부족
- Impaired physical mobility 신체 이동성 장애
- Acute pain 급성통증
- Bathing self-care deficit 목욕 자가간호 결핍
- Dressing self-care deficit 옷 입기 자가간호 결핍
- Feeding self-care deficit 음식섭취 자가간호 결핍
- Toileting self-care deficit 용변 자가간호 결핍
- Impaired transfer ability 이동능력 장애
- Risk for disuse syndrome 비사용 증후군 위험성

Casts 참조

Transfer ability 이동능력

- Impaired transfer ability 이동능력 장애

Transient ischemic attack (TIA) 일과성 뇌허혈 발작

Tia (transient ischemic attack) 참조

Trauma in pregnancy 임신 중 외상

- Anxiety 불안
- Deficient knowledge 지식부족
- Acute pain 급성통증
- Impaired skin integrity 피부 통합성 장애
- Risk for bleeding 출혈 위험성
- Risk for imbalanced fluid volume 체액불균형 위험성
- Risk for infection 감염 위험성
- Risk for injury 신체손상 위험성
- Risk for disturbed maternal-fetal dyad 모아관계 형성 장애 위험성

Trauma, risk for 외상 위험성

- Risk for trauma 외상 위험성

Traumatic brain injury 외상성 뇌손상

- Ineffective impulse control 비효율적 충동 조절

Tbi (traumatic brain injury); intracranial pressure, increased 참조

Traumatic event 외상성 사건

- Post – trauma syndrome 외상 후 증후군

Traveler's diarrhea (TD) 여행자 설사

Td (traveler's diarrhea) 참조

Trembling of hands 손 떨림

- Anxiety 불안
- Fear 두려움

Tricuspid atresia 삼첨판 폐쇄

Congenital heart disease/cardiac anomalies 참조

Trigeminal neuralgia 삼차 신경통

- Ineffective self – health management 비효율적 자기 건강관리
- Imbalanced nutrition: less than body requirements 영양불균형: 영양부족
- Acute pain 급성통증
- Risk for injury 신체손상 위험성

TS (tourette's syndrome) 투렛 증후군

Tourette's syndrome (ts) 참조

TSE (testicular self – examination) 고환 자가 검진

Readiness for enhanced self – health management 자기건강관리 향상 가능성

Tubal ligation 난관 결찰a

- Decisional conflict 의사결정 갈등

Laparoscopy 참조

Tube feeding 관영양공급a

- Risk for aspiration 기도흡인 위험성
- Risk for deficient fluid volume 체액부족 위험성
- Imbalanced nutrition: less than body requirements 영양불균형: 영양부족

Tuberculosis (TB) 결핵

Tb (tuberculosis) 참조

TURP (transurethral resection of the prostate) 요도경유 전립선 절제

- Deficient knowledge 지식부족
- Acute pain 급성통증
- Urinary retention 소변정체
- Risk for bleeding 출혈 위험성
- Risk for deficient fluid volume 체액부족 위험성
- Risk for urge urinary incontinence 절박성(긴박성) 요실금 위험성
- Risk for ineffective renal perfusion 비효율적 신장 관류 위험성

U

Ulcer, peptic (duodenal or gastric) 소화성 궤양 (위 십이지장)

- Fatigue 피로
- Ineffective health maintenance 비효율적 건강 유지
- Nausea 오심
- Acute pain 급성통증
- Risk for ineffective gastrointestinal perfusion 비효율적 위장 관류 위험성

Gi bleed (gastrointestinal bleeding) 참조

Ulcerative colitis 궤양성 대장염

Inflammatory bowel disease (child and adult) 참조

Ulcers, stasis 울혈성 궤양

Statis ulcer 참조

Unilateral neglect of one side of body 편측성 지각 장애

- Unilateral neglect 편측성 지각 장애

Unsanitary living conditions 비위생적 생활환경

- Impaired home maintenance 가정유지 장애
- Risk for allergy response 알레르기 반응 위험성

Urgency to urinate 절박(긴박)뇨

- Urge urinary incontinence 절박성(긴박성) 요실금
- Risk for urge urinary incontinence 절박성(긴박성) 요실금 위험성

Urinary diversion 요로전환술

Ileal conduit 참조

Urinary elimination, impaired 배뇨장애

- Impaired urinary elimination 배뇨장애

Urinary incontinence 요실금

Incontinence of urine 참조

Urinary readiness 배뇨 가능성a

- Readiness for enhanced urinary elimination 배뇨 향상 가능성

Urinary retention 소변정체

- Urinary retention (00023) 소변정체

Urinary tract infection 요로감염

Uti (urinary tract infection) 참조

Urolithiasis 요로 결석

Kidneystone 참조

Uterine atony in labor 출산 중 자궁이완증

Dystocia 참조

Uterine atony in postpartum 출산 후 자궁이완증a

Postpartum hemorrhage 참조

Uterine bleeding 자궁 출혈

Hemorrhage; postpartum hemorrhage; shock, hypovolemic 참조

UTI (urinary tract infection) 요로감염

- Ineffective health maintenance 비효율적 건강 유지

- Acute pain 급성통증
- Impaired urinary elimination 배뇨장애
- Risk for urge urinary incontinence 절박성(긴박성) 요실금 위험성
- Risk for ineffective renal perfusion 비효율적 신장 관류 위험성

V

VAD (ventricular assist device) 좌심실 보조기구

Ventricular assist device (vad) 참조

Vaginal hysterectomy 질자궁절제술

- Urinary retention 소변정체
- Risk for urge urinary incontinence 절박성(긴박성) 요실금 위험성
- Risk for infection 감염 위험성
- Risk for perioperative positioning injury 수술 중 체위 관련 손상 위험성

Postpartum hemorrhage 참조

Vaginitis 질염

- Impaired comfort 안위장애
- Ineffective health maintenance 비효율적 건강 유지
- Ineffective sexuality pattern 비효율적 성적 양상

Vagotomy 미주 신경 절단

Abdominal surgery 참조

Value system conflict 가치 체계 갈등

- Decisional conflict 의사결정 갈등
- Spiritual distress 영적 고뇌
- Readiness for enhanced spiritual well – being 영적 안녕증진 가능성

Varicose veins 정맥류a

- Ineffective health maintenance 비효율적 건강 유지
- Chronic pain 만성통증
- Ineffective peripheral tissue perfusion 비효율적 말초 조직 관류

- Risk for peripheral neurovascular dysfunction 말초신경혈관 기능 장애 위험성

Vasectomy 정관 절제술

- Decisional conflict 의사결정 갈등

Venereal disease 성병

Std (sexually transmitted disease) 참조

Ventilation, impaired spontaneous 자발적 환기 장애

- Impaired spontaneous ventilation 자발적 환기 장애

Ventilator client 호흡기 대상자

- Ineffective airway clearance 비효율적 기도 청결
- Ineffective breathing pattern 비효율적 호흡 양상
- Impaired verbal communication 언어소통 장애
- Fear 두려움
- Impaired gas exchange 가스교환장애
- Powerlessness 무력감
- Social isolation 사회적 고립
- Impaired spontaneous ventilation 자발적 환기 장애
- Dysfunctional ventilatory weaning response 호흡기 제거에 대한 부적응
- Risk for latex allergy response 라텍스 알레르기 반응 위험성
- Risk for infection 감염 위험성
- Risk for compromised resilience 적응력 저하 위험성

Ventilatory weaning response, dys-functional (DVWR) 부적응적 호흡기 제거 반응

- Dysfunctional ventilatory weaning response 호흡기 제거에 대한 부적응

Ventricular assist device (VAD) 좌심실보조기구

- Risk for vascular trauma 혈관 외상 위험성
- Readiness for enhanced decision-making 의사결정 향상 가능성

Open heart surgery 참조

Ventricular fibrillation 심실 세동

Dysrhythmia 참조

Vertigo 현훈

Syncope 참조

Violent behavior 폭력 행위

- Risk for other-directed violence 타인지향 폭력 위험성
- Risk for self-directed violence 본인지향 폭력 위험성

Viral gastroenteritis 바이러스성 위장염

- Diarrhea 설사
- Ineffective self-health management 비효율적 자기 건강관리
- Risk for dysfunctional gastrointestinal mobility 위장관 운동 기능장애 위험성

Gastroenteritis, child 참조

Vision impairment 시력 장애

- Fear 두려움
- Social isolation 사회적 고립

- Risk for compromised resilience 적응력 저하 위험성

Cataracts; glaucoma 참조

Vomiting 구토

- Nausea 오심
- Risk for electrolyte imbalance 전해질 불균형 위험성
- Risk for imbalanced fluid volume 체액불균형 위험성
- Imbalanced nutrition: less than body requirements 영양불균형: 영양부족

W

Walking impairment 보행 장애

- Impaired walking 보행 장애

Wandering 배회

- Wandering 배회

Weakness 허약

- Fatigue 피로
- Risk for falls 낙상 위험성

Weight gain 체중증가

- Imbalanced nutrition: more than body requirements 영양불균형: 영양과다

Weight loss 체중감소

- Imbalanced nutrition: less than body requirements 영양불균형: 영양부족

Wellness – seeking behavior 건강추구 행위

- Readiness for enhanced self – health management 자기건강관리 향상 가능성

Wernicke – korsakoff syndrome 베르니케 코르사코프 증후군a

Korsakoff's syndrome 참조

West nile virus 웨스트나일 바이러스

Meningitis/encephalitis 참조

Wheelchair use problems 휠체어 사용 문제

- Impaired wheelchair mobility 휠체어 이동성 장애

Wheezing 천명

- Ineffective airway clearance 비효율적 기도 청결

Wilm's tumor 빌름스 종양, 태생성 신혼합 종양

- Constipation 변비
- Acute pain 급성통증

Chemotherapy; hospitalized child; radiation therapy; surgery, perioperative; surgery, postoperative; surgery, preoperative 참조

Wound debridement 상처 좌멸 괴사 조직 제거술

- Acute pain 급성통증
- Impaired tissue integrity 조직 통합성 장애
- Risk for infection 감염 위험성

Wound dehiscence, evisceration 상처 열개, 내장제거

- Fear 두려움
- Imbalanced nutrition: less than body requirements 영양불균형: 영양부족
- Risk for deficient fluid volume 체액부족 위험성
- Risk for injury 신체손상 위험성
- Delayed surgical recovery 수술 후 회복 지연

Wound infection 상처 감염

- Disturbed body image 신체상 장애
- Hyperthermia 고체온
- Imbalanced nutrition: less than body requirements 영양불균형: 영양부족
- Impaired tissue integrity 조직 통합성 장애
- Risk for imbalanced fluid volume 체액불균형 위험성
- Risk for infection 감염 위험성
- Delayed surgical recovery 수술 후 회복 지연

Wounds (open) 개방성 상처

Lacerations 참조

찾아보기
참고문헌

Index
찾아보기

411

Index
찾아보기

413

Index
찾아보기

Index
찾아보기

417

Index
찾아보기

419

Index
찾아보기

Index

Index

Index
찾아보기

423

Index
찾아보기

Index
찾아보기

Index
찾아보기

고성희 외 (2002). 포켓간호진단 가이드. 서울: 현문사.

고일선, 송라윤, 오의금 (2013). 간호진단 2012-2014. 서울: 정담미디어.

김조자 외 (2008). 비판적 사고와 간호과정. 서울: 현문사.

대한간호협회 (2003). 국제간호실무 용어집. 대한간호협회.

서지영, 한지영, 이내영 (2010). 필수간호진단. 서울:현문사

성미혜, 홍영혜, 정향미 (2005). 간호과정. 서울: 수문사.

원종순 외 (2011). 간호과정과 비판적 사고. 서울: 현문사.

최순희 외 (2012). 간호과정. 서울: 현문사.

홍영혜, 성미혜, 정향미 (2011). 최신 간호진단. 서울: 수문사.

American Nurses Association. (1999). Nursing quality indicator: Guide for implementation , 2th edition. Washington, DC: American Nurses Publishing.

American Nurses Association. (1995). Nursing: A social policy statement. Kansas City, MO: Author.

American Nurses Association. (1994). Registered professional nurses and unlicensed assistive personnel. Washington, DC: American Nurses Publishing.

American Nurses Association. (1985). Code of ethics for nurses with interpretive statements. Washington, DC: American Nurses Publishing.

Bulechek, G. M., Butcher, H. K., Dochterman, J. M., & Wagner, C. M. (Eds.). (2013). Nursing Interventions Classification (NIC), 6th edition. St. Louise: Elsevier.

Carpenito–Moyet, L. J. (2008). Handbook of nursing diagnosis. Philadelpia, PA: Lippincott Williams & Wilkins.

Carpenito–Moyet, L. J. (2004). Nursing Diagnosis: application to clinical practice. Philadelpia, PA: Lippincott Williams & Wilkins.

Dochterman, J. M., & Jones, D. A. (Eds.). (2003). Unifying nursing languages: The harmonization of NANDA, NIC, and NOC. Washington, DC: NursesBooks. org.

Doenges M.E. et al. (2004). Nurses's pocket guide: Diagnoses, Intervention & Rationals. FA Davis Co.

Heather Herdman, T., & Kamitsuru, S. (Eds.). (2018). NANDA International nursing diagnoses: Definitions & classification 2018–2020. Oxford, UK: Wiley–Blackwell.

Johnson, M., Bulechek, G. M., McCloskey, J. C., Mass, M & Moorhead, S. (2001). Nursing diagnosis, outcomes & interventions: NANDA, NOC & NIC linkage. St. Louis: Mosby, Inc.

Ladwig, G. B., Ackley, B. J. (2014). Guide to nursing diagnosis, 4th edition. Elsevier Saunders.

McCloskey, J. C., Bulechek, G. M. (Eds.). (2000). Nursing interventions classification (NIC): Iowa intervention project, 3th edition. St. Louis, MO: Mosby.

McCloskey, J. C., Bulechek, G. M. (2000). Nursing interventions: Effective nursing treatments (3rd ed.). Philadelphia: NANDA International.

NANDA (2009). Nursing diagnoses–definition and classification 2009–2011. Philadelphia: Wiley–Blackwell.

Ralph, S. S., Craft-Rosenberg, M., Herdman, T. H., & Lavin, M. A. (2003). NANDA nursing diagnoses & Classification. Philadelpia, PA: NANDA International.

Ralph, S. S., Taylor, C. M., (2014). Nursing diagnosis pocket guide, 2th edition. Philadelpia, PA: Lippincott Williams & Wilkins.

Reference
참고문헌